De zaterdagochtendyogaclub

www.boekerij.nl

Zoe Fishman

De zaterdagochtendyogaclub

ISBN 978-90-225-5411-1
NUR 302

Oorspronkelijke titel: *Balancing Acts* (Harper)
Vertaling: Carolien Metaal
Omslagontwerp: Guter Punkt, München
Omslagbeeld: © Stockbyte / Getty Images
Zetwerk: Mat-Zet bv, Soest

© 2010 by Zoe Fishman
© 2011 voor de Nederlandse taal: De Boekerij bv, Amsterdam

Voor Ronen,
mijn eeuwige metrovlam

PRANAYAMA

(Sanskriet: pranayama)
verlenging van de ademhaling

Bestaat uit vier onderdelen:

PURAKA: *inademing*
ABHYANTARA KUMBHAKA: *pauze (longen vol)*
RECHAKA: *uitademing*
BAHYA KUMBIIAKA: *pauze (longen leeg)*

DEEL I

Puraka

1

Charlie

In één snelle, vloeiende beweging kwam Charlie in navolging van haar leerlingen overeind. Ze stapelde de dekens op elkaar en legde de blokken piepschuim recht. Inwendig moest ze lachen toen ze zag hoe ze hun jassen dicht ritsten en zich voorbereidden op de kille klap van de winter. Tevreden constateerde ze het contrast tussen hun ontspannen gezichten en het gespannen stelletje met opeengeklemde kaken dat nog maar een uur geleden aan haar les was begonnen.

De herstellende kracht van yoga bleef haar maar verwonderen. Ze vond het heerlijk om de harten en de lusteloze, door New York versufte geesten met elke rek- en ontspanningsoefening verder open te breken. Ze draaide zich naar de glazen pui die uitzicht bood op de jachtige straten van Brooklyn beneden, liet haar blik dwalen door de nu lege studio en glimlachte.

Te bedenken dat dit van haar was, dat ze daadwerkelijk haar lot in eigen handen had... dat was niet niks. Ze moest zichzelf nog steeds af en toe in haar arm knijpen. Ze deed het licht uit en wierp een blik op de klok aan de muur.

Kwart over vijf! Verdomme! Ze had nog maar drie kwartier om in *midtown* te komen en ze bevond zich in Bushwick, de meest afgelegen wijk van Brooklyn. *O, laat de metro vandaag alsjeblieft in een goede bui zijn.* Er was geen tijd meer om te douchen; ze snoof snel even onder haar armen en besloot dat een vleugje parfum genoeg moest zijn.

'Chic!' hoorde ze achter zich. Geaffecteerd glimlachend draaide ze zich om.

'Hoezo, heb jij nog nooit iemand zijn oksels zien controleren, Julian?'

'O, ja hoor, gorilla's doen niets anders.' Hij keek op van zijn plek achter de computer op de ontvangstbalie en grijnsde naar Charlie. 'Kan het ermee door?'

'Zo fris als een hoentje! Nog iets smeuïgs op internet?'

'Het zoveelste voormalige tienersterretje dat zich vrijwillig in een gesloten kliniek heeft laten opnemen en Scientology heeft de zoveelste bobohomo geclaimd,' antwoordde Julian hoofdschuddend, terwijl hij naar zijn favoriete roddelsite keek. 'Echt hoor, volgens mij komt het door de slechte *weaves*.'

'Waar heb je het over?' vroeg Charlie, terwijl ze zich in het aangrenzende toilet verkleedde. Ze haalde haar favoriete rode sweater uit haar gymtas en klopte die uit.

'Al die tienersterretjes die hun verstand verliezen... Volgens mij komt het doordat de giftige lijm van die rattennestkapsels in hun schedel sijpelt. Misschien moeten wij onze eigen weaves met bijbehorende biologische lijm ontwikkelen. Ik weet zeker dat Felicity wel een receptje kent. Als we het hier zouden verkopen, werden we slapend rijk!'

'O ja, dat klinkt echt logisch. Yoga en weaves. Dan kunnen we net zo goed ook botox aanbieden,' zei ze, terwijl ze haar laarzen over haar spijkerbroek trok.

Julian lachte en stond op. Hij rekte zich uit. 'Volgens mij zijn we iets op het spoor. Een yogastudio voor het nieuwe millennium!' Hij wierp een blik op Charlie toen ze haar honingkleurige haar in een enorme knot op haar licht bezwete hoofd bond. 'Waar gaat dat heen, lekker ding?' vroeg hij.

Charlie bleef staan en haalde haar lippenbalsem tevoorschijn. 'Nou gewoon, naar de pseudo-reünie van mijn oude *college*,' antwoordde ze.

'Wát zei je?' vroeg Julian. 'Ben je op zoek naar een oud vriendje om de hartstocht weer te laten oplaaien? Om je boeken te dragen en je haar vast te houden, terwijl jij staat te kotsen? Schat, je weet toch dat de mooiste jongen van de klas nu kalend is en getrouwd met een of ander hoertje met drie kinderen. O, en dat hij plooibroeken draagt.' Charlie kromp ineen bij die gedachte. 'Wacht eens even, waarom is het een pseudo-reünie en geen echte?' vroeg Julian. 'Ben jij te cool voor naambordjes en pasta met saus uit een zakje en ijsbergsla? Wellicht een drilpuddinkje na en een beetje dansen op Black Sheep en Biggie Smalls aan het eind van de avond?'

Charlie lachte. 'Mijn god, Black Sheep? Pijnlijk oud! Nee, ik vind helemaal niet dat ik te cool ben, ik denk gewoon dat de vereniging van oudstudenten iets kleins in New York wilde doen, aangezien een groot deel van de mensen die aan de universiteit van Boston zijn afgestudeerd nu hier woont, vooral de ouderen. Tien jaar geleden alweer. Niet te geloven eigenlijk.' Ze liet dit even tot zich doordringen. *Een decennium. Allemachtig.* 'Het enige wat ik weet is dat ik een e-mail kreeg en heb besloten ernaartoe te gaan. En trouwens, ik heb geen enkele belangstelling om welke lang geleden gedoofde vlam dan ook aan te wakkeren. Ik heb voor vanavond maar één doel voor ogen.'

'Je strakke yogabuikje laten zien?' vroeg Julian.

'Nou, nee. Ik ga reclame maken voor Prana Yoga. Er zijn vast mensen die hun goede voornemen van het afgelopen Nieuwjaar om "weer wat aan beweging te gaan doen" willen uitvoeren. De timing had niet beter gekund.'

'Dat is geen slecht idee, zakenvrouwtje van me,' antwoordde Julian.

'Maar laat je strakke buikje ook maar zien. Het oog wil tenslotte ook wat.'

'Ja, hállo, ben jij mijn pooier of zo?' vroeg Charlie snuivend. 'Dat is een goeie! Maar serieus, we moeten allemaal aan de weg gaan timmeren om meer leden binnen te slepen. Dus jij ook, meneertje.'

'Ja, du-uh!'

Charlie, Julian en Felicity waren mede-eigenaars van Prana en sinds de opening twee maanden geleden hadden ze er serieus werk van gemaakt om de lesuren vol te krijgen. Guerrillamarketing was tot dusver matig succesvol gebleken, maar ze waren nog ver van hun doel verwijderd. Het runnen van een zaak was geen gemakkelijke opgave, zelfs niet als die bewuste zaak was gebaseerd op zenprincipes en geloof in het universum. Met alle *ohms* op de wereld zouden ze nog niet hun hypotheek en elektriciteitsrekeningen kunnen betalen. Laat staan die voor gas en water.

Uiteraard hadden ze hier allemaal rekening mee gehouden – Charlie was een voormalig Wall Streetwonder, Julian had een klein fortuin vergaard op de onroerendgoedmarkt en Felicity had zelfs ooit een eigen yogastudio gehad. Maar toch, ondanks alle gezamenlijke kennis en kunde was het een worsteling om hun droom levensvatbaar te houden.

'Waar heb jij dan missiewerk verricht?' vroeg Charlie.

'Ik heb alle koffieshops en hiphophipste boetieks in Williamsburg en Carroll Gardens bezocht,' antwoordde Julian. 'Flyers uitgedeeld en op prikborden gehangen. Vanmorgen vroeg was ik nog op Flatbush Avenue. En dan heb ik natuurlijk nog mijn ultieme marketingtruc,' zei hij, wijzend naar de hondenmand onder de balie. George en Michael, de aanbeden mopshondjes van Julian en zijn vriend Scott, keken bedachtzaam op naar Charlie. Hun strakke lijfjes gingen schuil onder Prana Yoga-rompertjes – het ene in het oranje en het andere in lichtblauw. Charlie lachte.

'Die arme moppies!' riep ze, terwijl ze naar ze toeliep om ze te aaien. 'Hoezo, ze vinden het heerlijk om zich te verkleden! Toch, liefjes? Echt, Charlie, mensen op straat schieten voortdurend vol als ze naar deze jochies kijken, dus waarom zou ik er geen lopende reclameborden van maken?'

'Best geniaal. Hoewel ik moet zeggen dat ze niet helemaal verguld lijken met hun garderobe.'

'O, zo zijn George en Michael nou eenmaal. Fabeltastisch zijn is gewoon een manier van leven voor ze. Enthousiasme tonen, voor wat dan ook, is zó burgerlijk.'

Charlie lachte weer, terwijl ze haar jas dicht ritste. 'Oké, ik ga naar midtown!' kondigde ze aan, terwijl ze haar tas over haar schouder slingerde.

'Agossie, arm kind.' Hij ging op zijn tenen staan en omhelsde haar. 'Succes en probeer alsjeblieft niet terug te komen met een geruïneerde corpsbal.'

'Komt voor elkaar,' antwoordde ze, terwijl ze door de deur liep en de trap af ging. De koude lucht voelde als een klap in haar gezicht. Ze ademde krachtig in en trok haar capuchon over haar hoofd.

Ze vroeg zich af wie er vanavond zouden zijn. Ze had met bijna niemand van college meer contact. Ze schudde ietwat grijnzend haar hoofd toen ze zich voorstelde wat ze zouden vinden van de 'nieuwe' Charlie.

Ze was nog maar een schim van de geldbeluste, maniakale magnaat van weleer. Terwijl al haar leeftijdgenoten hasj uit pluizige pijpjes rookten en valse identiteitsbewijzen plastificeerden, was zij druk bezig geweest met het kleurcoderen van haar kaartensysteem en het kijken naar politieke programma's op tv.

Ze was vastbesloten geweest om het tussen de andere geldwolven in New York te gaan maken en ze had geweten dat haar eenvoudige start de weg ernaartoe des te lastiger zou maken. Maar zoals haar wijze paps altijd zei: 'Het gaat allemaal om de weg ernaartoe, schatje.' Dit kleine pareltje der wijsheid was nog nooit zo waar geweest als op dit moment, gezien haar ophanden zijnde terugkeer naar haar verleden. Godzijdank was het maar voor één uur.

Oké, twee uur! Charlie besefte het met weerzin. Een tripje naar midtown garandeerde een verblijf van minstens twee uur, aangezien dat waarschijnlijk gelijkstond aan haar reistijd met die godvergeten metro. Charlie stopte haar metrokaartje in het apparaat en liep het poortje door.

Terwijl ze zich een weg baande over het vochtige perron merkte ze tot haar verbazing dat ze best nerveus was. *Wie zouden er allemaal zijn?* In gedachten rolodexte ze door haar zeer korte lijstje van studieliefdes. Hoewel ze zelden tijd voor verkering had ingeruimd, had ze af en toe haar stoïcijnse reserves opzijgezet en zich een week of twee, drie ingelaten met dat typische ritueel. Ze verbaasde zich over de duur van die affaires, maar op college hadden drie weken wel vier jaar geleken – in ieder geval voor haar. Vooral als de gast in kwestie een totale nitwit was, wat ze dus bijna altijd waren.

Toen de metro aan kwam rijden, had Charlie een binnenpretje doordat ze moest denken aan Russ, de stoere footballspeler met een penis ter grootte van een hoestbonbon. Genoemde hoestbonbon was een steroïde rommeltje; zelfs haar complete beproefde en onvervalste arsenaal aan trucjes had het snoepje niet uit zijn verpakking kunnen krijgen. Nadat ze het had opgegeven en zich had onderworpen aan een opgelaten lepeltje liggen, had Russ gedaan alsof het 'incident' niet was voorgevallen en in plaats daarvan gevraagd wat haar favoriete sportwagen was. De volgende dag was Charlie weer terug in de bibliotheek geweest om haar uiteindelijke wereldovername te beramen. Als Russ ook maar enigszins een indicatie was voor wat er daarbuiten bestond in termen van afleiding, bleef zij net zo lief gefocust.

Op Broadway-Lafayette stapte Charlie over op lijn 6. Ze peinsde hoe het zou zijn om zich te verantwoorden tegenover deze mensen die ze ooit gekend had. Heel af en toe was ze iemand uit haar Wall Streetverleden tegengekomen en dan had ze het opvallende verschil met een schouderophalen afgedaan.

'Wat is er met jou gebeurd?' had een ex-collega verbaasd gevraagd tijdens een opgelaten zaterdagse woordenwisseling bij Starbucks. 'De ene dag was je er nog en de volgende… foetsie! En niemand die wist wat er met je gebeurd was.' Ze had het hengsel van haar Birkintas over haar schouder getrokken toen ze dat zei. Vervolgens had ze haar ene hand om haar magere, suikervrije *mokka grande* geslagen en met de andere nerveus haar steile Japanse kapsel met lowlights gladgestreken.

'O, ik heb gewoon een…' Charlie had als een bezetene naar een verklaring gezocht die net genoeg zou onthullen en tegelijkertijd het stellen van verdere vragen uitsloot. 'Ik heb gewoon een kwartlifecrisis gehad, weet je? Het werd gewoon tijd.' Charlie had geprobeerd er dramatisch en mysterieus uit te zien. De vrouw, wier naam Charlie zich met geen mogelijkheid kon herinneren (Sasha? Natasha? Nicole?), had begrijpend geknikt, hoewel ze de hele tijd dacht (wist Charlie zeker): berooide lesbo hakt haar melkboer in mootjes en bewaart hem in de koelkast. Meer nieuws in het journaal van elf uur.

'Gesnopen,' had ze, duidelijk niet op haar gemak, gefluisterd. 'Nou, fijn om te zien dat je nog leeft!' zei ze, terwijl ze zich bij Charlie uit de voeten maakte en op weg ging naar haar middagje Bergdorf en klotekarwei.

Charlie glimlachte bij de herinnering. Ze keek op. *O shit! Zijn we nu al op Forty-second Street!?* Ze rende de metro uit; haar canvas schoudertas ontsnapte op het nippertje aan de kaken van de sluitende deuren. De menigte bewoog naar voren en Charlie werd min of meer de trap opgedragen en boven de grond gedumpt, midden in het drukste gedeelte van de NY-waanzin. Ze haalde even diep adem en begon in de richting van de bar te lopen.

Vooruit met de geit, dacht ze.

2

Sabine

Sabine drukte op SEND en wreef over haar slapen. Violet zou niet blij zijn met haar vijf geredigeerde pagina's. Helemaal niet. Maar wat moest ze anders? Violets boek ging over een veganistische liefde en, sorry hoor, maar het aantal manieren om een geïmproviseerd vluggertje in de wc van de natuurwinkel sexy te maken was nu eenmaal beperkt.

Sabines uitgever was heilig van plan hun lezerskring uit te breiden en had op de een of andere manier besloten dat biologische groenten en sojakaas een recept waren voor sexy. Vandaar dus hun nieuwe reeks veganistische en milieuvriendelijke liefdesverhalen.

Voor een uitgeverij die het bekendst was om romannetjes met een langharige hunk op de omslag was dit op zijn zachtst gezegd een koerswijziging. En als belangrijkste redacteur moest Sabine deze nieuwe titels tot een succes maken... want anders. *Want anders, wat?* Dat vroeg ze zich vaak af. *Zou het nou zo erg zijn om ontslagen te worden?!* Sabine slaakte een zucht. Soms had ze best plezier in haar werk, merkte ze zelfs dat ze op een vreemde manier opgewonden raakte van het redigeren van eindeloze pagina's stoeipartijtjes, maar vandaag was het niet zo'n dag.

Ze keek op en zag Jasmine, haar assistente, in de deuropening op de loer staan. 'Eh, kan ik nog iets voor je doen, Sabine?' vroeg ze weifelend. Haar hoop dat het antwoord ontkennend zou zijn en dat ze naar huis kon gaan, was overduidelijk.

'Nee, nee, ga lekker naar huis!' antwoordde Sabine. 'Begin aan je weekend!'

Jasmine lachte opgelucht. 'Bedankt, Sabine,' antwoordde ze, terwijl ze praktisch wegrénde. Ze hoorde in de verte het gerits van Jasmines jas en vervolgens het gedreun van haar sportschoenen in de richting van de lift. Jasmine was drieëntwintig, net afgestudeerd en ze woonde in de East Village met vier andere tobbende vriendinnen. Toen Sabine haar op een avond had getrakteerd op wijn en hapjes in een nabijgelegen kroeg, had Jasmine haar toevertrouwd dat ze 'eigenlijk wilde schrijven'. Ga weg, had Sabine gedacht. *Nou, succes ermee.*

Zelf was Sabine ook in de uitgeverswereld begonnen met als enige voornemen te gaan schrijven en ja hoor, daar zat ze nu, tien jaar later, de spelling van quinoa te controleren. Ze strekte haar armen hoog boven haar hoofd en draaide haar nek tegen de klok in, terwijl ze haar computer uitschakelde. De knopen in haar lichaam waren zo duidelijk 'kantoor-knopen', dat ze wel kon janken. Het werk was de laatste tijd knap lastig. Wanneer was ze eigenlijk voor het laatst naar de sportschool geweest? In augustus? Het was nu januari. Oef.

Sabines mobiel ging. Ze raapte hem op om de dader te ontmaskeren. MAM stond er. Het schelle gerinkel deed haar op een griezelige manier denken aan wat ze ongetwijfeld te horen zou krijgen als ze opnam.

'Hoi, mam,' zei ze.

'Hai, Saby,' antwoordde haar moeder. 'Heb je lippenstift op?'

Sabine lachte, terwijl ze instinctief met haar vingers over haar lippen streek. Die waren zo gebarsten door de meedogenloze wreedheid van de winter, dat ze aanvoelden als gedroogd vlees. En kleur was in geen velden of wegen te bekennen. 'O, natuurlijk,' antwoordde ze. 'Mijn hele gezicht zit onder de verf. En dan heb ik het nog niet eens over de push-upbeha, de minirok en de naaldhakken. Gewoon weer zo'n saai kantoordagje, weet je.'

'Jouw houding deugt van geen kanten, Sabine,' antwoordde haar moeder. 'Als je zo doorgaat, blijf je voor de rest van je leven met die domme kat van je op de bank zitten.'

'Hij is niet dom!' Haar kat, Lassie, vormde een grote bron van onenigheid tussen haar en haar moeder, die, zodra Sabine hem liefdevol had opgenomen, tegen haar gezegd had dat hij 'het dierlijke equivalent van een kuisheidsgordel was'.

'Nou ja, ik hoop maar dat de penis voor jou verleden tijd is,' had haar moeder vervolgens in een van haar ranzige, door martini gekleurde buien gezegd. 'Want die zie je nooit meer in dat huis van jou.' Sabine had ge-lachen om die vrijpostigheid.

'Niet lachen, mam, maar ik ga zo naar die belachelijke reünie,' zei Sa-bine.

'O, fijn!' kirde haar moeder. 'Ik heb daar een goed voorgevoel over.'

Sabine had weliswaar best een hekel aan haar moeders betrokkenheid bij haar privéleven (of het gebrek daaraan), maar ze riep het over zichzelf af. Ze moest gewoon alles delen en haar moeder was wel een zeer geestig klankbord.

'In welk opzicht?' vroeg Sabine. 'Geruïneerde gescheiden mannen die staan te popelen om hun zaad te verspreiden?' Sabine stak haar hand in haar tas en haalde er haar make-uptasje uit. Ze had de hele dag in het meedogenloze tl-licht naar het computerscherm zitten turen. Ze hoefde niet eens in de spiegel te kijken om te weten dat ze er als een lijk uitzag.

'O jee, ik moet rennen,' zei haar moeder opeens. 'Ik ga vanavond met de meiden naar de film. Gedraag je niet als een debiel en doe wat lippenstift en mascara op. Je bent een prachtige meid en ik hou van je.'

'Bedankt, mam,' antwoordde Sabine, terwijl de tranen haar zonder dat ze het wilde in de ogen schoten. 'Ik hou van je, dag dag.'

'Ik hou ook van jou, liefje. Bel me morgen. En ga in godsnaam niet met iemand naar bed! Nog niet, tenminste.'

'Begrepen, mam,' antwoordde Sabine lachend. Ze verbrak de verbinding en wreef in haar ogen. Niet te geloven die tranen. Was het echt zo lang geleden dat iemand had gezegd dat ze prachtig was? Ze griste haar vergrootspiegel (die verantwoordelijk was voor Sabines voortdurend veranderende wenkbrauwboog) uit haar bureau om de schade op te nemen.

Zie je wel, je bent prachtig, zei ze tegen zichzelf. En dat was ook zo. Met haar grote lichtbruine ogen en kastanjekleurige lokken was ze een klassieke mediterrane schoonheid. Als Sabine zin had, kon ze haar charme in de strijd werpen en flink wat bewonderende blikken van mannen binnenslepen – ze had er alleen bijna nooit zin in. Mannen schenen veel energie te kosten en die kon ze de laatste tijd gewoon niet opbrengen.

Ze zuchtte toen ze haar camouflagestift tevoorschijn haalde en die in de cirkels onder haar ogen wreef, terwijl ze dacht aan haar laatste minnaar: het steeds maar weer kijken op haar mobiel (Heeft hij gebeld? Doet dat ding het wel? Moet ik hém bellen?), hun onzekere toekomst, de goede maar niet geweldige seks en zijn uiteindelijke vertrek. Het was een hoop gestress en getreur geweest, waar ze weinig voor terug had gekregen. Ze stopte haar wimpers in de kruller, kneep, telde tot twee en liet ze toen weer los. *Verbazingwekkend wat dit martelwerktuig voor elkaar krijgt.*

Ze besloot haar negatieve gedachten over mannen uit haar hoofd te zetten en zich te concentreren op de mogelijkheid dat ze iemand zou ontmoeten die haar verwachtingen, gebaseerd op tien jaar daten in New

York, zou overtreffen. Het konden toch niet allemaal proleten zijn. Er moest er minstens een zijn die afweek van de traditie.

Ze nam haar gezicht nog één keer onder de loep en smeet de spiegel terug in haar bureaula. Ze stond op en rekte zich uit; haar nek en rug kraakten als *rice crispies*. 'Ik moet gemasseerd worden,' zei ze hardop tegen haar lege kantoor. Ze stapelde de manuscripten voor het weekend in haar tas en ritste haar jas dicht.

'Hup, Terriërs!' fluisterde ze sarcastisch tegen haar oude sportteam van de universiteit. Ze knipte haar lamp uit en ging op weg naar de gekte van midtown.

3

Naomi

'Waar ga je heen, mama?' vroeg Noah wantrouwend. 'Waarom heb je dat spul op je lippen?'

Naomi lachte. Ze kon niets verborgen houden voor haar zoon, of de Inspecteur, zoals ze hem graag noemde. Noah wilde voortdurend alles weten. 'Wie is dat? Hoe werkt dit? Waar is melk van gemaakt? Waarom steekt jouw buik zo naar voren?' Die laatste vraag was van recente datum en had hij gesteld op een moment dat Naomi had geprobeerd zichzelf in een spijkerbroek te wurmen die ze in 1998 voor het laatst had aangehad. Het was haar gelukt, god zij geprezen, maar het dicht ritsen was een totaal ander verhaal geweest. Ze had op haar bed gelegen en uit alle macht getrokken, half verwachtend dat de rits aan flarden zou gaan, maar toen: victorie! De rits had op wonderbaarlijke wijze zijn tocht naar boven volbracht en ze was er zelfs in geslaagd de knoop dicht te krijgen.

Ze had tevreden gelachen, of eigenlijk gepuft, en zich afgevraagd hoe ze in hemelsnaam overeind moest komen. Toen dat haar op een nogal onbeholpen manier gelukt was – als een pasgeboren kalfje dat voor het eerst op zijn pootjes gaat staan – was ze naar de spiegel gewaggeld.

Precies op dat moment was Noah binnen komen slenteren en had de scène tot in detail in zich opgenomen. Vanzelfsprekend had hij echter ingehaakt op het feit dat de onderste helft van zijn moeder in een soort denim martelwerktuig gevangenzat.

Nadat hij haar de buikvraag had gesteld, had Naomi meteen (heel voorzichtig) het relikwie uit haar verleden uitgetrokken en de spijkerbroek op de stapel voor het goede doel gelegd. Nu was Noah niet alleen haar inspecteur, maar tevens haar persoonlijke stylist. Twee in een.

'Ik ga uit, lieverd,' antwoordde ze, terwijl ze naar hem toeliep om hem te knuffelen. Noah verstijfde toen ze haar armen om hem heen sloeg.

'Waar uit?' vroeg hij opnieuw. 'En wie blijft er bij mij?'

'Ik ga naar een feestje met oude vrienden van school in de stad.' Ze huiverde een beetje bij de gedachte aan wat er voor haar lag. Sinds Noahs geboorte bijna acht jaar geleden (acht jaar geleden? Hè?!), was ze praktisch een kluizenaar geweest – en naar volle tevredenheid.

Dit jaar had ze zich voorgenomen om meer moeite te doen voor gesprekken die niet alleen draaiden om dinosauriërs of de weldaden van sinaasappelsap met pulp. En toen was dus zomaar ineens de uitnodiging voor die reünie in haar inbox beland. Dat was vooral eigenaardig omdat Naomi slechts één jaar op die school had gezeten en wettelijk gezien zeker niet als oud-student beschouwd kon worden. Op de een of andere manier had het bijna voorbestemd geleken, ook al geloofde Naomi niet in die onzin. Maar toch, het was griezelig.

'Welke vrienden van school?' drong Noah aan. Naomi zweeg even. Dat was een goede vraag van de Inspecteur; eentje waarvan ze niet helemaal zeker wist hoe ze die moest beantwoorden. Het grootste deel van dat ene jaar had ze besteed aan spijbelen en aan het tevergeefs proberen om van Boston een kleinere versie van New York te maken. Eerlijk gezegd had ze nauwelijks vrienden gemaakt op college. Het zou haar niet verbazen als ze vanavond helemaal niemand kende.

'Gewoon wat mensen van vroeger,' antwoordde ze.

'O,' zei Noah. 'Zijn die aardig?'

'Tuurlijk,' antwoordde ze, terwijl ze haar gouden oorringetjes in de gaatjes stopte. Ik hoop het, dacht ze.

'Ga ik later ook naar zo'n school?' vroeg hij.

'Ja, zeker weten,' antwoordde ze, terwijl ze zijn warme lijfje in haar armen nam. Wat werd hij groot! Ongewild voelde ze haar baarmoeder samentrekken in reactie op dit kleine mannetje, dat gisteren nog een kirrende baby was. 'Maar dat duurt nog heel lang. O, en Cecilia komt vanavond bij je als ik weg ben.'

Cecilia woonde in hun appartementencomplex en was Naomi's redster in de nood. Als Naomi weg moest voor het incidentele werkoverleg of gewoon, om haar gezonde verstand niet kwijt te raken (de spijkerbroekramp van afgelopen weekend schoot haar te binnen – dat was een wakker schudden qua garderobe waar ze niet aan voorbij mocht gaan), wilde Cecilia altijd met alle liefde op Noah passen. Ze studeerde psychologie aan de universiteit van New York en was haar dissertatie aan het schrijven; elke onderbreking van een paar uur verwelkomde ze met open armen.

Naomi vermoedde ook dat Cecilia haar voor de lol tot op het bot analyseerde, maar daar zat ze niet echt mee. Iemand voldoende vertrouwen om haar voor haar zoon te laten zorgen, was een zeldzaamheid.

'Oké, cool,' antwoordde Noah, terwijl hij zich los wurmde uit de omhelzing en terugkeerde naar zijn eten op de keuken/woonkamer/allestafel.

Naomi bekeek zichzelf in de spiegel. *Niet slecht.* Ze was gaan winkelen ter voorbereiding op haar herintreden in de volwassen wereld en wat ze had gezien beviel haar wel. Haar wijk in Fort Greene had de afgelopen jaren een behoorlijke metamorfose ondergaan en ze had winkels met een belachelijke verzameling verleidelijke kleding tot haar beschikking gehad. Ze was teruggeschrokken toen ze haar nieuwe kledingstukken had afgerekend – visioenen van een afwassende Noah om zijn studie te bekostigen verschenen voor haar geestesoog – maar ze wist dat het moest gebeuren. Met het dragen van spijkerbroeken uit de jaren negentig kreeg ze geen nieuwe vrienden, zelfs niet als die nog stamden uit haar modellentijd.

Naomi streek met haar vingers door haar korte afrokapsel om dat ietwat warrig te maken. Ze vroeg zich af of iemand haar zou herkennen. Op college en nog jaren daarna waren haar lange dreadlocks haar handelsmerk geweest. Die had ze afgeknipt in een hormonale aanval van epische proporties toen ze zwanger was van Noah, maar gelukkig stond dat korte kapsel haar net zo goed, zo niet beter.

'Klop, klop!' gilde Cecilia voor de deur.

'Wie is daar?' hoorde ze Noah vragen.

'Een landhaai!' antwoordde Cecilia, wat bij Noah een giechelaanval veroorzaakte.

'Haaien leven niet op het land!' gilde hij, opgewonden dat zijn speelkameraad voor de deur stond.

'O, oké, dan ben ik een brontosaurus.' Lachend deed Noah de deur open en Cecilia gaf hem een stevige knuffel.

'Hai, Naomi!' zei ze breed lachend – haar duizelingwekkend witte tanden vormden een prachtig contrast met haar zijdeachtige zwarte haar. Op dat moment wilde Naomi niets liever dan haar camera pakken om dat pure licht te kunnen vangen. Ze duwde de gedachte weg.

'Hoi, Cee,' antwoordde ze.

'Je ziet er spannend uit!' riep Cecilia, terwijl ze Naomi snel opnam. 'Ik wou dat ik skinny jeans kon dragen. En dan ook nog met ballerina's!'

'Kan het wel?' vroeg Naomi zenuwachtig. 'Is het niet té? Ziet het er niet uit alsof ik heel erg mijn best heb gedaan?'

'Absoluut niet,' antwoordde Cecilia. 'Je ziet er irritant moeiteloos uit.'

'Dat is het volmaakte antwoord,' zei Naomi glimlachend. 'Oké, Noah moet zijn eten nog even opeten en dan kunnen jullie misschien naar een film kijken of...'

'Ja, ja, ja, ik weet hoe het moet, Naomi,' onderbrak Cecilia haar. 'Wegwezen!'

Naomi keek op haar horloge. Als ze nu niet wegging, zou ze niet hip laat maar té laat zijn. Het openbaar vervoer naar de stad vanuit Brooklyn was niet bepaald snel. 'Oké, oké,' antwoordde ze. 'Noah! Geef me een knuffel alsjeblieft!'

Noah rende met dansende blauwe ogen naar haar toe. 'Dag, mama,' fluisterde hij, toen ze zijn compacte lijfje tegen haar slanke benen drukte.

'Dag, jochie,' fluisterde ze terug.

Ze pakte haar tas en liep de deur door. Op straat haalde ze even diep adem. De koude lucht was verfrissend. Ze was praktisch de hele dag binnen geweest, met uitzondering van de wandeling van en naar school met Noah.

Ze had een gigantisch webdesignproject een week eerder dan gepland afgerond en hoewel dat haar talloze slopende uren ineengedoken voor de computer had gekost, was dat het waard geweest. Nu kon ze zonder schuldgevoel van haar weekend genieten. Dat was het grappige aan het freelancerbestaan: ook al bepaalde ze zelf haar werktijden, de scheidslijnen tussen haar privé- en haar arbeidsbestaan waren misdadig vertroebeld.

Ze baande zich een weg over de metrotrap naar beneden en haalde haar kaartje door het apparaat. Het voelde zo vreemd om in haar eentje uit te zijn, zonder een tas vol hapjes en pakjes drinken. Vreemd, maar goed. Ze was er klaar voor, voor het opnieuw betreden van de niet-mamawereld, zelfs als ze daarvoor opnieuw een bezoek aan haar verleden zou moeten brengen.

4

Bess

'En, denk je dat het een cokezwellinkje is of is ze zwangerig?' vroeg Rob. Ze tuurden allebei ingespannen naar de foto op Bess' computerscherm.

'Tja, als we inzoomen op haar ogen, zie je dat ze weer die belachelijke gekleurde contactlenzen in heeft,' antwoordde Bess. 'En dat zou die cokezwellingtheorie staven.'

'Hoe bedoel je? Kunnen zwangere vrouwen geen gekleurde lenzen dragen?' vroeg Rob verward. 'Zijn die gemaakt van nicotine en kwik?'

'Neeee,' antwoordde Bess. 'Ik heb gewoon een theorie dat echt doorgedraaide sterretjes die godvergeten lenzen dragen om het feit te verbergen dat hun pupillen het formaat van schoteltjes hebben.'

'Wauw!' riep Rob uit. 'Dat is nog nooit bij me opgekomen! Je bent een genie, Bess.'

'Vertel me eens iets nieuws,' antwoordde ze.

'Oké, maak een pilslikkend bijschrift. Maar niets over coke of heroïne. De laatste keer dat we haar gewoonten specifiek benoemden, kwam haar pr-kreng met rokende geweren binnenstampen.'

'Begrepen,' antwoordde Bess, terwijl ze voor de 998ste keer die dag dacht dat haar baan absurd was. Ze kreeg bakken geld om een fanatieke vaste lezerskring te wijzen op de tekortkomingen van beroemdheden. Soms, heel zelden, kreeg ze wel iets te doen wat enige inhoud had – bijvoorbeeld toen ze met een bepaalde beroemdheid annex woordvoerder van de VN naar Afrika was geweest voor een verhaal over de resultaten van hun inspanningen daar – maar meestal was het alsmaar hetzelfde liedje: talentloze tiener valt met haar neus in de coke en maakt een seksvideo. Of zoiets.

Ze maakte een fotobijschrift in haar karakteristieke vinnige stijl en e-mailde haar pagina's naar de hoofdredacteur. Voor het nummer van deze week had ze geen artikelen geschreven, dus het was al met al een relatief rustige vrijdag.

'Wat ga jij vanavond doen?' vroeg Rob. 'Komt Dan hiernaartoe met de liefdesvlucht?'

'Was het maar waar,' gromde Bess. Dan was haar vriend. Formeel gezien was hij haar latrelatie, maar het voelde raar om hem op die manier te zien. Drie maanden geleden was hij naar Los Angeles verhuisd en die continentale afstand bleek Bess een stuk zwaarder te vallen dan ze vooraf gedacht had. Dan was bankier op Wall Street, maar zijn voorliefde ging uit naar het schrijven van scenario's. Vorig jaar had hij een gigantisch risico genomen en zich ingeschreven op de filmschool van de universiteit van Zuid-Californië. Bess had geweten dat hij aangenomen zou worden – hij had écht talent – maar het kwam toch als een schok dat hij haar daarvoor zou moeten verlaten.

Af en toe kwam hij een weekend over, maar het was zwaar om geen lijfelijk contact met elkaar te kunnen hebben. Heel zwaar. 'Hij blijft dit weekend in LA om aan een scenario te werken,' legde ze met een zucht uit.

'Dus geen wip voor jou, hè?' vroeg Rob, terwijl hij in zijn handpalmen crème uit een gratis tube kneep die voor tachtig dollar per dertig millimeter in de winkel werd verkocht. Als redacteuren en verslaggevers van het populairste roddelblad in het land kregen ze voortdurend de beste spullen. Dat was uiteraard uiterst onethisch, maar ja, alles aan hun werk tartte welke ethische regel dan ook.

'Nada,' antwoordde Bess. 'En de volgende keer dat het woord "wip" over jouw lippen komt, bind ik je vast in je tijdmachine en stuur ik je terug naar het jaar 2000.'

'Bijdehandje!' antwoordde Rob, terwijl hij in zijn handen klapte. 'Boodschap begrepen. Dus jij gaat het gewoon rustig aan doen dit weekend?'

'Ja, voor het grootste deel wel.' Ze had gepland om drie weekends achter elkaar ideeën voor reportages te gaan bedenken. Met Nieuwjaar had ze zich voorgenomen die belachelijke baan van haar op te geven om nu eens serieus aan de slag te gaan. Iets wat niets te maken had met gewichtsproblemen, haarhighlights of botox: de gebruikelijke onderwerpen in het freelancewerk dat ze voor een paar van de belangrijkste vrouwenbladen in de stad deed.

Maar elke keer dat ze ging zitten om te brainstormen, was ze ongeveer zo geconcentreerd als een puppy met een bak vol Red Bull. Dan zat ze ineens te dagdromen over Dan, vroeg ze zich af wat hij aan het doen was en fantaseerde ze over het moment dat ze hem weer zou zien. Ze was een cliché geworden en daar baalde ze flink van. Ze wist dat er niks mis was met verliefd zijn, maar het was een grote vergissing om dan ook je eigen idealen in de ijskast te zetten – iets wat ze al veel te veel mensen had zien doen.

'Wat ga jij dit weekend doen, Robbo?' vroeg ze, voorbereid op zijn gebruikelijke relaas: trainen, filmpje pakken, iets met zijn vriendin doen. Als er iemand voorspelbaar was, dan was Rob het wel.

'Eh, niet veel bijzonders eigenlijk. Amelia is de stad uit voor haar werk, dus het zal wel een mannenweekend worden.'

'En wat houdt dat in?' vroeg Bess.

'Pizza, rondslingerende kleren, de wc-bril niet omhoog doen en porno.'

'Klinkt opwindend!' zei Bess lachend.

Rob glimlachte. 'Ja, hè? Theoretisch klinkt het allemaal prachtig, maar als ik eerlijk ben, gaat het na hooguit vier uur vervelen. Hé, heb je vanavond iets? Zullen we een borrel of twaalf gaan drinken?'

'Ooooo get, dat kan niet,' zei Bess. 'Ik moet naar een reünie van college.'

'Hè?' vroeg Rob. 'Wat moet je daar nou?'

'Goede vraag,' antwoordde Bess. 'Ik ga alleen vanwege een idee dat ik heb voor een verhaal. Volgens mij is dit de perfecte manier om mijn roestige raderwerk weer in beweging te krijgen. Dat hoop ik tenminste.'

'O ja, wat voor idee is dat dan?' vroeg Rob.

'Ik wil niet lullig overkomen, maar vind je het erg als ik dat nog een tijdje voor me hou? Tot het allemaal wat concreter is? Ik ben bang dat het anders ongeluk brengt.'

'Geen punt, dame,' zei Rob. 'Hou het maar zo lang als je wilt geheim.'

'Bedankt, Rob.' Ze keek op haar horloge. 'O, shit, ik moet gaan! Nog even mijn vermoeide smoelwerk opfrissen en dan ben ik weg. Ik hoop dat jouw mannenweekend al je dromen vervult.'

'Bedankt, Bess. Veel plezier vanavond. Vergeet niet te kijken hoe de kont van het mooiste meisje van de klas er nu uitziet.'

Bess liep naar de toiletten. Ze liet haar jas op de bank in de wastafelruimte vallen en keek in de spiegel. Terwijl ze zich opmaakte, dacht ze aan het idee voor een verhaal dat in haar hoofd sudderde sinds de uitnodiging voor de reünie in haar inbox was beland. Ze vroeg zich af of het haar zou lukken. Ze trok het borsteltje uit het mascaradoosje en haalde het over haar wimpers. *Misschien. Maar je moet je focussen, Bess. Echt focussen.*

Haar telefoon ging. Ze keek naar het schermpje: Dan. Ze stopte de mobiel dieper in haar tas, ook al popelde ze om met hem te praten. Laat je vanavond nergens door afleiden, zei ze tegen zichzelf, terwijl ze haar jas dicht ritste en naar de uitgang liep.

5

'Hallo, welkom bij tien jaar geleden!' zei een stijf van de koffie staande vrouw.

'Eh, hoi,' antwoordde Charlie.

De vrouw overhandigde haar een blanco naamkaartje. Charlie had een pesthekel aan die dingen, ze voelde zich er altijd zo'n sul mee. *Nou, vooruit, geen spelbreker zijn.* Ze schreef haar naam op het kaartje en bevestigde dat op haar borst. *Hoi, dit zijn mijn borsten en ik heet Charlie.* Ze bedankte de vrouw en liep langs haar heen naar de bar, terwijl ze weifelend zocht naar een bekend gezicht in het kleine gezelschap. Niemand vertoonde een reactie. Omdat ze opeens behoefte had aan een heel groot glas wijn liep ze naar de barkeeper.

'Mag ik een glas pinot noir, alstublieft?' vroeg ze, terwijl ze in haar tas dook op zoek naar haar portemonnee.

'Charlie?' hoorde ze een schorre stem naast zich zeggen. Ze keek op en zag de glimlach van een knappe vrouw met blond haar dat in een streng staartje was gebonden. Wauw, hallo jukbeentjes, dacht ze.

'Sorry, ken ik...' Charlie zweeg. 'Bess!? O mijn god!' Ze draaide zich om en omhelsde haar.

'Hé!' antwoordde Bess. 'Je ziet er geweldig uit! Hoe gaat het met je?'

'Goed, dank je. Jij ziet er ook goed uit. Geen grammetje veranderd. Belachelijk.'

'Nou, ik hoop dat ik iets beter gekleed ben dan de laatste keer dat je me gezien hebt,' zei Bess lachend. Ze was zichtbaar blij met het compliment.

'Tja, ik denk dat alles beter is dan een flanellen pyjamabroek en een sweatshirt met capuchon van zevenenveertig maten te groot,' beaamde Charlie.

'Zeg dat wel,' zei Bess. 'Weet je nog die zondagse ontbijtjes in het café?

God, wat zou ik graag weer een wafel eten met liters stroop.'

Charlie lachte. 'Echt hoor, hebben wij in die vier jaar ooit wel eens iets anders verteerd dan suiker?'

'Nauwelijks,' zei Bess. 'Pure mazzel dat niet al mijn tanden eruit zijn gevallen.'

Charlie en Bess hadden twee jaar in hetzelfde studentenhuis gewoond en tijdens hun eerste jaar op dezelfde verdieping. Charlie herinnerde zich Bess' weelderige blonde paardenstaart, die ze altijd boven op haar hoofd droeg. Bess herinnerde zich Charlies lange benen. Weer of geen weer, Charlie had de aanzienlijke afstand van en naar de lessen altijd lopend afgelegd. Zelfs als Bess hartje winter uit het raam keek, had ze Charlie altijd over Commonwealth Avenue zien lopen, onherkenbaar ingepakt, behalve dan die lange, in denim gehulde benen.

'En, wat doe jij nu?' vroeg Charlie aan Bess. 'Jij zat toch op de school voor journalistiek?'

'Jep,' antwoordde Bess. Charlie rekende af met de barkeeper en keerde zich naar Bess in afwachting van haar verhaal. 'Ik werk voor een tijdschrift.'

'O, welk?' vroeg Charlie.

'*Pulse?*' antwoordde Bess timide. Het klonk meer als een vraag dan als een antwoord.

'Ooo, dat ken ik!' zei Charlie. 'Dat is toch dat tijdschrift dat al die beroemdheden afkraakt?'

'Het enige echte,' antwoordde Bess droog.

'Vind je het leuk?'

'Ach, het gaat wel. Ik doe er wat freelancewerk bij, dus hopelijk kan ik daar snel weg.' Ze ging vlug over op iets anders; het laatste wat ze wilde was over haar werk praten. 'En jij? Jij was toch iets belangrijks met geld? Heb je Wall Street stormenderhand veroverd?'

Charlie lachte. 'Geloof het of niet, maar ik ben yogalerares.'

'Wat!? Ga weg! Niet te geloven. Hoe is dat zo gekomen?'

'Lang verhaal. Het komt erop neer dat ik dat wereldje spuugzat was.'

'Wat goed,' zei Bess. 'Echt hoor, ik vind het ongelooflijk. Dat je het lef hebt gehad om zo'n carrièreswitch te maken... dat is iets waar ik alleen maar van kan dromen. Waar geef je les?'

'Nou, ik heb dus een eigen studio in Bushwick. Je zou eigenlijk een keertje moeten komen kijken.'

'O, dat klinkt geweldig,' antwoordde Bess. 'Maar ik ben een complete leek. Ik heb maar één keer een yogales gevolgd en ik bakte er helemaal niets van.'

'Yoga gaat niet over er goed of slecht in zijn. Die instelling moet je loslaten. Je moet echt een keer langskomen, dat zou ik hartstikke leuk vinden.' Charlie stak haar hand in haar tas en overhandigde Bess een flyer. 'En ik weet dat Bushwick ver weg lijkt voor een yogales, maar vanuit midtown is het maar veertig minuten.'

'Bedankt, Charlie, misschien doe ik dat wel,' antwoordde Bess, terwijl ze dacht aan het idee voor haar verhaal. De opzet was eigenlijk tamelijk eenvoudig, maar die was meer gebaseerd op een vage veronderstelling dan enig concreet bewijs. Bess hoopte vanavond vrouwen te ontmoeten die als vanzelfsprekend binnen haar hypothese vielen. Charlie was eigenlijk de antithese van het type vrouw dat Bess wilde karakteriseren, dus ze wist niet zeker of yoga op dat gebied iets voor haar in petto had. Aan de andere kant: er mocht best wat meer rek in haar bestaan komen.

Charlie keek speurend door de menigte. 'Eigenlijk hoopte ik vanavond flink wat flyers uit te delen. We hebben de studio nog maar net geopend, dus ik moet reclame maken.'

'Ik help je wel! Dan heb ik tenminste iets anders te doen dan de ellende van mijn werkweek in wodka verdrinken. Laten we een rondje maken.'

'Fijn! Dat vind ik echt te gek.' Ze slingerden allebei hun tas over hun schouder en keken om zich heen.

'Kom, geef mij maar een stapeltje flyers,' zei Bess. 'Ik ga die kant op en jij die. We zien elkaar in het midden weer. Wie de meeste flyers heeft uitgedeeld, trakteert de ander op een borrel.'

'Afgesproken,' antwoordde Charlie met een grijns.

Terwijl Bess zich door de menigte worstelde, dacht ze aan haar artikel. Ze was naar de reünie gekomen met het plan te schrijven over de verloren gegane dromen van vrouwen van dertig jaar en ouder. Misschien wel een 'toen en nu'-achtige uiteenzetting over de verschuivende prioriteiten van ouder wordende vrouwen. In een bepaald opzicht projecteerde ze haar zorgen over haar eigen leven op een groep virtuele vreemdelingen. Aangezien zij het verschrikkelijk moeilijk vond om op welke manier dan ook creatief gedreven te blijven, vermoedde ze dat haar voormalige klasgenoten daar ook mee worstelden. Toch?

Maar hoe zat het dan met Charlie? Ze had Bess' quasihypothese volledig op zijn kop gezet. In plaats van een Wall Streetrobot was zij een yogagoeroe geworden. Even raakte Bess in paniek. Stel dat elke vrouw haar dromen had kunnen verwezenlijken en zij de enige was die verzoop in zelfgenoegzaamheid? Getver. Ze overhandigde een flyer aan een groepje verlekkerd kijkende kalende mannen. Ze wist zeker dat ze met een van hen tijdens een feestje in het eerste jaar aan een waterpijp had gelurkt. Ze vermeed zijn hoopvolle blik en liep verder. Dat was een reünie waarvoor ze totaal geen belangstelling had.

Charlie scande de menigte terwijl ze haar ronde langs de bar aflegde. Ze zag een bekend gezicht. Wie was dat? Ze groef in haar geheugen. Had ze statistiek met haar gehad? Nee, waarschijnlijk niet. Had ze samen met haar les gehad in reddingszwemmen?

Charlie grinnikte toen ze aan die lessen dacht. Tot haar grote afgrijzen had de lerares haar laten zakken, omdat het Charlie niet was gelukt een slachtoffer dat met zijn gezicht in het water lag om te draaien. Haar zomervakanties in de detailhandel hel weet ze geheel en al aan die ene lerares. Als die haar wat meer tijd had gegeven, had Charlie op het strand van Cape Cod kunnen bakken in plaats van T-shirts te vouwen bij J. Crew.

Opeens keek de vrouw Charlie recht in haar ogen en lachte. Ze kwam op haar af. Toen ze haar zo elegant naar haar toe zag meanderen, schoot het Charlie te binnen. Naomi! Het onverdraaglijk elegante, camera meedragende evenbeeld van een supermodel, dat het eerste jaar in haar studentenhuis had gewoond.

'Naomi!' riep Charlie, terwijl ze haar armen spreidde.

'Hai, Carrie?' vroeg Naomi onzeker. 'Heet je zo? Ik heb mijn hopeloze hersens gepijnigd…'

'Het is dus Charlie.'

'Ja! Charlie! Ik wíst het. Sorry voor mijn verschrikkelijke geheugen. Het goede nieuws is dat ik me je knappe gezicht in ieder geval nog wel herinnerde.'

Charlie bloosde. Vond Naomi, de schoonheidskoningin, haar echt knap? Opeens voelde ze zich weer veertien. 'O, dat geeft helemaal niets. Hoe is het met jou, Naomi?'

'Prima, dank je. En hoe gaat het met jou?'

'Min of meer hetzelfde. Vooral min. Hé, ben jij na het eerste jaar overgeplaatst of zo? Ik heb het gevoel dat ik je nooit meer heb gezien.'

'Dat is zo,' antwoordde Naomi. 'Eigenlijk ben ik een soort van, nou ja, niet soort van, hoor mij nou, ik ben gewoon weggestuurd. Mijn ouders waren daar natuurlijk niet echt blij mee, dus ik moest terug naar New York.'

'Ben jij opgegroeid in New York? Dat heb ik nooit geweten. Vandaar natuurlijk dat mondaine.'

'Hoe bedoel je? Ik was in die tijd verre van mondain.'

'Echt wel. Wij liepen allemaal in gescheurde spijkerbroeken en van die dikke jacks, maar jij had het helemaal voor elkaar. En je was zo ongrijpbaar. Telkens als ik je zag, was je met dat groepje skatende kunstenaarstypes. Zij zijn niet naar de universiteit van Boston gegaan, toch?'

Naomi lachte bij de herinnering. 'Nee, nee. Zij zijn naar Emerson gegaan. God, wat is dat lang geleden! Er is zo veel veranderd. Echt niet te geloven. We zijn oud!'

'Breek me de bek niet open,' beaamde Charlie. Over Naomi's schouder zag ze een donkerharige vrouw met een ongelovige blik op haar gezicht naderen. Ze mimede 'hallo' naar Charlie en tikte Naomi verlegen op haar arm.

'Naomi?' vroeg ze.

Naomi draaide zich om. 'Kijk nou! Sabine! Hai!' De vrouwen omhelsden elkaar terwijl Charlie toekeek. Zij vond Sabine er ook bekend uitzien.

'Sorry, Charlie, ken je Sabine?' vroeg Naomi. 'Zij was mijn kamergenoot in het eerste jaar.'

'Je ziet er inderdaad bekend uit,' zei Sabine, terwijl ze haar hand naar Charlie uitstak.

'Jij ook,' antwoordde Charlie. 'Volgens mij heb jij me ooit waspoeder geleend.'

''Wacht! Ja! Nu weet ik het weer. Jij had iets van zeventien machines vol en je poeder was op!'

'Jep, dat was ik,' zei Charlie. 'Ik had het altijd zo druk met studeren dat ik pas besefte dat het tijd was om naar de wasserette te gaan als mijn vuile was tot het plafond kwam.'

'Hoe is het met je, Sabine?' vroeg Naomi. 'Het is eeuwen geleden!'

'Zeg dat wel,' beaamde Sabine. 'Ik was ervan overtuigd dat ik hier niemand zou kennen. Wat ben ik blij dat ik jou zie, ik heb me altijd afgevraagd waar je naartoe bent gegaan.'

'Naomi was de beste kamergenoot ooit,' vertelde Sabine aan Charlie. 'Ze was ten eerste bijna nooit thuis. En ten tweede, als ze dat wel was, leende ze me altijd kleren en ontkrulde ze mijn haar.'

'En weet je die "smokey eyes" nog?' vroeg Naomi lachend. 'Je smeekte me altijd "smokey eyes" bij je te maken.'

'Ja!' riep Sabine uit, terwijl ze vrolijk in haar handen klapte bij die herinnering. 'Niemand kon dat beter dan jij. En dan maakte je altijd foto's van me!'

'Hé, Charlie!' kraaide Bess toen ze zich het kringetje in wrong. 'Ik ben al mijn flyers kwijt. Doe mij maar een tequila!'

Charlie lachte. 'We hadden het net over die goeie ouwe tijd,' zei ze tegen Bess, waardoor ze haar in het kringetje opnam.

Sabine lachte ter begroeting en vervolgde haar gesprek met Naomi. 'Fotografeer je nog steeds?' vroeg ze. 'Je had zo veel talent. Jij kon zelfs mij er als een fotomodel uit laten zien en dat is voor ons stervelingen een onmogelijke opgave.'

'Neem me niet kwalijk, juffrouw Bescheidenheid,' antwoordde Naomi. 'Maar dat was helemaal geen onmogelijke opgave.'

Sabine grinnikte. 'Dus je fotografeert nog steeds?' vroeg ze opnieuw.

'Eh, nee, niet meer,' zei Naomi afhoudend.

Charlie, die een opening bespeurde, wendde zich tot Bess. 'Dames, dit is Bess. Ken jij Sabine en Naomi, Bess?' vroeg ze.

Bess keek hen onderzoekend aan. Naomi's opvallende opgelatenheid over het fotograferen had een snaar bij haar geraakt. Dit was precies waar ze naar op zoek was. 'Ben jij dat meisje dat dreadlocks er op de een of andere manier chic deed uitzien?' vroeg ze aan Naomi.

'O, van dat chique weet ik niet hoor, maar ik had toen inderdaad een rastakapsel,' antwoordde Naomi.

'Ja, ik kende je toen! Jij was Lisa Bonet,' zei Bess, blij dat ze de link had kunnen leggen.

'Hè?' vroeg Naomi lachend.

'Ja, zo noemde ik je. Lijkt zij niet sprekend op Lisa Bonet?' vroeg ze aan Sabine en Charlie.

Voordat ze antwoord konden geven, wees Bess naar Sabine. 'En jij, jij zat soms bij mij met Engels! Shakespeare, eerste jaar?!'

'Bij professor Gottlieb!' riep Sabine. 'Natuurlijk, nu herinner ik me je weer.'

'Wat doe jij tegenwoordig met je studie Engels?' vroeg Bess. 'Schrijf je bestsellers?'

'O nee. Helemaal niet. Ik ben gewoon redacteur bij een uitgeverij.'

Bess bespeurde iets van droefenis in Sabines toon. Het zag ernaar uit dat ze tussen de menigte van vanavond weer een ijskastdroom had gevonden. Bess leefde op. Haar artikel had uiteindelijk toch bestaansrecht.

'Over welke flyers had je het, Bess?' vroeg Naomi, van gespreksonderwerp veranderend.

'Charlie heeft een yogastudio in Bushwick. Ze is hier om daar reclame voor te maken, dus ik heb haar beloofd te helpen. Bovendien had ik zo iets nuttigs te doen behalve een beetje rondlopen en er verloren uitzien.'

'Heb jij een yogastudio, Charlie?' vroeg Sabine. 'Wat fantastisch. Ik wilde dat ik een yogi was. Ik heb er altijd mee willen beginnen, maar ik heb de sprong van de loopband naar de mat gewoon nog steeds niet gemaakt.'

'Waarom niet?' vroeg Charlie. 'Je hoeft echt niet op te houden met hardlopen voor yoga hoor. Ze vullen elkaar juist prima aan.'

'Ik kan al nauwelijks mijn bed uit komen om naar de sportschool te gaan, laat staan dat ik dan ook nog naar een yogastudio zou moeten,' legde Sabine uit. 'Nou ja, daar heb ik mijn luie donder tenminste van overtuigd om me iets minder slecht te voelen.'

Naomi lachte. 'Ja, hè! Het is verbazingwekkend hoe goed we ons ergens onderuit kunnen lullen, voordat we het zelfs maar geprobeerd hebben,' zei ze. 'Tijdens mijn zwangerschap heb ik behoorlijk serieus aan yoga gedaan en toen, tja... ben ik ermee opgehouden. Ik zou het heerlijk vinden om het weer op te pakken.'

'Halloooo, dames!' zei Charlie. 'Kom naar mijn studio. We maken gewoon een klasje voor de zaterdagochtend. Als jullie je allemaal voor zes weken vastleggen, beloof ik dat jullie nooit meer een smoes zullen verzinnen om niet aan yoga te doen. Als je de smaak eenmaal te pakken hebt, verandert je hele leven.'

'Ja, Charlie heeft bakken Wall Streetgeld in de steek gelaten toen ze eenmaal de smaak te pakken had,' legde Bess aan Sabine en Naomi uit. Bess was totaal niet geïnteresseerd in yoga, maar als ze Naomi en Sabine zover kon krijgen om mee te doen, zou ze wat betreft haar artikel op rozen zitten. Ze zou hen naar details kunnen vragen over hun niet-verwezenlijkte dromen en Charlies motivatie voor het op zijn kop zetten van haar leven kunnen achterhalen. Het was een win-winsituatie.

Ze wendde zich tot Charlie. 'Zal ik je eens wat vertellen, Charlie, ik doe mee!'

'Hoe ver is Bushwick van de East Village?' vroeg Sabine. De gedachte aan een metrorit op de vroege zaterdagochtend was geestdodend.

'Niet zo ver, half uurtje misschien?' antwoordde Charlie. Sabine dacht aan haar zaterdagochtenden van de laatste tijd. Zij, haar kat, een ongelezen krant en *That's So Raven* op Disney Channel. Vervolgens dacht ze aan het naderende voorjaar en aan hoe haar bovenarmen wapperden.

'Ik doe ook mee!' zei ze.

'En ik woon in Brooklyn, dus het zou treurig zijn als ik me terugtrok,' zei Naomi. 'Ik denk dat mijn buurvrouw wel op Noah wil passen. Ik doe ook mee, Charlie.'

'Geweldig!' riep Charlie stralend. Ze gaf iedereen een flyer. 'Hierop staan het adres en de routebeschrijving. Zullen we morgen beginnen?'

'Eh, nee,' antwoordde Bess. Ze moest haar hypothese vereenvoudigen voordat ze de sprong waagde. 'Zullen we onszelf nog één weekje een zittend bestaan gunnen?'

'Mee eens,' zei Naomi. 'Ik kan op zo'n korte termijn toch geen oppas krijgen.'

'Je bent me een tequila schuldig, Charlie!' merkte Bess op.

'Laten we er allemaal een nemen!' zei Sabine. Ze liep steels in de richting van de bar. 'Vier tequila alstublieft.' De barkeeper gehoorzaamde, hij vulde elk glas tot de rand en voorzag hen van meer dan genoeg limoenen en een zoutvaatje. Sabine overhandigde iedereen de ingrediënten en strooide het vereiste zout op elke pols.

'Op de yogales!' juichte Bess.

'Op de yogales!' herhaalden Charlie, Naomi en Sabine.

DEEL II

Abhyantara Kumbhaka

6

Charlie

Charlie was dol op deze tijd van de ochtend, vlak voordat de zon opkwam. Dan voelde het alsof de stad van haar was. De straten waren verlaten en toch kon ze de energie voor de nieuwe dag, die op het punt stond los te barsten, onder haar voeten voelen. Vroeger, als ze op tijd op moest voor haar werk op Wall Street, switchte ze altijd meteen van slaap naar robot: douchen, aankleden, metro, koffie. Nu was haar tempo 's morgens beduidend anders. Ze werd nog steeds wakker met het gevoel een doel te hebben – ze had immers een studio – maar dat doel was nu veel meer van haar.

Ze glimlachte tegen zichzelf toen ze de delicatessenzaak onder haar studio in dook voor haar banaan en espresso. Binnen stond Mario de krant te lezen met een dampende kom havermoutpap naast hem op de toonbank. Zijn lepel was deels ondergedompeld in de warme brij.

'Goedemorgen, Mario,' zei ze zacht. Ze wilde zijn ritueel niet verstoren, ook al zou hij inmiddels wel weten dat hij haar elke dag op dit tijdstip kon verwachten.

'Charlie!' riep hij opgetogen. Zijn bruine ogen schitterden. 'Goedemorgen, schoonheid.'

Licht blozend antwoordde Charlie: 'Hallo, Mario. En, wat is er vandaag weer allemaal aan de hand op de wereld?'

Mario legde zijn krant neer en schudde zijn hoofd. 'Ach, je weet wel, het gebruikelijke. Politici die betrapt worden met hun hand in de suikerpot, een oorlog zonder einde, drugsarrestaties in New Jersey. Zelfde shit, andere dag.'

'Fijn om te weten dat je tenminste ergens op kunt rekenen, hè?'

'Ja, dat zal wel. God zij gedankt voor gezichten als dat van jou – daardoor vergeet een man zijn zorgen.'

Charlie lachte zijn avances weg. 'Mag ik het gewone recept, alsjeblieft?' vroeg ze.

'Maar natuurlijk. Wanneer ga je me nou eens een echt ontbijt voor je laten maken, *mami*?' vroeg hij, terwijl Charlie met zorg een banaan uitkoos. 'Dat bananengedoe zet geen zoden aan de dijk. Je bent veel te mager. Laat me nou eens mijn beroemde kaasomelet met chilisaus voor je maken. Daar kun je de hele dag op teren.'

'Nee, dank je, Mario. Hoe vaak gaan we het hier nog over hebben? Als ik les ga geven met een buik vol ei en kaas, lig ik halverwege de cobra in katzwijm. Je weet dat ik nog voor de middag iets stevigers eet. Ik doe het nu eenmaal liever stapje voor stapje.'

'Je bent net een eekhoorntje,' zei Mario lachend. Hij deed een dekseltje op haar espresso en gaf het bekertje met een verlegen grijns aan Charlie. Zonder dat ze het wilde, voelde Charlie zich warm worden vanbinnen. Of Mario was sexy, of zij was de wanhoop nabij. Hij was nou niet bepaald Charlies gebruikelijke zwijmelmateriaal – zij was meer geneigd te gaan voor het bebrilde hippietype met elleboogstukken en knipbeurten die duurder waren dan de hare – maar zijn ruige knappe voorkomen en mannelijkheid waren niet te ontkennen. Met zijn één meter tachtig, brede borst en onderarmen die qua formaat nog het meest overeenkwamen met de bovenbenen van de meeste emo-boys uit Brooklyn, viel Mario behoorlijk op. Charlie wist niet precies hoe oud Mario was, maar de ontwapenende rimpeltjes rond zijn ogen en het subtiele grijs in zijn donkere haar wezen in de richting van eind dertig. Begin veertig misschien.

'Bedankt, Mario,' zei Charlie, toen ze betaald had en zich omdraaide naar de deur. 'Tot ziens.'

'Tot je dienst, schoonheid. Misschien kom ik straks nog wel even naar boven om bij een van je lessen te kijken.'

'Ja, doe dat nou eens!' zei Charlie over haar schouder. 'Basisvaardigheden vanmiddag! Perfect voor jou!' Elke dag had Mario het erover dat hij langs zou komen, maar hij had het nog steeds niet gedaan. Charlie kon zich hem maar moeilijk in de boomhouding voorstellen, maar het was wel duidelijk dat hij de weg wist in de sportschool.

Ze haalde de deur naar de studio van het slot en liep de trap op, terwijl ze gelijktijdig haar banaan pelde en slokjes espresso nam. Binnen deed ze het licht aan en keek onderzoekend rond. De wetenschap dat ze dit toevluchtsoord met zo veel anderen kon delen voelde erg goed. Toen zij, Julian en Felicity op zoek waren geweest naar de juiste plek, had dat een onmogelijke missie geleken. Ze wisten dat ze zich Manhattan niet konden, en eigenlijk ook niet wilden veroorloven, maar de plekken die ze in Brooklyn zagen voelden ook niet echt goed. Er moest te veel aan gebeuren of de ruimte was niet groot genoeg of de ligging was zo dat het zonlicht verblindend naar binnen scheen. Ze waren zich steeds meer een driekoppig Goudhaartje gaan voelen.

Maar toen kwam dit hier. Ze hadden het al bijna opgegeven. Mario was de eigenaar van het hele pand en Felicity, die in de buurt woonde, had op een middag als broodnodig opkikkertje wat pure chocolade bij hem gekocht en zich beklaagd over het onroerend goed in de buurt. Mario had toen de etage erboven ter sprake gebracht en gevraagd of ze even wilde kijken. Felicity had met tegenzin ingestemd, omdat ze ervan uitging dat dit de zoveelste misser zou worden. Maar toen ze eenmaal boven was, had ze geweten dat ze wel eens geluk zouden kunnen hebben. Het was de spreekwoordelijke 'ruwe diamant', met enorme ramen en een uitzicht dat slechts deels verduisterd werd door de gebruikelijke stadse boosdoeners. Aangezien ze Mario niet op haar jubelstemming attent wilde maken, vroeg ze rustig of ze haar partners even kon bellen. Mario stemde toe en ging weer naar beneden om haar wat privacy te gunnen.

Ze had zich nog maar net in kunnen houden tot ze Charlie en Julian aan de telefoon kreeg. 'Ik heb het gevonden!' had ze praktisch gegild. 'Het maakt me niet uit waar jullie nu mee bezig zijn, kom onmiddellijk hiernaartoe!'

Een half uur later was de zaak beklonken – tot hun grote verbazing en verrukking. Ze hadden die avond bij zonsondergang nippend aan de feestchampagne in de kale ruimte gezeten en zich een voorstelling gemaakt van de inrichting van hun droomstudio. George en Michael hadden alle kanten op gerend; hun nageltjes tikten op de houten vloer terwijl ze verrukte rondjes maakten.

'Op het nooit opgeven!' had Julian met geheven plastic bekertje geproost, verwijzend naar hun schijnbaar eindeloze en vruchteloze zoektocht.

Charlie glimlachte bij de herinnering, terwijl ze door de studio dwaalde, lampjes aanknipte, matjes recht legde en de blokken hergroepeerde. Ze ging in de lege ruimte zitten die zich langzaam met het gespikkelde licht van de zon begon te vullen. Ze deed haar ogen dicht en concentreerde zich op de stilte, was zich bewust van dit geschenk vóór de onvermijdelijke herrie van de naderende dag.

Ze strekte haar benen en merkte dat haar lichaam enigszins stijf en log aanvoelde toen ze haar dijbeenspieren dwong zich te ontvouwen. Langzaam begon ze aan haar oefeningen. Ze ging omlaag naar de vloer en omhoog naar de zon, terwijl ze de drang om het afdwalen van haar gedachten tegen te gaan weerstond en haar geest tegelijkertijd zachtjes terugduwde naar die denkbeeldige kern van stilte.

Ze stond nu in de boomhouding, met haar voet aan de binnenkant van haar knie, en ademde diep in. Ze voelde haar ruggengraat rechttrekken en naar de hemel reiken. Door uit te ademen vloeide de spanning weg en heel even voelde ze het ultieme genot van haar lichaam dat volmaakt in evenwicht was. Dit was de reden waarom ze zo dol was op yoga. In de meest pure vorm was yoga louter waardering voor de gecompliceerdheid van de menselijke vorm – ziel, lichaam en geest.

Maar net toen ze geestelijke rust had gevonden, verscheen er een beeld van Neil voor haar geestesoog en verstrakte ze; een onvrijwillige reactie waarmee zijn virtuele aanwezigheid altijd gepaard ging. Ze zag hem voor zich, zittend op de vloer van zijn piepkleine etage aan Ludlow Street, zijn benen netjes over elkaar heen geslagen in de lotushouding, terwijl zij zich haastte om naar haar werk te kunnen gaan.

'Kom bij me zitten, Charlie,' had hij gevraagd, terwijl hij aan zijn ochtendritueel begon.

'Kom op, Neil, je weet dat dat niet kan. Dan kom ik te laat op mijn werk,' had ze uitgelegd.

'O ja, werk,' antwoordde Neil, met zijn ogen nog steeds dicht. 'Schiet op, stort je maar gauw met al die andere ratjes in die zielloze ratrace. Snel! Wegwezen!'

Charlie vond het verschrikkelijk dat ze altijd hapte als Neil haar begon te pesten met haar prioriteiten, en ook die keer vormde geen uitzondering. 'O, het spijt me verschrikkelijk, Obi-Neil,' had ze met een stem druipend van sarcasme – en daaronder gekwetstheid – teruggekaatst. 'Maar íémand moet toch de centjes verdienen terwijl jij mediteert.'

Neil had gezwegen, wat Charlies woede nog meer had aangewakkerd. Ze had stampvoetend door het huis gelopen terwijl ze haar spullen verzamelde, maar hij leek wel een standbeeld. Dat deed hij altijd: haar bekogelen met verwijten en zich vervolgens afsluiten. Het maakte Charlie woedend, maar haar woede werd altijd getemperd door haar onzekerheden. In haar achterhoofd voelde ze zich vaak als de rat waarnaar Neil had verwezen, zinloos rondjes rennend in de mallemolen van het bedrijfsleven.

Ze had de etage die dag net als de meeste andere dagen in die periode van haar leven verlaten: gefrustreerd, onzeker en in beslag genomen door Neil.

Charlie opende haar ogen en merkte dat haar vuisten gebald waren. Ze ademde uit, ontspande haar handen en schudde zwijgend haar hoofd. In een bepaald opzicht werd ze nog steeds door Neil in beslag genomen. Waarom kon ze hem niet van zich afschudden?

Ze hees zich op van de inmiddels in het zonlicht badende vloer.

'Goedemorgen, Charlie,' hoorde ze achter zich. Ze glimlachte. Niemand had zo'n geruststellende stem als Felicity. Julian noemde haar Stroop. Haar stem zou in vloeibare vorm ongetwijfeld verleidelijk langs een stapel pannenkoeken stromen.

'Hai, Felicity,' antwoordde Charlie, terwijl ze de hal van de studio in schuifelde. Haar lichaam voelde stukken lichter dan een uur geleden. 'Hoe is jouw ochtend tot nu toe?'

'Al met al niet slecht.' Met haar lengte en krachtige uitstraling was Felicity het equivalent van vorstelijk. Haar huid had de kleur van deskundig gepoetst mahoniehout en haar peper-en-zoutkrullen waren in een enorme berg boven haar lange nek opgebonden. Het een knotje noemen, zou alleen al door de omvang een belediging zijn. Het was meer een mand met haar.

Felicity was vijfenvijftig, maar je zou haar hooguit veertig geven. Haar gladde gezicht lichtte maar een heel klein tipje van de sluier op door een verfrissend lijntje rond haar amberkleurige ogen en lachrimpels die opgingen in haar verblindende glimlach. Ze hadden elkaar drie jaar geleden tijdens een yogaretraite in het noorden ontmoet. Charlie was toen nog een relatieve nieuwkomer – ze was halverwege haar opleiding voor yogalerares – en Felicity was een van de leraressen geweest. Haar no-nonsenseaanpak had Charlie vanaf het begin gerustgesteld. Voor de grap had Charlie haar vaak verteld dat ze later net als zij wilde worden. Op haar tweeëndertigste was Charlie in alle opzichten een volwassene, zeker gezien het feit dat ze een yogastudio bezat en runde, maar ze voelde zich mijlenver afstaan van Felicity's zelfverzekerdheid en authentieke wijsheid.

'Heb ik je al verteld over die lesgroep die ik begonnen ben?' vroeg Charlie aan haar.

'Nee, dat heb je niet gedaan,' antwoordde Felicity met enthousiast twinkelende ogen, terwijl ze een slok van haar koffie nam. 'Vertel.'

'Oké, wist je dat ik vorige week naar een reünie in Manhattan ben geweest?' vroeg ze. Felicity knikte. 'Ik ben daar natuurlijk naartoe gegaan om cursisten te werven, zonder erbij stil te staan dat ik mensen van vroeger zou kunnen tegenkomen...'

'Je hebt je oude vriendje gezien!' onderbrak Felicity juichend Charlies verhaal.

'Eh, nou nee. Volgens mij woont die met zijn vrouw en twee kinderen in Westchester.'

'O. Ga verder, ga verder – sorry dat ik je onderbrak.'

'Hoe dan ook, ik ben daar drie vrouwen uit mijn jaar tegengekomen – vrouwen met wie ik het goed kon vinden,' zei Charlie.

'Wat leuk!' zei Felicity. 'Waren jullie dikke vriendinnen en zijn jullie elkaar uit het oog verloren?'

'O, nee, helemaal niet. Eigenlijk meer kennissen, hoewel twee van hen tijdens het eerste jaar kamergenoten waren. Ach, je weet wel, we woonden in hetzelfde studentenhuis en zagen elkaar wel eens – van die dingen. Het waren allemaal leuke meiden.'

'En het zijn nu leuke vrouwen?'

'Vind ik wel,' antwoordde Charlie. 'Het was te gek om ze na al die jaren weer te zien,' voegde ze eraan toe. 'Dezelfde gezichten en zo, maar we gedragen ons nu anders. Niet op die stomme clichématige Manolo Blahnik-manier, maar meer op een wezenlijke, soort van tijdverstrijkende manier.'

'Mooi. Want als ik nog een zo'n gestoord wijf tetterend over de architectuur op torenhoge hakken door deze buurt zie wankelen, sta ik misschien niet meer voor mezelf in. Feitelijk zijn zulke vrouwen een belediging voor ons allemaal. Wat zijn dat voor meisjes?'

Charlie lachte. Felicity kon erg slecht tegen bullshit, daarom was zij ook de personificatie van cool. 'Je hebt helemaal gelijk,' antwoordde ze. 'Enfin, om een lang verhaal kort te maken, die vrouwen komen hier op zaterdagochtend een beginnerscursus van zes weken volgen. Het lijkt mij echt ontzettend leuk – volgens mij is het heel goed voor de zaak.'

Felicity was even stil. 'Over hoeveel vrouwen had je het ook alweer?' Iets in haar toon wees op weinig enthousiasme.

'Drie.'

'Ik wil niet vervelend zijn, maar drie vrouwen vormen geen klas – vooral niet op zaterdag, de meest lucratieve dag van de week. Hoe kunnen we nou ooit geld gaan verdienen als we dit hier als de slagroom in plaats van de taart blijven beschouwen?'

Charlie verstrakte. 'De taart? Hè? Je weet dat ik nooit iets snap van jouw voedselmetaforen.'

'Wat valt er nou te snappen? We moeten dit als een bedrijf runnen, niet als een studentenvereniging.'

'Maak je geen zorgen, Felicity. Ze doen allemaal een flinke aanbetaling – tegen een verhoogd tarief. In wezen zijn dit tenslotte privélessen. Ik heb de prijs behoorlijk opgedreven en ze zijn er allemaal mee akkoord gegaan.'

'Heb je dat zwart op wit?' vroeg Felicity, die Charlie nog steeds wantrouwde.

'Beter nog, ik heb hun creditcardnummers en daar ga ik zo mee aan de slag. Ik heb met alle drie gemaild.'

Felicity's frons verdween toen ze naar Charlies uitleg luisterde. 'O, dan is het oké,' zei ze. 'Het spijt me dat ik zo pinnig doe, Charlie, maar met die vervelende recessie, de onderhoudskosten, de rekeningen en de renovaties die we van plan zijn, moeten we gewoon de winst- en verliesrekening in de gaten houden.'

'Felicity,' zei Charlie, terwijl ze haar hand op die van haar legde, 'de winst- en verliesrekening is mijn tweede natuur. Vergeet niet waar ik vandaan kom.'

'Mijn kleine Wall Streetmagnaatje,' zei Felicity met een grijns.

Charlie grijnsde terug. 'Prana Yoga gaat het helemaal maken. Ik zit echt niet met mijn hoofd in de wolken, hoor.'

'Dat weet ik. Ik ben gewoon een beetje gestrest de laatste tijd. Onze rekeningen zijn geen lolletje en we hebben meer leerlingen nodig. Dat is alles. Ik vind gewoon dat er niet genoeg doorstroming is en ik zie de economie ook niet op korte termijn aantrekken.'

Charlie ging naast Felicity achter de balie staan. 'Snap ik. We moeten echt snel onze website van de grond krijgen.'

'Weet ik!' zei Felicity nogal heftig. 'Ik zeur Malcolm al tijden aan zijn kop om het te doen, maar hij heeft altijd wel een of ander smoesje waarom het voor hem geen prioriteit is.'

'Heeft hij het druk op school?' vroeg Charlie. Malcolm was Felicity's zoon. Hij was aan zijn laatste jaar bezig en wachtte op nieuws van universiteiten. Hij wilde het liefst naar Cornell en Felicity moest zich echt inhouden om daar niet zelf naartoe te rijden om het toelatingsprogramma op de computer te hacken. Ze moesten het nu echt wel weten, maar ze wilden hen allemaal per se in onwetendheid houden.

45

'Nou en of,' antwoordde Felicity. 'Het eindexamenjaar is tegenwoordig geen pretje.'

'Het eindexamenjaar,' herhaalde Charlie. 'Dat lijkt wel honderd jaar geleden.' Ze schudde glimlachend haar hoofd.

'Heb jij nog vrienden die er misschien een voor ons kunnen maken als we niet op Malcolm kunnen rekenen?' vroeg Felicity.

'Volgens mij niet, maar misschien kan ik vrienden maken,' antwoordde Charlie, terwijl ze glimlachte naar haar leerlingen die voor de balie langs kuierden.

7

Bess

'Wat heb je aan?' vroeg Dan.

Bess, die uitgestrekt op haar grijze dekbedovertrek van Calvin Klein lag, nam zichzelf onder de loep. Haar linnenset was een uitspatting geweest, maar ze had gezworen dat als ze ooit een behoorlijk salaris zou verdienen en een etage met een fatsoenlijke woonkamer had, ze mocht zwichten voor een luxe garendichtheid. Het was het waard geweest. Haar bed leek wel een wolk. 'Een wit hemdje met spaghettisausvlekken en mijn blauwe joggingbroek met dat enorme gat in het kruis,' antwoordde ze zo sexy mogelijk.

'Oooo, vrije toegang.'

'Zeg dat wel, grote jongen.'

'Bess!' piepte Dan. 'Ik mis je alweer.'

'Je hebt me vandaag al een keer gemist en je mag maar één keer,' antwoordde Bess glimlachend. Ze kwam overeind en liet zich op de grond zakken. Het feit dat Dan haar zo openlijk miste, zonder dat stomme stoerejongensgedrag dat ze zo vaak had meegemaakt, was bijna voldoende om haar typerende cynisme te laten varen. Bijna, maar niet helemaal.

'Regels zijn er om overtreden te worden. Hoe was je dag?'

'Prima. Hoewel qua werk wel een beetje saai. Sinds afkicken de nieuwe overdosis is, is het allemaal nogal kleurloos geworden. Niemand doet meer iets interessants.'

'Ja, dat afkicken heeft het echt voor iedereen verpest. Hé, zal ik vanavond taco's of een hamburger eten?'

Bess, die net probeerde haar tenen aan te raken, gromde als antwoord.

'Hè? Communiceren we nu in lettergrepen? Als holbewoners?'

Bess lachte. 'O, nee, sorry. Ik deed een rekoefening en "taco's" kwam eruit als "blurg".'

47

Dan lachte. 'Dat moet pijnlijk geweest zijn. "Taco's" en "blurg" zitten niet eens in dezelfde familie. Kijk uit dat je niets verrekt, je milt bijvoorbeeld.'

'Komt voor elkaar, dokter. Ik heb je toch verteld over de yogacursus waar ik me voor heb opgegeven?'

'O ja, die in Brooklyn met je oude schoolluitjes, toch?' vroeg Dan.

'Jep. We hebben zaterdag onze eerste les en blijkbaar ben ik zo soepel als een stijve plank. Echt hoor, mijn hamstrings lijken wel twee marmeren zuilen.'

'Ach, je overdrijft. Toevallig weet ik dat jij, als het erop aankomt, behoorlijk soepel kunt zijn.'

Bess bloosde. 'Heb ik je al verteld waarom ik eigenlijk yogini ga worden?' vroeg ze toen.

'O, moet je jezelf nou horen, met je deftige seksevriendelijke terminologie,' plaagde Dan. 'Geen idee, Madonna-biceps? Je mag spiritualiteit best misbruiken voor het maskeren van lichamelijke misvormingen hoor, Bess. Als afkicken de nieuwe overdosis is, is yoga de nieuwe anorexia.'

'Nee, het heeft niets met mijn biceps te maken, hoewel dat mooi meegenomen zou zijn. Maar eigenlijk heb ik een nieuw idee voor een reportage.'

'Joh, echt?' vroeg Dan, die opgetogen was voor Bess. 'Super. Waar gaat het over?'

'Nou, ik was op zoek naar een soort goddelijke inspiratie om een beetje uit dat dalletje van me te komen en toen viel het allemaal zo'n beetje op zijn plek tijdens die reünie.'

'Hoezo?'

'Ik zag die vrouwen en besefte hoezeer ze sinds hun studietijd veranderd zijn. En dat zette me aan het denken. Ik bedoel, het waren stuk voor stuk creatieve, gedreven vrouwen, snap je? Vrouwen die dromen en doelen hadden die nog niet beïnvloed waren door de waanzin van het echte leven. Nu lijken ze die allemaal opgegeven te hebben; ze zijn bezweken voor de maatschappelijke regels die bepalen hoe ze aan de kost moeten komen.' Dan was stil. 'Begrijp je wat ik bedoel, Dan?'

'Eh, ik denk het wel,' antwoordde Dan. Er zat iets behoedzaams in zijn toon.

Bess besloot om over zijn gebrek aan enthousiasme heen te walsen. Ze stond op en liep van haar slaapkamer naar de woonkamer. Ze plofte op haar leunstoel en staarde uit het raam van haar etage op de drieëntwintigste verdieping. Als ze zich naar de ene kant draaide, onderging ze de sereniteit van de twinkelende stadslichtjes en de rivier de Hudson daar vlak achter. En als ze zich naar de andere kant draaide, zat ze in feite in de keuken van het appartement aan de overkant. Zelfs groot wonen had zijn grenzen in New York City. Ze ging verder met uitleggen. 'En daar ga ik dus een artikel over schrijven. Over dat deze creatieve vrouwen allemaal hun levensdroom opzij hebben geschoven om aan iemand anders' opvatting van succes te voldoen.'

'Maar hoe kun je nu al die conclusie trekken? Je kent die vrouwen nog niet eens.'

'Dat is waar, maar ik weet bijna zeker dat wat ze nu doen niet hetgeen is waarvan ze gedroomd hebben. Dat is het juist, het overkomt bijna elke vrouw – deze soort van universele uitverkoop.'

'Denk je dat die vrouwen ermee akkoord gaan dat ze het onderwerp worden van zo'n negatief artikel? Wie ben jij dat je hen verraadsters kunt noemen?'

'Ze weten niet dat ik het schrijf. Ik zal me vermoedelijk als een soort spion opstellen – achterhalen wanneer en waar alles wat betreft hun creativiteit de verkeerde kant op is gegaan. En ik ben niet van plan hen als verraadsters te bestempelen, Dan. Ik wil gewoon een zo waarheidsgetrouw mogelijk beeld schetsen van een zeer reëel fenomeen. De lezers mogen ervan denken wat ze willen.' Dan reageerde niet. Bess ging verder: 'Hoewel een van die vrouwen, Charlie, mijn hypothese lijkt te ondergraven. Ze is begonnen als een soort geldwolf met een doctoraal in bedrijfseconomie en runt nu die yogastudio. Maar ik kan me niet aan de gedachte onttrekken dat er meer achter zit – ik denk niet dat die ommezwaai zo ideëel was als hij lijkt. Zo'n draai van honderdtachtig graden moet toch ten minste iets van een minder nobele achtergrond hebben, denk je niet?'

'Ik denk dat dit geen goed idee is, Bess,' zei Dan uiteindelijk. 'Ik vind het helemaal niks. Het is onethisch.'

'O mijn god, laat me niet lachen! Sinds wanneer ben jij zo'n moraalridder? Verslaggevers moeten voortdurend undercover werken.'

'Ik wil niet lullig zijn, maar ik zou dit geen verslaggeving noemen.'

'O, nee, joh?' zei Bess. 'Wat dan?'

'Een enigszins verhulde poging om ten koste van anderen je eigen creativiteit weer een zetje te geven. Gesublimeerde ijdeltuiterij zonder ook maar een greintje "feel good". Die vrouwen krijgen de pest aan jou als dat artikel ooit gedrukt wordt.'

'Jezus! Zo kan-ie wel weer!' Ze zou haar hand wel door de telefoon willen steken om hem zijn zelfvoldane ogen uit te krabben. 'IJdeltuiterij? Man, je weet niet waar je het over hebt. Dit is een belangrijke kwestie waar bijna nooit onderzoek naar is gedaan in een stedelijke setting. Wat mij eraan fascineert is dat deze vrouwen in alle opzichten een onafhankelijk, zelfstandig bestaan leiden. Ze wonen in New York, ze doen allemaal iets artistiekerigs en toch verschillen ze eigenlijk niet zo heel veel van de doorsneehuisvrouw in de provincie. Ze hebben allemaal in een bepaalde mate hun dromen opgeofferd. Het is belangrijk dat de samenleving weet dat alle vrouwen met dit dilemma worstelen.' Ze knipte haar flatscreentelevisie aan en zette het geluid uit. Anderson Cooper kalmeerde haar, ook al kon ze hem niet horen.

'Maar ook al is dat zo, dan kun je toch nog wel eerlijk tegen hen zijn over het artikel? Dat scheelt in ieder geval kwaad bloed.'

'Dat meen je toch niet? Als ik open kaart speel, krijg ik veel minder sappige details te horen. Dan gaan ze hun gesprekken met mij allemaal censureren en wordt het een liefdeloos artikel.'

'Goh, grappig.'

'Wat is er grappig?' snauwde Bess. Hij begon nu echt te ver te gaan.

'Als ik goed heb begrepen wat jij me over dat artikel hebt verteld, dan is "liefde" wel het laatste woord dat bij me opkomt.'

'Geestig, Dan,' zei Bess. 'Ben ik nu opeens liefdeloos omdat ik mijn eigen droom wil verwezenlijken en van dat stomme baantje bij dat roddelblad af wil? Ben ik liefdeloos omdat ik voor de verandering eens een keer aan mezelf denk?!'

'Je verdraait mijn woorden,' voerde Dan aan.

'Dat dacht ik niet,' zei Bess en ze slikte haar tranen in. Jezus, wat werd ze hier opgefokt van! Waarom deed Dan zo rot? 'Ik moet ophangen. Misschien moeten we elkaar maar even niet spreken.' Met die woorden verbrak ze de verbinding en slingerde de telefoon op de grond. Ze zette de televisie uit. Zelfs Anderson kon haar nu niet kalmeren.

8

Sabine

Sabine trok een grimas toen haar wekker opeens wreed in haar oor gilde. Met nog dichte ogen tastte ze in het rond om hem het zwijgen op te leggen. Ze draaide van haar zij op haar buik en begroef haar gezicht in de warmte van haar kussen. Je moet echt opstaan, dacht ze. *Geen smoesjes. Opstaan.* Haar nestje van dekens was zo lekker warm... *OPSTAAN! NU!* Ze dwong zichzelf te gaan zitten en knipte het lampje op haar nachtkastje aan. Door haar samengeknepen ogen zag ze Lassie aan het voeteneinde van haar bed beschuldigend naar haar kijken. Ze stak haar tong naar hem uit.

Ze stond op en trok haar sweatshirt, pyjamabroek en sokken aan, voordat ze slaperig naar de keuken strompelde voor een glas water. Nou ja, feitelijk liep ze naar de koelkast, die – formeel gezien – in haar woonkamer stond. Er was een soort van eiland dat de apparaten van de bank scheidde, maar dat stelde niet al te veel voor. Dit was New York. Als je wc zich in je woning bevond, mocht je jezelf gelukkig prijzen.

Ze klokte het halve glas naar binnen en keek naar de klok op haar magnetron. Het was 6.03 uur. Dit was Sabines eerste poging om voor kantoortijd te schrijven, aangezien haar schrijverij na kantoortijd nergens op sloeg. Schakelen naar de schrijfmodus na een dag redigeren en zich een weg banen langs de verscheidene mijnenvelden van bureaucratische nonsens, voelde als een milde vorm van martelen. Sabine hoopte dat het omkeren van dit proces betere resultaten zou opleveren. Elk resultaat zou in feite meegenomen zijn. Ze was altijd zo'n sportfanaat-voor-dag-en-dauw soort van type geweest als haar hoofd daarnaar stond. Tegen de tijd dat ze echt wakker werd, was ze al halverwege haar training. Waarom zou nu niet hetzelfde soort wonder gebeuren? Na het drinken van twee koppen koffie zou ze al op een derde van haar roman zijn. Ze vulde het koffie-

51

apparaat en liep naar de badkamer om haar vermoeide gezicht in een ijs-koud washandje te duwen. 'Pggggg!' gilde ze in de badstof. Het was nu officieel. Ze was wakker.

Sabine schonk haar mok vol koffie en liep zigzaggend naar haar slaapkamer, waar haar laptop op haar semibureautje stond dat tegen de muur was geklapt. Ze pakte het apparaat en liep naar het bed met het plan het op een paar kussens op haar schoot te zetten om te typen. Op dat moment sprong Lassie van de vloer op het bed en wierp haar een beschuldigende blik toe.

'Verdomme, Lassie!' gilde Sabine, terwijl ze haar gebalde vuist gemaakt woedend richting plafond stootte. De kat had echter gelijk: in bed zou ze niets waardevols kunnen schrijven. Na twee minuten zou ze al liggen knorren. Dat was een ding dat zeker was, daar kon Lassie over meepraten.

Ze zette haar computer weer op haar bureau en trok haar klapstoel onder het bed vandaan. Ze klapte die open, zette hem voor het bureautje, schakelde haar computer aan en ging zitten. Ze klikte op Word en opende een nieuw bestand. De indringend witte cyberpagina staarde haar beschuldigend aan.

Sabine coachte zichzelf: niets moet, begin gewoon te typen – kijk maar waar het je brengt. Haar gedachten schoten als een flipperkastbal alle kanten op, omdat ze inwendig heen en weer werd geslingerd. Ze werd zo in beslag genomen door het idee met opzet iets te schrijven, dat ze zich gewoon niet genoeg kon ontspannen om het eruit te laten vloeien. Dat was het probleem van niet regelmatig schrijven: het verlamde je vertrouwen en onbevangenheid. Sabine noemde dat creatieve constipatie. Ze sloot haar ogen en haalde diep adem.

Ze besloot te schrijven over een wel heel absurd gesprek dat ze de dag ervoor met haar baas had gevoerd. Ze begon in het wilde weg te tikken; deponeerde de details gewoon op de pagina zoals ze bankbiljetten bij een loket zou neertellen. Dat scheelt me straks een hoop tijd en misschien ook wat verwarring, dacht ze. Ze voegde interpunctie toe waar nodig, las alles wat ze geschreven had nog een keer door en begon toen te twijfelen.

'Oooo, wat is dit slecht,' jammerde ze. Lassie, die uitgestrekt op het bed lag, verhief zijn kopje toen Sabines vertwijfeling de kamer vulde. 'Dit is echt slecht.' Ze hield de knop DELETE ingedrukt en zag de cursor de laatste tien minuten van haar leven inslikken. Ze slaakte een diepe zucht en draaide zich om, om Lassie te aaien.

'Veroordeel me niet, Lassie,' fluisterde ze. 'Het lukt me vanmorgen gewoon niet.' Sabine vroeg zich af of ze überhaupt nog wel wilde schrijven. Misschien hield ze er alleen maar uit gewoonte aan vast.

Sabine voelde zich een mislukkeling, maar tegelijkertijd op de een of andere manier ook gerehabiliteerd. Het was haar leven en als zij geen zin had om te schrijven, had ze geen zin om te schrijven. De vraag was: als ze er echt niet meer voor te porren was, waarom spookte het dan de hele dag door haar hoofd? Waarom zag ze zichzelf dan, als ze haar ogen sloot en zich de rest van haar leven voor de geest haalde, als een bezetene typen? Ze schakelde haar computer uit, stond op en liep naar haar commode. Op de cederhouten bovenkant stond een enorme vergrootspiegel. Ze knipte het lichtje daarvan aan en werd meteen gegrepen door de diepte van haar poriën en de zwervende wenkbrauwharen die aandacht nodig hadden. Niets gaf haar meer voldoening dan die rotjochies eruit te trekken. Sabine begon te neuriën, terwijl ze haar wenkbrauwen opschoonde.

'Nee, Sabine!' beet ze zichzelf toe, toen ze een haar wilde weghalen die helemaal niet weggehaald hoefde te worden. Soms schoot ze een beetje door en leek ze net Drew Barrymore ten tijde van haar tietenflits bij David Letterman. Tijdens haar studie had ze zelfs de volledige binnenhoek van beide wenkbrauwen verwijderd in een poging haar unibrauw met wortel en tak uit te roeien. Haar moeder had haar de hele zomer dat ze thuis was Kommakopje genoemd; ze had zelfs haar pincet afgenomen.

'Het is voor je eigen bestwil, Kommakopje,' had ze gezegd, terwijl ze wijn uit een koelkastdoos hadden zitten drinken.

Sabine glimlachte bij die herinnering. Ze legde haar pincet neer en deed het licht van de spiegel uit. Het was 6.54 uur. Ze kon makkelijk nog een uurtje gaan pitten. Ze kroop in haar bed en nestelde zich zorgvuldig tussen Lassie en haar overdaad aan kussens. Ze wierp een blik op haar computer, die haar vanaf zijn plek een eindje verder tartend aan leek te kijken. Ze haalde diep adem en sloot haar ogen.

Toen ze die weer opendeed was het 8.45 uur. 'Shit, shit, shit!' vloekte ze, terwijl ze uit bed sprong. Ze was vergeten de wekker opnieuw te zetten. Nu had ze nog twintig minuten om te douchen, zich aan te kleden en naar de metro te rennen. Lassie keek zelfgenoegzaam toe hoe zij als een bezetene door het huis rende. Ze stapte snel weer onder de douche vandaan – er was geen tijd om iets haargerelateerds te doen – en trok haar kledingkast open. Zonder na te denken griste ze er wat uit. *Zat deze broek altijd al zo strak?* Ze moest haar buik intrekken om hem dicht te ritsen. Het was maar goed dat ze met yoga ging beginnen. Snel smeerde ze voor de spiegel wat foundation/mascara/lipgloss op. Ze zag dat haar wenkbrauwen nog steeds een beetje rood waren van haar eerdere epileeraanval. Ze greep haar jas en tas en vloog de deur uit. Op straat keek ze op haar horloge: 9.10 uur. Niet slecht.

Op het metrostation stopte ze haar kaartje in het apparaat en wilde het poortje doorlopen – maar werd toen door de koude ijzeren arm tegengehouden. Geïrriteerd keek ze wat er op het schermpje stond.

'Onvoldoende saldo?' las ze hardop. Ze slaakte een diepe zucht en maakte zich los uit de kleine opstopping die achter haar ontstaan was om naar de kaartjesautomaat te lopen. Agressief groef ze in haar tas.

'Waar is mijn portemonnee, verdomme?' mompelde ze tegen zichzelf.

Net toen ze er min of meer van overtuigd was dat haar portemonnee was gestolen, vond ze hem. Ze kocht een nieuw kaartje en keerde terug naar het poortje. Na haar tweede, succesvolle poging vervolgde ze haar ochtend met het gevoel dat ze nu al een dutje kon gebruiken.

Ze liep het perron op en dacht na over haar outfit. Die was niet goed. Soms, als ze de deur uitging naar haar werk, voelde ze zich een enigszins competente dertiger met een goede smaak. Niet te veel, niet te weinig, maar precies goed.

En dan waren er dagen als deze; dagen waarop ze te laat dreigde te komen en er uiteindelijk uitzag als een caissière. Bewijsstuk A: slecht zittende broek van katoen met polyester, een tuniek en platte puntschoenen uit het eind van de jaren negentig. Ze kon het alleen zichzelf verwijten: er hingen echt wel andere opties in haar kast, maar soms waren die extra vijf minuten voor de styling haar 's morgens vroeg gewoon te veel. Sabine mocht graag als excuus aanvoeren dat ze het niet meer zo zou waarderen als ze er elke dag geweldig uit zou zien. De incidentele misstap als caissière zorgde ervoor dat ze niet naast haar schoenen ging lopen.

Ze bleef staan en zette haar tas vol manuscripten op de grond. Ze rekte zich uit in de hoop wat van die maandagochtendspanning kwijt te raken. Die begon altijd al zondags, aan het eind van de middag, op te komen. Alleen al het denken aan de komende vijf dagen was genoeg om haar gehele rug in de knoop te krijgen. Ze liet haar armen zakken en keek naar links. Daar stond hij. Metrovlam.

Haar hartslag schakelde ongewild naar een hoger tempo en ze voelde haar gezicht rood worden. Hij stond ongeveer twee mensen verder en luisterde naar zijn iPod.

God, dacht ze. Ik hou van hem.

Ze zag hem nu al ongeveer twee jaar in de metro. Niet elke ochtend, maar één keer per maand of zo. Hij was om te zoenen. Lang, donker en beeldig. Zwart haar en een latemiddagbaardje, zelfs om negen uur 's morgens. Een lenig lijf met handen die zo te zien dingen konden: schilderijen ophangen, een spijker inslaan, misschien wel gehaktballen draaien. Haar verliefdheid op hem was van epische proporties. Ze had misschien al duizend keer geoefend wat ze tegen hem zou zeggen, maar elke keer dat ze haar mond opendeed, klapte ze dicht. Helemaal dicht.

Opeens keek hij haar aan. Zijn ogen waren donkerbruin, maar ze fonkelden als rozijnjuwelen. Zo had ze die omschreven tijdens een avondje stappen met haar vriendin Karen en die was toen in lachen uitgebarsten. 'Even serieus, Sabine!' had ze gezegd. 'Rozijnjuwelen? Je hebt het wel heel zwaar te pakken.' Sabine had dat beaamd en ter bevestiging een enorme slok van haar cocktail genomen.

'Wat is het probleem?' had Karen vervolgens gevraagd. 'Zeg hem gewoon gedag! Jezus. Wat is het ergste dat zou kunnen gebeuren?'

Ze had natuurlijk gelijk. Het ergste wat zou kunnen gebeuren was dat hij Sabine negeerde of, nog erger, haar zonder excuus afpoeierde, maar toch – ze kon zich er gewoon niet toe zetten. Zij wist ook wel dat de kans dat hij een enorme lul was erg klein zou zijn, maar de gedachte op hem af te stappen verlamde haar. Dit was tenslotte New York. Als een man je gedag wilde zeggen, dan deed hij dat. Sabine was door genoeg grappenmakers benaderd om dat te weten.

Wacht even, kijkt hij nou naar me? Ze staarde intens naar de rails toen ze dat dacht. Ze voelde de rozijnjuwelen een gat in haar schedel branden, maar dat zou ook best een gevolg van haar overijverige verbeelding kunnen zijn. De metro kwam eraan en ze wierp hem een steelse blik toe. Niets.

Ze stapten in dezelfde wagon. Er stonden precies drie mensen tussen hen in. Hij luisterde nog steeds naar zijn iPod en las nu ook een boek. De dubbelvervloekende combi van die twee schreeuwde: laat me met rust.

Sabine ging zitten en werd opnieuw herinnerd aan haar caissièrecombinatie. Al zou ze het willen: ze kón hem vandaag geen gedag zeggen. Haar outfit was een ramp en hij... nou ja, hij was volmaakt. Ze zuchtte. Ze haalde een manuscript uit haar tas en deed net of ze las.

'Hé, Sabine!' hoorde ze naast zich. Ze keek op. Lekker dan. Daar was Michael, de Opdringerige Prater. Hij was een vriend van een vriend en hij had totaal geen respect voor fysieke grenzen.

Sabine draaide zich naar hem toe; ze kreeg nu al de zenuwen van de nabijheid van zijn mond bij haar neus. Ze wist uit ervaring dat die open zou hangen, gevaarlijk dichtbij.

'Hai, Michael,' antwoordde ze. Haar opgelatenheid was voor iedereen behalve Michael zichtbaar. Ze vroeg zich af of Metrovlam stond te kijken. Ze kromp ineen en hoopte dat dat niet het geval was. De Caissière en de Opdringerige Prater maakten geen goede indruk.

'En, hoe gaat-ie, Sabine? De laatste keer dat ik je zag was je flink bezopen!'

Dit kan toch niet waar zijn? Hoe oud zijn we nou? Twaalf? 'Sorry, dat kan ik me niet meer herinneren,' antwoordde ze zo beheerst mogelijk.

'Nee, dat zal wel niet!' zei Michael met een bulderende lach. 'We waren op de verjaardag van Carrie.'

'Ooooo, juist ja,' zei Sabine. 'Ik was niet bezopen, ik had gewoon een zware voorhoofdsholteontsteking. Ik zat onder de medicijnen.' Ze dacht terug aan die avond. Ze had zich strontziek gevoeld en toen, hoe kon het ook anders, was Michael verschenen. Ze hadden een afschuwelijk gesprek gevoerd dat ze met dat opgeblazen hoofd en de herrie in de kroeg niet eens goed had kunnen volgen. Tegen het eind daarvan had ze letterlijk het gevoel gehad dat haar hoofd elk moment kon ontploffen.

Michael begon een eind weg te kwebbelen, maar Sabine kon niet eens dóén of ze belangstelling had. De metro reed een station binnen en ze besefte dat haar nog maar drie haltes restten; dan zou ze vrij zijn. Ze nam zich voor nooit meer in deze wagon te gaan zitten. Maar wacht! Metrovlam. Ze kon niet het risico nemen hem nooit meer te zien, alleen om aan de klauwen van de Opdringerige Prater te ontsnappen. Ze keek reikhalzend rond een gigantische rugzak om nog een glimp van hem op te vangen.

Wacht even, hè!? Haar hart stond stil. Hij strekte zijn hals om de rugzak heen om naar haar te kijken. Of toch niet? Sabine keek om zich heen of ze een supermodel of een voormalige president zag. Niets. Ze besefte dat Michael nog steeds zat te praten. Sterker nog, hij was de enige in de hele wagon die praatte. Maar zo'n type was hij natuurlijk ook. Sabine keek om. Een van de oordopjes van de iPod van Metrovlam hing uit zijn oor. Probeerde hij hun gesprek af te luisteren? Echt? Hij keek weer in zijn boek, maar het oordopje bleef bungelen: het enige bewijs dat Sabine misschien wel niet hallucineerde. Hij keek inderdaad naar haar. Of wacht, misschien was hij homo en keek hij naar Michael.

Ze draaide zich weer naar Michael. *Nee, onmogelijk.*

'Snap je wat ik bedoel?' vroeg hij naar adem happend. Hij had aan één stuk door zitten praten. Sabine had er geen woord van verstaan. Geen wonder dat hij altijd dacht dat ze dronken was.

'Ja, Michael,' antwoordde ze. De metro reed haar station binnen. 'Nou, ik moet er hier uit!' kondigde ze aan. 'Tot ziens!'

Ze pakte haar tas en duwde zich een weg de metro uit. Ze keek achterom om in gedachten afscheid te nemen van Metrovlam. Hij keek! Hij keek echt!

Ze keken elkaar recht in de ogen en Sabine bevroor ter plekke.

'Hé, dame, effe doorlopen ja!!' schreeuwde een potige kerel in haar oor. Ze dwong haar ledematen weer aan het werk, draaide zich om en liep de metro uit.

Door het poortje, de trap op naar de straat. Hier kon Sabine eindelijk even de tijd nemen om te verwerken wat er zojuist gebeurd was. Ze had Metrovlam recht in de ogen gekeken! Het was echt gebeurd. Ze glimlachte en rechtte haar schouders toen ze over Sixth Avenue begon te lopen.

De volgende keer zou ze gedag zeggen. Nou ja, misschien ook wel niet. Nee, ze zou het doen. Ze ging het doen en daarmee uit. Geen smoesjes.

9

Naomi

'Die daar lijkt een beetje op een roodborstje, vind je niet, Noah?' vroeg Naomi. Ze keek naar haar zoon, die naast haar liep – ze zag alleen zijn lange wimpers uit de gevoerde capuchon van zijn donsjack komen. Het was een frisse middag, maar ze hadden besloten de lange weg van school naar huis te nemen. Naomi genoot van deze wandelingen met haar zoon. Tijdens het kuieren door het park dwaalde zijn kleine handje soms in die van haar en dan smolt ze. Ze keken naar bomen en vogels, en ze voerden gesprekken over de geneugten en gevaren in het leven van een achtjarige.

Noahs handje in die van haar was zo warm en klein. Naomi wist maar al te goed dat dit niet lang meer zou duren. Binnenkort zou hij het veel te kinderachtig vinden om hand in hand te lopen. Zo ging het nou eenmaal.

'Mmmm, niet echt, mam,' antwoordde Noah. 'Hij is niet eens rood!'

'Goed gezien. Misschien wil ik gewoon graag dat het een roodborstje is, want dat zou betekenen dat de lente eraan komt.'

'Het is nog niet eens februari, mammm! Het is nog héél lang winter.' Net als zijn moeder was Noah erg nuchter over de meeste zaken. Maar over de winter verschilden ze van mening. Hij vloog nooit tegen de bevroren muren van april op, zoals Naomi deed. Zij smachtte naar blaadjes aan de bomen en een warm zonnetje. Telkens als Naomi een woedeaanval kreeg, waar je rond de laatste week van april de klok gelijk op kon zetten, klopte Noah op haar hoofd en vertelde haar in lieve jongenswoordjes dat ze zich niet zo aan moest stellen.

'De lente begint in mei, mama, juni bijna,' zei hij dan. 'Zo is het nou eenmaal.' Dan pakte hij een koekje en drentelde terug naar de woonkamer. Naomi bleef hoofdschuddend achter en mompelde: 'Je hebt gelijk, Noah. Ik weet dat je gelijk hebt.'

En ook hier betrapte ze zich erop een aanhanger te zijn van Noahs strategie om opgewassen te zijn tegen de seizoenen. 'Weet ik, Noah. De lente is nog mijlenver weg. Hoe was het vandaag op school?'

'O, best,' antwoordde Noah. Hij bleef staan en probeerde van wat papperige sneeuw een bal te maken. Het bleek onmogelijk, dus halverwege stopte hij met een zucht. 'Deze sneeuw is klote.'

'Hé hé,' berispte Naomi. 'Dat woord wil ik niet horen.'

'Wat, snééuw?' vroeg Noah met een scheve grijns.

'Je weet best welk woord ik bedoel,' zei Naomi. 'Er zijn zo veel woorden die je kunt gebruiken, waarom gebruik je niet...'

'Een gemakkelijke waar je niet over na hoeft te denken,' maakte Noah haar zin af. 'Weet ik wel. De sneeuw is...' Hij pijnigde zijn hersens op zoek naar het geschikte woord. 'Nutteloos!'

Naomi lachte. 'Veel beter. Het is behoorlijk nutteloos. Het lijkt meer op papijs.'

'Toen papa en ik vorig weekend buiten waren, was er best goede sneeuw. We hebben een sneeuwpoes gemaakt.'

Naomi moest haar best doen om haar gezicht niet te laten betrekken. Telkens als Noah het over zijn vader had, schoot ze automatisch in de stress. Gene was het afgelopen jaar teruggekeerd in Noahs leven. Alleen die gedachte wekte nu al weer boosheid en een defensieve houding op. Ze wist dat het goed was voor Noah om zijn vader in de buurt te hebben, maar ze bleef het gevoel houden dat ze erop kon wachten tot Gene het totaal zou verpesten. Ze vertrouwde hem voor geen meter en elke keer dat Noah uiting gaf aan zijn blijdschap over hun hereniging, leverde ze een inwendige strijd.

'O ja?' vroeg ze, vechtend tegen de drang een sarcastische opmerking te maken. 'Wat is een sneeuwpoes?'

Noah pakte haar hand weer, wat haar ogenblikkelijk kalmeerde. Al deed ze nog zo haar best zich zo neutraal mogelijk op te stellen, op de een of andere manier had Noah het – met een wijsheid die zijn acht jaar ver te boven ging – in de gaten dat Gene haar nerveus maakte.

'Die maak je als er niet genoeg sneeuw is voor een sneeuwman,' legde Noah uit.

Naomi lachte. 'Wat slim. Waar hebben jullie de snorharen van gemaakt?'

'Rietjes! Dat was papa's idee. Hij zag er best cool uit. We hebben een paar foto's gemaakt.'

Gene was fotograaf. Daardoor hadden hij en Naomi elkaar ook ontmoet, jaren geleden. Ze waren allebei nogal grote namen geweest in het alternatieve fotografiewereldje van New York. Nu nam Naomi nog maar zelden een camera ter hand en voelde ze meestal geen enkele band met wat ooit haar grootste passie was geweest.

Gene had zijn talenten daarentegen omgezet in een regelrechte carrière als modefotograaf. Naomi was niet verbaasd geweest toen zijn foto's in tijdschriften begonnen te verschijnen. De extraatjes van die baan – jonge, beeldschone vrouwen, drugs en een elitaire levensstijl – leken allemaal perfect te passen bij een man met een eeuwig Peter Pansyndroom.

Terwijl Naomi luiers verschoonde en worstelde met wandelwagentjes in de metro, naaide Gene zich een weg door Milaan. Pas nu, nu Noah meer een maatje dan een baby was, was Gene terug in zijn leven. Gene had zo veel gemist; willens en wetens nog wel. Naomi wist niet zeker of ze hem dat ooit zou kunnen vergeven of hem serieus zou kunnen nemen. Alleen al door het noemen van zijn naam kreeg ze de neiging het op een gillen te zetten.

'Die wil ik graag zien,' zei Naomi, die zich in het belang van Noah vermande. 'Hé, wat weet jij van yoga?' vroeg ze hem. Ze wilde maar wat graag van onderwerp veranderen.

'O, yoga is cool,' zei Noah. 'We hebben het een keer op school gedaan. Dan moet je je uitrekken en aan dingen denken,' voegde hij er uitgekookt aan toe.

Wauw, dacht Naomi, mijn eigen kleine zenleraar. 'Goede omschrijving, jochie,' zei ze. 'Ik ga een tijdje yogalessen volgen op zaterdagochtend.'

'Cool!' zei Noah. 'Mag ik ook mee?'

'Mmmm, ik denk het niet,' zei Naomi. 'Dit ga ik alleen doen.' Noahs gezicht betrok een beetje toen hij zich naar Naomi toedraaide. Haar hart kromp toen ze hem zo verloren zag kijken.

'Maak je geen zorgen,' zei ze, terwijl ze in zijn hand kneep.

'Zaterdag gaan we toch altijd naar het park?' vroeg Noah. Er was een jengeltje in zijn stem gekropen.

'Dat doen we nog steeds. Mijn les is 's morgens vroeg. Ik ben tussen de middag thuis en dan gaan we. Je merkt niet eens dat ik weg ben.'

'Wie blijft er dan bij mij? Papa?'

Zonder dat ze het wilde verstrakte Naomi. 'Nee, Cecilia komt en maakt een ontbijtje voor je. Voor je het weet ben ik alweer terug.'

Noah verwerkte die informatie tijdens het lopen. 'Oké. Gaat ze dan tekenfilms met me kijken?'

'Misschien. En anders doe je dat alleen, terwijl zij iets voor zichzelf doet.'

'Oké, mam,' zei Noah, instemmend met het plan. 'Dat is goed.' Hij liet haar hand los. 'Ga jij me dan een paar van die uitrekbewegingen laten zien?'

Naomi lachte. 'Ja, ik zal je al mijn nieuwe rekapenstreken laten zien.'

'Rekapenstreken!' herhaalde Noah lachend. 'Grappig.' Ze waren nu bijna thuis – de wind geselde wat harder en kouder nu de zon onderging.

'Mag ik een cakeje, mam?' Hij gebaarde in de richting van hun lievelingsbakker. Die lag twee zijstraten van hun huis af en had de meest verbazingwekkende suikervrije gebakjes. Aanvankelijk was Naomi in elkaar gekrompen bij de gedachte aan zoetigheid zonder zoet, maar zelfs zij moest toegeven dat de cakejes en koekjes verrukkelijk waren. Vanzelfsprekend waren zij en Noah niet de enige liefhebbers van dit lekkers. Het leek alsof elke wandelwagen duwende moeder in een straal van vijfentwintig kilometer ook het bericht had ontvangen. Elke keer dat Naomi en Noah de bakkerij passeerden, leken er honderden bij de voordeur te zwermen, die allemaal over de voordelen van borstvoeding praatten. Naomi rookte niet, maar ze fantaseerde vaak dat ze in het midden van die zwerm een sigaret opstak, alleen om getuige te zijn van de massahysterie.

'Ja hoor, voor na het eten. Ik neem er ook een.'

'Jij chocolade en ik vanille,' bepaalde Noah, die een stukje voor haar uit huppelde om als eerste de zee van wandelwagens uiteen te drijven. Zijn bruine krullen sprongen bij elk huppeltje onder zijn dikke capuchon uit. 'Dan delen we!'

'Afgesproken!' antwoordde Naomi, die haar pas versnelde om haar zoon bij te houden.

10

Les een

'Luuuuuucy, ik ben thui-huis,' schreeuwde Julian toen hij de zongespikkelde studio binnenkwam. George en Michael draafden voor hem uit naar binnen; hun nageltjes schoten over de hardhouten vloer.

Charlie stak haar hoofd om de deur van de studio. Ze was daar al een paar uur – eerst had ze bij het krieken van de dag haar Dauwtrapklasje lesgegeven en daarna had ze zich voorbereid op haar eerste zaterdagse les met Naomi, Sabine en Bess. Na haar gesprek met Felicity had ze besloten die een uur te vervroegen naar negen uur.

Gelukkig hadden alle vrouwen daarmee ingestemd – Bess en Sabine iets minder enthousiast, aangezien zij met het openbaar vervoer uit de stad moesten komen. Hoe overtuigd ze ook was geweest in het verdedigen van de financiële uitvoerbaarheid van dit klasje, Felicity had ergens wel een punt gehad. Charlie bezette hun meest lucratieve dag met een piepklein klasje. Dat kon ze dan maar beter zo vroeg mogelijk doen.

'Hai, Julian,' antwoordde Charlie.

'Goedemorgen, liefje,' zei Julian, terwijl hij zijn slanke lijf ontdeed van een lange, gewatteerde jas en die in de kast hing. 'Het is zo koud als een heksentiet!'

'Wat mag dat in hemelsnaam betekenen?'

'Geen idee. Maar mijn omi zei dat altijd. Omi Jean. Zij was me er eentje, God hebbe haar ziel. Dronk 's winters elke avond een glas whiskey. Dan schonk ze een beker in en praatte over heksentieten, terwijl ik door het huis paradeerde met haar parels.'

'Dat meen je niet! Echt?'

'Nee. Tenminste, niet dat van die parels. Maar ik vind dat altijd leuk om te zeggen.' Julian knielde en ritste George en Michael uit hun respectievelijke lachwekkende jasjes. 'Om eerlijk te zijn wist ik toen nog niet dat ik die parels ooit zou willen dragen. Maar misschien dat dat geparadeer toch wel een beetje instinctief was.'

Charlie glimlachte toen ze zich een slungelige mini-Julian voor de geest haalde. Ze keek op de klok. Het was tien voor negen. 'Mijn dames kunnen elk moment hier zijn.'

'O ja, jouw Bostonklasje! Felicity heeft me erover verteld.'

'Ging ze uit haar dak? Ze was niet zo te spreken over het idee toen ik het haar vertelde.'

'Ze ging niet echt uit haar dak. Ze was gewoon bezorgd over het tijdstip en de grootte.'

'Weet ik. Maar ik beloof je dat dit gaat werken. Ze tellen er behoorlijk wat geld voor neer en de les is zo vroeg, dat er nog genoeg tijd overblijft.'

'Hé, ik vertrouw je hoor,' zei Julian, terwijl hij wat lijnzaad over zijn yoghurt strooide. 'Jij weet wat je doet. Maar ik ben blij dat je de les vervroegd hebt.'

'Bedankt, Julian.'

Ze hoorde voetstappen op de trap. Sabine kwam binnenlopen. Haar dikke bos donkere haar zat verstopt onder een gigantische, rooskleurige wollen muts. Ze trok die van haar hoofd en glimlachte nerveus naar Charlie.

'Hai!' begroette Charlie haar vriendelijk.

'Goedemorgen, Charlie.' Ze giechelde zenuwachtig. 'Zeggen ze dat ook niet in *Charlie's Angels*? Je weet wel, als ze rond de telefoon gaan zitten en met die mysterieuze stem praten?'

'Dat is zo!' beaamde Julian. 'Dat is nooit bij me opgekomen.'

'Hoi,' zei Sabine, terwijl ze haar hand uitstak. 'Ik ben Sabine.'

'Ik ben Julian. Welkom bij Prana!'

'O, dank je, ik vind het spannend om hier te zijn.' Sabine ritste haar jas open en Charlie liet haar de garderobekast zien.

'Je kunt hem hier ophangen,' zei ze. 'Hoe is het?'

'Goed. Een beetje zenuwachtig.'

'Waar ben je zenuwachtig voor?' Ze sloeg haar arm om Sabines schouders. 'Het wordt leuk en ontspannend,' zei ze. 'Geen zenuwen.'

Sabine glimlachte naar Charlie. 'Geen zenuwen,' herhaalde ze. Ze kon er niets aan doen: ze bleef maar voor zich zien hoe zij met haar onbeholpen bewegingen de hele les zou verpesten. De avond ervoor had ze geprobeerd haar tenen aan te raken in een poging haar spieren los te maken, maar ze was nog niet eens bij haar knieën gekomen. Dat was niet best.

'Hai!' hoorden ze achter zich. Ze draaiden zich om en zagen Bess en achter haar Naomi verschijnen. Ze waren allebei weggekropen in hun stadse winterkleding; alleen hun lichte ogen en gebarsten lippen piepten uit gigantische, met nepbont afgezette donzen capuchons. Ze maakten hun jassen los toen Sabine, Charlie en Julian hen begroetten. Opeens gonsde het in de studio van gelach en bedrijvigheid.

Ondanks haar aanvankelijke voornemen om er niets bijzonders van te maken, gewoon een zaterdagse les te geven, voelde Charlie zich nu al meer betrokken bij hen. Het was weer precies als het eerste collegejaar, behalve dan dat Charlie toen altijd te zeer door haar studie in beslag werd genomen om de vriendelijkheid van haar studiegenoten te beantwoorden. Ze bedacht hoe eenzaam ze zich die eerste maanden had gevoeld, doordat ze zich liever verschanste in de bibliotheek dan vrienden te maken en ongeremd de vereiste cafés in Lansdowne te bezoeken. Maar stel dat ze terug in de tijd kon gaan: zou ze zich dan anders gedragen? Zou ze dit bereikt hebben als ze vroeger een andere weg in was geslagen? Ze dacht van wel – haar leven had nog nooit zo verrassend 'eigen' gevoeld en, uiteindelijk, zo goed – maar zeker weten deed ze het niet. Onvermijdelijk belandde ze in gedachten bij Neil.

'Hé, Charlie, waar kunnen we onze matjes pakken?' vroeg Naomi, waardoor ze uit haar nostalgische coma werd gerukt.

'O, er ligt een stapel tegen de muur in de zaal,' antwoordde ze, terwijl ze hun voorging. Ze wees naar de muur. 'Pak er maar eentje.'

Bess en Sabine liepen achter haar aan en kozen elk een matje uit.

'Wauw, wat een schitterende studio,' zei Bess, terwijl ze de kale witte wanden, de enorme ramen en de geboende houten vloer in zich opnam. 'Dat sobere bevalt me wel, het is erg rustgevend.'

'O, bedankt,' zei Charlie, blij met het compliment. Ze hadden erg hun best gedaan om een geruststellende sfeer te scheppen: de vloeren opengebroken, muren afgebroken en jaren stadsroet weg geverfd. Het was zonder meer liefdewerk geweest, maar absoluut werk.

'Oké, als jullie gaan zitten, kunnen we beginnen,' zei Charlie. Bess, Sabine en Naomi stonden alle drie opgelaten in het midden van de ruimte en klampten zich zorgelijk aan hun matjes vast. Charlie wist opeens zeker dat ze er veertien jaar geleden niet veel anders hadden uitgezien, toen ze met hun koffers – met kleren die roken naar mams wasverzachter – en doucherekjes op college waren aangekomen. Hun nervositeit was aandoenlijk, maar Charlie moest die in de kiem smoren als ze die ochtend nog iets wilde bereiken. Ze hadden tenslotte maar zes weken. Ze moesten het loslaten.

Bess spreidde zorgvuldig haar matje op de vloer en ging op het randje zitten. Ze had nooit ook maar een greintje belangstelling voor yoga gehad. Ze rende liever. Voor haar was iets pas lichaamsbeweging als ze halverwege het gevoel had dat ze zou kunnen sterven. Ze dacht aan haar artikel en sloot haar ogen om te doen alsof ze zich ontspande, hoewel haar hersens overuren maakten. Na de les zou ze proberen met Sabine terug te gaan met de metro. Op die manier zou ze kunnen beginnen met het verzamelen van informatie voor haar artikel. Zes weken voelden als een onmogelijk korte tijd om deze vrouwen door en door te leren kennen, maar ze had geen keus. Ze moest elke minuut benutten.

'Hé, Bess,' fluisterde Charlie, 'rustig aan, schat.' Ze pakte Bess' handen, die tot vuisten gebald naast haar lagen, en vouwde ze open. 'Je moet nu niet denken, alleen maar zijn.' Hoewel Bess' ogen dicht waren, sloeg ze die ten hemel. Ze vond yoga nu al irritant. Maar goed, dat offer moest ze nu eenmaal brengen. Ze haalde diep adem.

Naomi streek neer op de rand van haar matje. Het was zo lang geleden dat ze echt bewust met haar lichaam bezig was geweest. Ze kon zich niet meer herinneren of ze haar lijf na haar zwangerschap ooit deze onverdeelde aandacht had gegeven. Ze keek omlaag naar haar buik, die in haar kleermakerszit ietsje over de tailleband van haar broek bolde. En haar borsten, stevig gevat in het ondoordringbare schild van haar sportbeha, maar een stuk minder parmantig dan ze voor Noah waren geweest. Ze rechtte haar rug en haalde diep adem. Dit heeft niets met parmantige borsten te maken, sprak ze zichzelf streng toe. Tijdens haar zwangerschapsyoga had ze tot haar verbazing geen last gehad van welke fysieke onzekerheid dan ook, maar Naomi vermoedde dat dat veel meer te maken had met haar blijdschap over het feit dat er een baby in haar groeide, dan met haar mate van zelfvertrouwen.

'Ik wil eerst even de tijd nemen om jullie allemaal te verwelkomen,' begon Charlie. 'Ik vind het een eer dat ik jullie met yoga mag laten kennismaken. Ongetwijfeld vinden jullie het allemaal best eng om je lichaam op andere manieren te gaan bewegen. Misschien staan jullie een beetje huiverig tegenover het idee dat je je gedachten los moet laten en je veel meer op je innerlijke wezen moet richten. Dat is allemaal volkomen normaal.'

Sabine luisterde geconcentreerd, enigszins gehypnotiseerd door haar geruststellende manier van praten, naar Charlie. Ze voelde de spanning nu al van zich afglijden.

'Voordat we beginnen, wil ik iets vertellen over de yoga die we hier gaan beoefenen. Die heet vinyasa yoga en is een techniek die gericht is op het verbinden van onze houdingen, asana's genoemd, met onze ademhaling. Alles draait daarbij om het bereiken van evenwicht.' Charlie zweeg even toen ze de gefronste voorhoofden van haar leerlingen zag. Ze was hun aandacht aan het verliezen. 'Ik weet dat dit allemaal afschuwelijk technisch klinkt, maar als we eenmaal begonnen zijn, lijkt het veel minder theoretisch en, hopelijk, een stuk logischer. Later zullen we, om onze asana's vast te houden, gebruik gaan maken van de blokken, dekens en riemen die jullie bij binnenkomst bij de achterwand hebben gezien.'

Sabine draaide haar hoofd naar achteren om naar de muur met rekwisieten te kijken. Dit klonk allemaal veel minder aanlokkelijk dan op de avond van de reünie. Ze had zich laten verleiden door de gedachte aan mooie armspieren à la Gwyneth. Nu ze erachter kwam dat ze de komende zes zaterdagen vast zou zitten aan een of ander yogamartelwerktuig, klonken haar wapperende bovenarmen opeens veel meer als iets waar ze mee leven kon. Ze slaakte een diepe zucht.

'Ik hoop dat dat een zucht van pure opwinding was, Sabine,' grapte Charlie. Sabine bloosde. Subtiel zijn was niet haar sterkste punt.

'Doen jullie nu allemaal je ogen dicht, alsjeblieft,' vervolgde Charlie. 'Concentreer je op je lichaam. Voel hoe je hals op je schouders rust en je schouders uitlopen in je armen, en je armen in je gestrekte handen.'

Bess strekte haar vingers; haar vuisten waren weer gebald, ook al had Charlie net nog haar vingers naar buiten gevouwen. Kalm aan, Bess, zei ze tegen zichzelf. Ze vroeg zich af of haar zenuwen gewoon het gevolg waren van haar geheime bedoelingen, of dat ze van nature onherstelbaar gespannen was.

'Ik wilde deze les graag beginnen met een zogenoemde vajrasana, of bliksemhouding,' zei Charlie. 'Kniel op de grond en ga op je hielen zitten. Hou je knieën en voeten tegen elkaar en strek je armen boven je hoofd,' begon ze.

God, wat voelt dit goe-hoed, dacht Bess verbaasd. Knopen waarvan ze niet eens wist dat ze die had, lieten los toen ze zich naar het plafond uitstrekte.

'Oké, adem nu uit en laat je armen met je handpalmen naar de grond zakken,' zei Charlie, terwijl de vrouwen een collectieve zucht van opluchting slaakten.

'Laten we dit nog een keer doen,' zei Charlie. Ze begeleidde de vrouwen door de tweede rekoefening in een serie van vier.

Ze begon rondjes door de zaal te lopen en besefte hoe zwaar deze les voor Sabine, Bess en Naomi moest zijn, gewoon vanwege de aard van yoga. Je plukte er namelijk pas de fysieke vruchten van als je je er relatief bij op je gemak voelde. Het was bijna onmogelijk om je te ontspannen als elke beweging nieuw en uitdagend was. Ze hoopte dat de komende zes lessen voldoende zouden zijn om bij hen allen een substantiële mate van voldoening tot stand te brengen.

'Ik wil graag dat jullie tijdens de gehele les zo veel mogelijk letten op jullie ademhaling – dat jullie diep en volledig in- en uitademen,' zei Charlie. 'Ik weet dat het lastig kan zijn om deze vreemde houdingen aan te nemen en je tegelijkertijd bewust te zijn van je ademhaling, maar ik weet ook dat die twee na verloop van tijd steeds gemakkelijker in elkaar over gaan vloeien.' Ze glimlachte geruststellend.

Sabine sloeg één oog vertwijfeld open. Ze kon al nauwelijks lopen en tegelijkertijd kauwgom kauwen, laat staan dat ze kon letten op haar ademhaling terwijl ze zichzelf in allerlei bochten wrong. Ze stelde zich haar moeder voor tijdens een yogales en onderdrukte een lach. Toen ze haar moeder verteld had over de yogales, had ze Sabine haar standaard-advies gegeven: 'Doe in godsnaam lippenstift op. Je weet het nooit, misschien is er wel een jonge man daar.' Sabine zag voor zich hoe ze Julian mee naar huis nam en haar moeder een hartaanval bezorgde. 'Ik heb hem bij de yogales ontmoet, ma!' zou ze roepen als Julian pirouettes draaiend en met een dribbelende George en Michael in zijn kielzog de woonkamer binnenkwam.

'We gaan nu over in de tadasana, oftewel de berghouding. Dat is een staande basishouding,' zei Charlie. De vrouwen kwamen overeind en volgden haar aanwijzingen. 'Hou je ruggengraat recht en je voeten bij elkaar. Je hielen en tenen moeten elkaar aanraken. Hou je buik in, Bess,' berispte Charlie vriendelijk.

'Van hieruit gaan we over naar de vrksasana, ofwel de boomhouding.' Toen ze de houding voordeed, merkte ze dat Sabine moeite had om haar evenwicht te bewaren. Ze wankelde en fronste duidelijk gefrustreerd haar wenkbrauwen. Charlie liep naar haar toe.

'Probeer het los te laten, Sabine,' zei Charlie bemoedigend.

Sabine schudde gefrustreerd haar hoofd. 'Het spijt me, Charlie,' zei ze. 'Het lukt me gewoon niet.' Tot haar eigen afgrijzen sprongen de tranen in haar ogen.

'Hé,' fluisterde Charlie. 'Het geeft niet. Wees niet zo streng voor jezelf. Het kost tijd en oefening om je hier op je gemak te voelen.' Ze wilde ook nog zeggen dat de druk die Sabine zichzelf oplegde haar juist van dat 'lukken' weerhield, maar haar instinct (evenals het feit dat Sabine op de rand van tranen was) vertelde haar dat het daar nu niet het moment voor was.

'Hou deze houding een paar tellen vast en adem diep,' instrueerde Charlie, terwijl ze bij Sabine vandaan liep en zich tot iedereen richtte. 'Laat je armen zakken en haal je handen uit elkaar. Strek je rechterbeen en ga weer in tadasana staan.'

De vrouwen keken Charlie vertwijfeld aan. 'Berghouding,' vertaalde ze. Alsof ze 'o, ja!' zeiden, namen ze allemaal opgelucht de bekende houding aan.

'Herhaal nu de boomhouding met je andere been,' zei Charlie.

Ze liep naar Bess' mat toen ze zag dat zij ook moeite had met haar evenwicht. Het was haar vanaf het begin van de les opgevallen dat Bess nogal ongedurig was. Het straalde als een giftige gloed van haar af.

'Alles in orde?' vroeg Charlie, toen Bess hevig wankelde.

'Ja, ja,' antwoordde ze. 'Zo moeilijk is dit niet!' hijgde ze met korte ademstoten.

Ja, omdat je er met de snelheid van het licht doorheen ploetert, dacht Charlie. 'Dat weet ik toch?! Maar misschien is het goed als je het wat kalmer aan doet,' zei Charlie in plaats daarvan, de rol van de geduldige leraar aannemend. Soms was het lastig om je in te houden, maar de eerste paar keer van een leerling op de mat vereiste een relatief lieve manier van lesgeven.

'O, oké,' antwoordde Bess. 'Langzaam maar zeker, hè?' vroeg ze.

'Ja, langzaam maar zeker,' echode Charlie. Ze glimlachte naar Bess en liep naar Naomi's mat aan de andere kant van de ruimte.

Bess haalde diep adem. Langzaam maar zeker, mijn reet, dacht ze bij zichzelf. De tijd in de studio kon voor haar niet snel genoeg gaan. Ze had een lijst met vragen voor Sabine gemaakt, gerangschikt van onschuldig naar beladen, die ze tijdens de metrorit naar huis wilde stellen.

Zou Sabine me te nieuwsgierig vinden? Terwijl ze worstelde met haar boomhouding probeerde ze manieren te bedenken om haar verhoor minder op de Spaanse Inquisitie en meer op een test in de *Cosmo* te laten lijken.

Ze grijnsde toen ze zich voorstelde dat ze Sabine meerkeuzevragen stelde. Wat is jouw idee van een leuke date? A: een ballonvaart, B: een stoombad en aardbeien bedekt met chocolade, c: een buitenlandse film en verschaalde koffie, en D: A, B en C. Die testen waren altijd lachwekkend, maar toch voelde Bess zich altijd verplicht ze te maken. Dat was een geheim dat ze mee zou nemen in haar graf.

Charlie observeerde Naomi en was blij met wat ze zag. Haar bewegingen waren sierlijk en haar hoofd leek helder. Terwijl Sabine gefrustreerd had gefronst en Bess' ogen de lege 'ben aan het lunchen'-blik hadden, oogde Naomi geconcentreerd en kalm.

'Hé, Naomi, dat ziet er goed uit,' zei Charlie.

Naomi glimlachte naar Charlie; de duizendwatttanden verblindden haar even.

'Echt?' vroeg ze, zichtbaar blij met het compliment. 'Bedankt, Charlie.' Charlie lachte en liep terug naar haar plek voor aan in de zaal.

'Oké allemaal, we gaan nu over naar virabhadrasana I, oftewel krijger I. Jullie zien er allemaal geweldig uit,' zei Charlie. 'Prachtig.'

Toen ze overgingen naar krijger II, merkte Naomi gegeneerd dat haar benen trilden van de inspanning. *Mijn conditie is dus nog slechter dan ik dacht.* Het was lang geleden dat ze zichzelf voor het laatst fysiek had ingespannen, maar in plaats van dat haar spieren om genade smeekten, voelden ze zwaar en log aan. Het kostte haar al haar wilskracht om haar evenwicht te bewaren. Ze haalde diep adem en zocht naar een klok die haar zou vertellen dat de anderhalf uur bijna voorbij waren. Maar natuurlijk was hier niets wat het verstrijken van de tijd aangaf, wat haar gezien de definitie van yoga in feite niet verbaasde. Met een tikkende klok in je nabijheid kon je met geen mogelijkheid opgaan in het moment. Naomi verschoof en ze had het gevoel dat haar spieren zich een beetje ontspanden. Eerlijk gezegd had ze deze logge loomheid de laatste tijd wel vaker gevoeld als ze zich te veel inspande. Toen ze die week met zware boodschappentassen de vier trappen naar haar etage op was gelopen, hadden haar benen gevoeld alsof ze van lood waren gemaakt. Als ze niet beter wist, zou ze denken dat ze zwanger was, maar afgezien van onbevlekte ontvangenis was dat onmogelijk. Ze had het maar toegeschreven aan die typerende uitputting van een New Yorkse alleenstaande moeder en het van zich afgezet. Maar nu was het er weer. *Je bent gewoon uitgeput. Geen conditie, dat is alles.* Ze nam zich voor zich in te schrijven bij de nieuwe sportschool in haar wijk. *Een beetje krachttraining, dat heb ik nodig. En de loopband misschien.*

Charlie keek op haar horloge: was het nu al bijna tijd? Ze had verder willen gaan vandaag, veel verder. Ze zou hen vanmorgen met geen mogelijkheid de zonnegroet kunnen laten doen. Volgende week zaterdag zou ze beter weten wat voor vlees ze in de kuip had en wat effectiever met de tijd omgaan. Ze kon er nu alleen nog een parsvottanasana tussen persen, voordat ze aan de coolingdown zou beginnen.

'Oké, we gaan zo over op de laatste staande houding van deze ochtend,' informeerde Charlie. Een blik van opluchting streek over de verhitte gezichten van de vrouwen. 'Deze heet de parsvottanasana – een chic woord voor wat in principe een intense zijwaartse strekking is.'

Auwwww, dacht Bess, toen ze Charlies aanwijzingen opvolgde. Het leek wel of haar schouderbladen in brand stonden.

'Erg, erg mooi, dames,' zei Charlie. 'Nu gaan we op de grond zitten.' Toen Sabine met gekruiste benen ging zitten en haar vingers in de richting van de muur over de grond bewoog, had ze het gevoel dat haar rug uitbarstte in een gigantische glimlach. Het was alsof haar spieren vóór deze les van graniet gemaakt waren.

'Ga rechtop zitten,' zei Charlie. 'Onze laatste zittende beweging is mijn favoriet. Het is in feite een draai van je ruggengraat, maar de yoganaam is matsyendrasana,' legde Charlie uit.

Naomi knikte instemmend. Zij maakte die beweging elke ochtend. Er was maar weinig wat meer voldoening gaf dan haar verwrongen rug weer krakend in het gareel te horen vallen.

Charlie loodste hen door de draaibewegingen naar een horizontale positie op de mat.

Dit is absoluut mijn lievelingsonderdeel van de les, constateerde Sabine. Ze glimlachte toen ze dacht aan een hete douche.

Naomi schudde aarzelend haar benen los. Het zware gevoel leek weg te zijn. Ze zuchtte opgelucht. Ondanks haar vermoeidheid viel de louterende werking van yoga niet te ontkennen. Terwijl ze daar lag, nam ze zich voor om vaker af te stemmen op haar lichaam. Ze rolde met haar ogen toen ze besefte hoe vaag en zweverig dat klonk. *Wat betekent dat überhaupt, afstemmen op je lichaam?* Maar dat wist ze best. Ze had zich zo geheel in beslag laten nemen door het moederschap, dat ze was vergeten wie ze – met lichaam en ziel – buiten die rol was. Misschien herinnerde haar lichaam haar er gewoon aan hoe belangrijk het voor haar was om er vaker aan te denken. Yoga was daar perfect voor en de extra krachttraining zou alleen maar meer zoden aan de dijk zetten. *Misschien koop ik wel een paar gewichten en laat ik die sportschool zitten.* Het idee van een sportschool, met al die leden in glimmende pakjes die zich in het zweet werkten op de loopband of de fiets, was op zijn zachtst gezegd onaantrekkelijk.

'Als je er klaar voor bent, kom je omhoog naar een gemakkelijke zithouding,' zei Charlie, nadat er een paar minuten waren verstreken.

Toen de vrouwen met tegenzin waren teruggekeerd naar de verticale wereld, zei Charlie: 'Ik wil jullie allemaal bedanken voor jullie komst. Ik weet dat de les moeilijk was en dat jullie denken dat je je nooit helemaal op je gemak zult voelen op de mat' – hier grijnsde Sabine, in de overtuiging dat Charlie het tegen haar had – 'maar dat gebeurt eigenlijk pas echt als je yoga beschouwt als een reis in plaats van een bestemming. Heb geduld met jezelf.' Ze schonk de vrouwen een warme glimlach voordat ze verderging.

'Het is de gewoonte om aan het eind van de les afscheid te nemen met "namaste", waarbij je je handen tegen elkaar gedrukt voor je hart houdt. Zo.' Charlie drukte haar handpalmen tegen elkaar om het te laten zien. 'Namaste betekent simpelweg: het goddelijke in mij groet het goddelijke in jou. Mooi, toch?'

De vrouwen knikten instemmend. Ook Bess was ontroerd, of ze wilde of niet.

'Namaste,' zei Charlie.

'Namaste,' herhaalden Bess, Sabine en Naomi in koor.

Naomi probeerde overeind te komen door alleen haar rompspieren te gebruiken. Ze lachte toen deze poging vruchteloos bleek.

Beetje last van zelfoverschatting, soms? Ze gebruikte haar handen om zichzelf overeind te helpen.

'Naomi,' zei Charlie, terwijl ze half glimlachend op haar af kwam lopen.

'Hé, Charlie. Bedankt voor de geweldige les.'

'O, dank je. Jij ziet er echt goed uit op de mat, Naomi. Je lijkt echt op je gemak.'

Naomi bloosde. 'O!' antwoordde ze, blij en verrast met Charlies compliment gezien de problemen die ze ondervonden had. 'Bedankt! Ik was vergeten hoe dol ik op yoga was, weet je? Dat ik er zo'n goed gevoel van krijg.'

'O ja, je had het al eerder gedaan, toch?' zei Bess, die haar gesprek met Charlie had opgevangen.

'Nou ja, een soort van,' antwoordde Naomi. 'Zwangerschapsyoga. Maar volgens mij is dat qua inspanning totaal anders. Maar wel dezelfde basisprincipes.'

'Klopt,' beaamde Charlie. 'Maar jij leek…'

'Wacht even,' onderbrak Bess. 'Dat is waar ook, je zei al zoiets tijdens de reünie. Je bent moeder!' Bess begon inwendig te kwijlen toen ze stilstond bij de onverwachte perfectie van dit detail in verband met haar artikel.

'Inderdaad, ja. Mijn zoon heet Noah.'

'Ach, wat een mooie naam,' zei Sabine. 'Hij is vast prachtig. Hoe oud is hij?'

'Acht,' antwoordde Naomi. Ze zag hoe de vrouwen kraaltjes op hun denkbeeldige telraam verschoven. *Tweeëndertig min acht is vierentwintig.*

Op je vierentwintigste een kind krijgen was in de rest van het land heel normaal, maar in New York stond dat gelijk aan het illegaal stoken van sterkedrank in je woonwagen. Vierentwintig was het nieuwe veertien in termen van babymakende carrièrevrouwen in de stad.

'Wauw, een jonge moeder,' zei Sabine opbeurend. 'Leuk. Tegen de tijd dat ik eraan toekom om kinderen te krijgen, mag ik van geluk spreken als ik maar één soort luiers in huis hoef te hebben.'

'Getver, Sabine!' riep Bess uit. 'Dat is smerig.'

Sabine tilde haar hand naar haar mond, alsof ze die wilde bedekken. 'O, dat weet ik. Mijn fout. Soms verander ik zomaar, zonder waarschuwing, in Jackie Mason. Neem me niet kwalijk.'

Naomi lachte, blij dat het gesprek een andere wending had genomen. Niet dat ze niet over Noah wilde praten – ze kon aan één stuk door ratelen over hoe geweldig hij was – maar ze wist maar al te goed waar alleen al het ter sprake brengen van zijn bestaan rond vrouwen zonder kinderen toe zou leiden: of ze gingen krampachtig doen, of ze maakten foute grapjes over de toestand van hun baarmoeder.

De drie vrouwen stapelden hun matjes tegen de achterwand.

'Ben je dan getrouwd, Naomi?' vroeg Bess.

'Jezus, Bess, dat is wel een heel persoonlijke vraag, vind je niet?' zei Sabine.

Naomi legde haar hand op Sabines rug om haar te kalmeren. 'Geeft niets, Sabine. Nee, Bess, ik ben niet getrouwd,' antwoordde ze, terwijl ze Bess recht in de ogen keek en haar uitdaagde nog iets te vragen. Bess begreep de hint.

'Oké,' mompelde ze. 'Hé, sorry als ik te ver ben gegaan,' voegde ze eraan toe, terwijl ze eerst Naomi en vervolgens Sabine aankeek. 'Ik bedoel, ik ben journalist, snap je? Ik stel gewoon vragen zonder na te denken over de impact daarvan. Neem me niet kwalijk.' Bess baalde dat ze Naomi zo voor het blok had gezegd met die echtgenootvraag, echt waar, maar er hing een dreigend tikkende klok boven deze periode van zes weken.

Bess hoopte dat dit haar kans om Sabine te ondervragen niet had verpest. Ze zou wat minder direct moeten zijn als ze antwoorden wilde. Dat was geen goed nieuws, aangezien tact niet Bess' sterkste punt was.

'Geeft niets,' antwoordde Naomi. 'Het is eigenlijk best een normale vraag.'

Bess keek haar aan in de verwachting iets meer te horen over het ontbreken van een man, maar er kwam niets. Het gesprek was afgelopen. Daar kon Bess begrip voor opbrengen. Ze zou een manier bedenken om die kluis in het vervolg iets effectiever te openen.

Ze schuifelden de studio uit. Sabine voelde zich opgelaten. Ze had de gewoonte spanning op te zuigen en nu stond ze er stijf van. Haar moeder zou zeggen dat Bess' schaamteloze nieuwsgierigheid een gotspe was, en dan zou ze gelijk hebben.

'En, hoe was de les, dames?' vroeg Julian. Hij en Charlie zaten achter de balie. Charlie zat een verzadigd ogende George achter zijn oren te krabben en lachte.

'Super,' antwoordde Naomi. 'Hartstikke bedankt, Charlie. Ik verheug me op volgende week.'

'Ik ook,' zei Sabine. 'Deze lessen zijn echt goed voor mij.'

'Voor mij ook,' viel Bess bij, die graag de donkere bui die ze met haar grote mond had opgeroepen uit wilde wissen.

'Fijn,' zei Charlie, blij met hun enthousiasme. 'Ik ook!'

Ze liepen naar de garderobekast en hesen zich weer in hun winterse cocons en laarzen. De winter was zo'n gedoe.

'Tot volgende week!' schreeuwde Charlie hun achterna toen ze de trap afliepen.

'Dag, Charlie! Dag, Julian!' gilden ze. Naomi duwde de buitendeur open. De koude lucht nam hen genadeloos onder schot.

'Hoe gaan jullie naar huis?' vroeg Bess.

'O, ik ga gewoon lopen,' antwoordde Naomi. 'Het is niet zo ver. Later!'

'Tot ziens, Naomi,' zeiden Bess en Sabine in koor, toen Naomi zwaaide en aan de terugtocht begon.

'Welke metro neem jij, Sabine?' vroeg Bess.

'O, ik neem de L. En jij?'

'Ik ook!' antwoordde Bess. Dat zou betekenen dat ze iets verder moest lopen, maar ze had die tijd in de metro met Sabine écht nodig. Ze moest het goedmaken en hopelijk zou het wat opleveren. Ze had best in de gaten dat Sabine niet haar grootste fan was na dat gedoe met Naomi.

'Hé, ik trakteer je op een kop koffie,' zei Bess, gebarend naar Mario's zaakje. Je kon dingen het beste rechtzetten met iets gratis.

'Oké,' antwoordde Sabine, ietwat aarzelend. Ze stond niet te springen om met Bess terug te reizen, maar waarom zou ze een gratis kopje koffie afwijzen?

Bess duwde de deur van de delicatessenzaak open en hield die vast voor Sabine. 'Hoe drink jij je koffie?'

'Met magere melk en een half zoetje.'

'Ik ook!' riep Bess. 'Wij zijn een perfect stel. Eén zoetje voor twee. Hoe heet dat liedje ook alweer uit die musical, een fiets gebouwd voor twee?' Bess schrok van haar eigen onophoudelijke geratel. De ongemakkelijke uitdrukking op Sabines gezicht bevestigde haar overcompensatie. Ze moest een stapje terug doen. Het was niets voor haar om zo te overdrijven, maar de tijdsdruk in verband met het artikel veranderde haar in een maniak.

'Volgens mij was het *Oklahoma!*' zei Sabine. 'Maar ik kan er ook helemaal naast zitten. Eigenlijk heb ik geen flauw idee.'

'Weet jij het?' vroeg Bess aan Mario, die hen vanachter de toonbank vragend aan stond te kijken.

'Wat moet ik weten?' vroeg hij. Twee blanke meiden die koffie met magere melk bestelden. Die moeten bij Charlie vandaan komen, dacht Mario.

'Musicals?' vroeg Sabine.

'O, nee,' antwoordde hij, terwijl hij het blauwe zakje met poeder tussen de twee koppen verdeelde. 'Niet mijn sterke kant,' ging hij verder, terwijl hij naar hen knipoogde. 'Komen jullie van de yoga?'

'Ja, hoe weet je dat?' vroeg Bess.

'Gewoon een gok,' antwoordde hij. 'Van wie hebben jullie les?'

'Charlie,' antwoordde Sabine. 'Zij is de beste.'

'Daar heb je gelijk in,' beaamde Mario, terwijl hij instemmend knikte. 'Dat is ze zeker.'

Bess haakte in op zijn waarderende woorden. 'Je mag haar wel, hè?' vroeg ze, terwijl ze hem het geld voor de koffie overhandigde.

'Wat valt er niet te mogen aan een prachtige vrouw die haar eigen zaak heeft? Ze is me er eentje.'

74

Bess en Sabine wierpen elkaar een veelbetekenende blik toe. Het leek wel of ze op de middelbare school zaten. Er was hier iemand verkikkerd! 'Dat is ze zeker,' zei Bess. 'Bedankt voor de koffie. Fijne dag verder...' 'Mario,' zei hij. 'Ik heet Mario.'

'Ik ben Sabine en zij heet Bess,' zei Sabine met een glimlach. Ze merkte dat ze bloosde. Dit was niet bepaald een doorsneewinkelier. Feitelijk was hij verdomd sexy met zijn olijfkleurige huid en peper-en-zouthaar. Sabine giechelde inwendig toen ze zich hem met Charlie in zijn armen op de omslag van een van haar romannetjes voorstelde. *Vurige Yoga*, dat moest de titel zijn.

'Hallo, Sabine, hallo, Bess,' antwoordde Mario. 'Doe Charlie de groeten van me.'

'Doen we,' beloofde Bess met een kokette glimlach toen ze de zaak uitliepen.

Op straat wierp Bess Sabine een ondeugende blik toe. 'Wat een lekker ding,' fluisterde ze.

'Echt wel!' beaamde Sabine. 'En hij valt op Charlie!'

'*En fuego!* Ze had het slechter kunnen treffen. Stel je voor: de rest van haar leven gratis koffie geserveerd krijgen door zo'n lekkertje!'

Ze barstten in lachen uit en liepen in de richting van het metrostation.

11

Metro

'O, deze koffie is hemels,' stelde Sabine, nadat ze haar eerste slokje had genomen.

'Zeg dat,' beaamde Bess. 'Dat lekkere ding lijkt me een prima koffiebrandertje.'

Ze zaten in het metrostation en wachtten enigszins geduldig op hun metro terug naar Manhattan. Sabine strekte haar benen voor zich uit en leunde met haar hoofd tegen de muur.

'Waarom is de metro hier zo'n ramp?' vroeg ze aan Bess. 'Elk weekend is het weer raak. Het gaat zoooooo langzaaaam.'

'Zeg dat. Ongeveer een maand geleden hebben we op JFK de metro terug genomen,' vertelde Bess. 'We hebben uitgerekend dat dat ons, door de traagheid en het overstappen en de onvermijdelijke ellende, bijna net zo lang heeft gekost als dat Dan erover had gedaan om een kwart van zijn hele reis vanaf de andere kust hiernaartoe af te leggen.'

Sabine lachte en schudde vol ongeloof haar hoofd. Op dat moment lichtte de tunnel op door de lampen van de naderende metro.

'Fijn! Zitplaatsen!' riep Sabine even later uit, toen ze zich enthousiast neer liet ploffen.

Bess liet zich naast haar neervallen. 'Goh, mijn benen lijken wel van drilpudding! Ik heb echt totaal geen conditie! Die yoga heeft er stevig ingehakt!'

'Zeg dat!' beaamde Sabine. 'Mijn zwembandje doet pijn. Maar dat zal wel goed zijn. Ik heb er niets op tegen om dat hardhandig te onderwerpen.'

Bess lachte. Ondanks de stress voor haar artikel had die dag iets heel schools voor haar – zelfs als je voorbijging aan het feit dat ze zojuist tijd had doorgebracht met studiegenoten uit juist die periode. Die gemakkelijke kleding, het niet opgemaakt zijn, het geklets op de vroege ochtend en de gedachte 'nergens naartoe te hoeven', gaven haar ergens het gevoel weer achttien te zijn. Het was al zo lang geleden dat ze echt had gelanterfant. Door haar werk, haar carrièreplannen en het afwegen van de voors en tegens van haar langeafstandsrelatie met Dan, was ze één brok zenuwen.

'Wacht, nog even over wat je net zei,' zei Sabine. 'Waarom zijn jullie in hemelsnaam met de metro van het vliegveld naar de stad gegaan? Ik bedoel, nou ja, de taxitarieven zijn inderdaad belachelijk, maar kom op, hé! Je moet jezelf af en toe eens wat gunnen.'

'Hé, dat doe ik altijd, maar mijn vriend is gewoon een enorme krent.'

'Hadden jullie een reisje gemaakt? Een liefdestripje?'

'Was het maar waar,' antwoordde Bess. 'Hij woont nu in LA. Hij kwam gewoon een weekendje hier.'

'Wat doet hij daar?' vroeg Sabine, terwijl ze afkeurend haar neus optrok.

'Hij volgt een opleiding voor scenarioschrijver op de filmschool van de universiteit van Zuid-Californië,' legde Bess uit.

'Super! Ik heb gehoord dat ze daar een geweldig programma hebben.'

'Ja, zeker. Hé, heb jij eigenlijk een vriend?' vroeg ze Sabine, omdat ze maar wat graag de focus weer op haar wilde leggen. Ze zou willen dat Sabine wat minder sympathiek was. Aan de ene kant kon Bess haar vragen natuurlijk als onschuldig classificeren, als een soort van 'iemand leren kennen'-vragen, maar aan de andere kant voelde ze zich toch een beetje schuldig over haar achterliggende bedoelingen. Het beeld van Sabines hoofd op de nek van een jong poesje verscheen even voor haar geestesoog.

'Wie, ik?' vroeg Sabine. 'Neeee. Niemand.'

'Echt niet?' vroeg Bess. 'Maar je bent zo knap! Elke keer dat ik je op college zag, liep er weer een andere gozer kwijlend achter je aan.'

'O god, wat geestig. Maar je hebt gelijk, ik had toen inderdaad veel sjans. Maar ik ben bang dat ik te vroeg gepiekt heb.' Sabine lachte. Het was grappig dat Bess zich haar herinnerde als een of andere campusvamp. 'Maar waar zag je me dan met die jongens?' vroeg ze aan Bess. 'Gewoon tussen de lessen door en zo?'

'Ja, maar ook bij de studentenvereniging. Je droeg altijd zo'n blauwgroene fleecetrui.'

Sabine sloeg enthousiast haar handen tegen elkaar. 'Ja! Ik was gek op dat ding! God, ik was zo'n pseudohippie. Misschien dat ik weer wat fleecedingen moet gaan dragen. Daar heb ik toen echt wat aan gehad.' Sabine vroeg zich vaak af waarom haar liefdesleven in haar studententijd zo veel opwindender was geweest dan nu. Ze vermoedde dat het voor een groot deel te maken had met wiet, die zij en haar verscheidene liefjes toen in grote hoeveelheden rookten. Ze was toen op zijn zachtst gezegd een stuk relaxter geweest.

'Ik heb mijn twijfels over dat pieken van jou,' zei Bess. 'Je hebt nu zo veel meer te bieden dan toen. En, zeg nou zelf, kerels van twintig en begin dertig zijn bijna nog erger dan in hun studentenjaren als het gaat om dingen als betrokkenheid en toewijding. Geloof me, ik weet er alles van. Dan en ik zijn nu iets meer dan een jaar samen. Vóór die tijd was het de Sahara – en niet per se omdat ik geen vriendje kon krijgen. Ik had gewoon geen zin in al dat gedoe.'

'Precies!' beaamde Sabine, terwijl ze overeind schoot en haar buurvrouw met haar enthousiasme uit haar iPod-trance schudde. 'Zo is het bij mij ook. Ik bedoel, ik heb af en toe wel eens een date en zo, maar het kost me gewoon ontzettend veel moeite om nog enthousiasme op te brengen voor een vent. Ze zijn meestal zo nietszeggend.'

'En voorspelbaar,' zei Bess.

'Ja! Volkomen voorspelbaar. Alsof ze allemaal dat artikel hebben gelezen waarin staat hoe ze zich als een gevoelige imbeciel moeten gedragen.' Sabine moest even op adem komen. 'Sorry, ik klink als een verbitterd oud wijf. Ik heb geen hekel aan mannen, ik ben gewoon… niet erg onder de indruk van ze de laatste tijd.'

Bess knikte. 'Begrijp ik. Dan is een uitzondering op die regel, maar zelfs hij kan strontvervelend zijn.' Ze pijnigde haar hersens op zoek naar een simpele manier om naadloos over te stappen op vragen over Sabines werk. Hoe kon ze dit gesprek een wending geven zonder Sabines argwaan te wekken?

'Hoe heb je Dan leren kennen?'

'Ik heb hem ontmoet op een toevallig feestje. Je kent het wel. Het was op een vrijdagavond en ik zat midden in een potje flink chagrijnig zijn. Ik hing op de bank en keek naar een marathonuitzending van *The Hills*. Ik had een groen maskertje op mijn gezicht, mijn buik zat vol sushi en twee glazen wijn.'

'Heerlijk, dat soort avonden!'

'Vind ik ook. Maar als het al de zesde vrijdagavond op rij is, gaat de lol er een beetje vanaf, als je begrijpt wat ik bedoel.'

'Amen,' zei Sabine.

'Hoe dan ook, mijn vriendin belde me en trok me letterlijk van de bank met de irritantste peptalk die ik ooit gekregen heb. Regelrecht uit *Dr. Phil.*'

'Ooo, ik háát die man,' zei Sabine. 'Hij is echt totaal gestoord.'

'Zeg dat, zó gestoord dat hij Oprah er volkomen in heeft geluisd.'

'Zeker weten.'

'Ik trok mijn kleren aan en liep aan één stuk door te mokken; het zou wel weer hetzelfde zootje bankiers-geworden-ballen zijn dat zich een weg door New York neukte,' vervolgde Bess. 'Ik heb niet eens overwogen om me op te maken. Ik wist dat het een saaie bedoening zou zijn en dat ik over twee uur weer alleen thuis in bed zou liggen. Ik wilde alleen maar laten zien dat mijn vriendin geen gelijk had, snap je?'

'En wat is er gebeurd?' vroeg Sabine, die dacht aan haar eigen weerzin om uit te gaan de laatste tijd, om precies dezelfde redenen. Het kostte gewoon te veel moeite. En waarvoor?

'Ik kwam dus alleen maar naar dat feestje om "zie je nou wel" tegen mijn vriendin te zeggen, was totaal ongeïnteresseerd. En wat denk je? Daar was hij.'

'Natuurlijk,' zei Sabine. 'Bizar! Wie zette de eerste stap?'

'Hij kwam naar mij toe en zei alleen: "Hoi, ik ben Dan",' antwoordde Bess.

'Geen gezeik,' zei Sabine. 'Heerlijk.'

'Nee, geen gezeik. Nada.' Bess glimlachte en legde haar hand op die van Sabine. 'En sindsdien is het alleen maar rozengeur en maneschijn!'

Sabine lachte. 'Echt?'

'Niet dus,' antwoordde Bess. 'Relaties zijn niet makkelijk. Vooral niet als je al onvervalst volwassen bent. Qua leeftijd dan.'

'En wat ga je doen aan dat langeafstandsprobleempje? Zou je naar LA verhuizen?'

'Voor geen goud. Ik ga echt niet alles opgeven voor hem. Dan heb ik hier alles voor niets gedaan. En daar komt nog eens bij dat ik hem, door te verhuizen, automatisch de overhand zou geven. Dan zou ik altijd degene zijn die alles voor hem had opgeofferd. Best zielig, eigenlijk.'

'Nou ja, ik weet er niets van, want ik heb nog nooit een langeafstandsrelatie gehad, maar verhuizen naar LA is volgens mij nou niet bepaald verhuizen naar de Zuidpool of zo. Je kunt daar ook vast werk krijgen, doen wat je wilt doen. Je zou er wat van kunnen maken. Maak het jezelf nou niet zo moeilijk.'

Bess wist dat Sabine haar alleen maar probeerde te helpen, maar ze had het allemaal net zo goed kunnen zingen als Shirley Temple in 'On the Good Ship Lollipop'. 'Bedankt, Sabine. Volgens mij is dat… gewoon een beetje een naïeve manier om naar de situatie te kijken.'

'Misschien… maar ik denk niet graag in termen van "overhand" als het om relaties gaat. Het lijkt mij dat alle jeu er allang af is als je zo gaat beginnen,' zei Sabine. Toen keek ze opeens op en zei: 'O, shit! Ik had moeten overstappen!'

Bess raakte in paniek. Ze had de hele tijd over zichzelf zitten ratelen en was nul dingen over Sabine te weten gekomen.

'Eh… blijf gewoon zitten, we gaan eh… lunchen!' zei Bess. Ze had al zo superweinig tijd en daar had ze zojuist nog een stuk van afgeknabbeld door maar door te zemelen over haar eigen problemen. Waar was ze mee bezig?

'Kon dat maar,' antwoordde Sabine, die opstond toen de metro een station binnenreed. 'Maar ik moet dit weekend twee manuscripten lezen en zal mezelf thuis vast moeten binden.'

De deuren gingen open. 'Tja, dan hoop ik maar dat het leuk leesvoer is,' zei Bess.

Sabine liep naar de uitgang. Ze keek achterom en schudde haar hoofd. 'Nee, afschuwelijk. Maar wat doe je eraan? Tot volgende week, Bess!' En met die woorden stormde ze de metro uit en was weg.

Bess voelde een hevige koppijn opkomen. Hoe kreeg ze dit ooit voor elkaar? Deze vrouwen waren zo heerlijk ongegeneerd en nuchter. En slim. Die opmerking die Sabine had gemaakt over relaties was precies goed. Je kon hen bijna onmogelijk niet mogen. Of veroordelen, trouwens. Ze keek op en zag de man tegenover haar aandachtig de *Times* lezen.

Bijna, dacht Bess, maar niet helemaal. Dit verhaal had alle ingrediënten om een succes te worden. Ze ging haar kans om de roddelbladen vaarwel te zeggen echt niet verguppen vanwege een zwak voor de dames.

Geen smoesjes, Bess, zei ze tegen zichzelf toen ze opstond. De metro reed haar station binnen en ze stapte uit. Haar rode muts hobbelde als een boei door de menigte.

12

Sabine

Sabine sjokte de trappen van de metro op terwijl ze aan Bess dacht. Zo erg was ze nou ook weer niet, ze had alleen een beetje een grote mond. Dat had wel iets. *Bovendien vindt ze me knap.* Sabine lachte. Ze had zo'n zwak voor complimenten. 'Oef, mijn benen!' mompelde ze. Haar dijspieren brandden van de les. Yoga mocht dan lastig onder de knie te krijgen zijn, je wist tenminste dat het ergens goed voor was.

Eenmaal op straat wierp ze een bedachtzame blik op de kruidenierswinkel een stukje verderop. Het had iets deprimerends om eten uit te kiezen onder het verblindende licht van tl-buizen en te navigeren door gangpaden die zestig centimeter breed leken – en waarschijnlijk ook waren. Aan de andere kant, elke keer haar geld verspillen aan afhaalmaaltijden voelde nog veel rottiger. Ze haalde diep adem en ging de winkel in. In gedachten maakte ze een lijstje en bepaalde een route om dat zo snel mogelijk af te werken.

Het mooiste hiervan is dat ik, als ik dit eenmaal achter de rug heb, er de hele week niet meer over hoef na te denken, hield Sabine zichzelf voor. Ze stevende regelrecht op de groenten af. Daarna snel wat melk, cornflakes, vegaburgers, kaas... ze was er bijna. Ze baande zich een weg naar de kip met het plan wat filets te grillen voor het avondeten. Toen ze die pakte, zag ze vanuit haar ooghoeken de bakjes met kant-en-klaar geroosterd vlees verleidelijk glimmen. Even aarzelde ze.

Dat telt niet als koken, Sabine, berispte ze zichzelf. Ze bleef ernaar kijken. Maar groenten snijden voor een salade wel! Ze legde de kipfilets terug en pakte een kant-en-klare vogel met wat groenten.

Ze keek onderzoekend in haar karretje. Haar favoriete caloriearme ijsrepen ontbraken nog. Ze liep met een bocht weer terug en gooide een doos in haar karretje. Ze wierp een blik op haar mobiel. Minder dan een kwartier: een record! Nu moest ze alleen nog langs de kassa en – het vervelendste deel van deze hele beproeving – het hele stuk naar huis sjouwen met die onhandelbare tassen. Gelukkig had ze dit keer niet al te zware spullen. Het aantal keer dat ze ervan overtuigd was geweest dat haar onderarm zou knappen door het gewicht van slecht ingepakte boodschappentasjes was niet te tellen. Wonen in New York betekende dat je elke dag opnieuw gigantische hindernissen moest nemen, waarvan het naar huis dragen van die verdomde boodschappen niet de minste was.

Toen Sabine haar karretje naar de kassa duwde, viel haar oog op een lekker kontje van een lange kerel die bij de groenten stond. Lekker strak. Ze deed een subtiele poging de man wat beter te bekijken. *Wacht even, hè?! Neeee. O shit! Hij is het!* De paarse capuchon van zijn sweatshirt die boven zijn jas uitstak, verraadde hem. Haar hart zonk in haar schoenen. Het was Metrovlam. Maar niet in de metro. Alleen al het idee dat hij ergens buiten de ondergrondse tunnels van Manhattan kon bestaan, was bizar.

Sabine probeerde haar wild kloppende hart tot rust te brengen met wat yoga-ademhalingen. Ze deed haar ogen dicht en probeerde vijf tellen in te ademen. *Een, twee, drie, vier, vijf.* Haar ribbenkast trok samen. *En nu weer uitblazen. Een, twee, drie, vier, vijf.* Sabine ademde diep uit. Ze voelde zich inderdaad beter.

Ze opende haar ogen. Hij was verdwenen! Neeeeeeeeeee! Ze kon wel gillen. Ze keek om zich heen in de hoop dat hij gewoon een gangpad in was geschoten om nog iets te pakken. Niet dus.

Met een verslagen gevoel duwde Sabine haar karretje naar de kassa. Ze had haar ogen maar tien tellen dichtgedaan! Letterlijk tien tellen. Misschien is Metrovlam gewoon een hersenspinsel, dacht ze. Stel dat hij helemaal niet bestaat, dat dit alleen maar aangeeft hoe meelijwekkend ik ben?

Ze begon de boodschappen uit haar karretje op de band te zetten. Toen ze bukte om de kip te pakken, vroeg een stem achter haar: 'Is dat lekker?'

'Nou, ik vind het eigenlijk best lekker,' antwoordde ze, zonder zich om te draaien naar de vragensteller voordat ze de vogel had losgelaten.

Krijg nououououu! Krijg nou waaaaaat de klere oemmmmmf! dacht ze, terwijl ze subtiel vermeed om vol ongeloof in te storten. Hij was het. Hij had een stem. Hij kon praten. Hij praatte tegen haar. Tegen haar!!! Wanhopig probeerde ze zichzelf te kalmeren.

Hij lachte naar haar, een beetje zenuwachtig. Van dichtbij zag zijn gezicht er anders uit. Beter anders, maar niet op zo'n bizarre fotomodelachtige manier. Hij zag eruit als een menselijk wezen. Ze zag dat hij een plekje had overgeslagen tijdens het scheren en dat er aan de linkerkant van zijn neus een puistje opdoemde. Zijn ogen waren echter net zo verbijsterend als ze zich altijd vanuit de verte had voorgesteld. Inderdaad rozijnjuwelen. Ze flonkerden als diamanten.

'Nou, dan neem ik dat maar van je aan,' antwoordde hij. Zijn stem was laag, maar er klonk iets nasaals in door. Ze vroeg zich af waar hij vandaan kwam. Zou hij een zuidelijke plattelandsjongen in de stad kunnen zijn?

'Ik zag er een in jouw karretje liggen en die zag er zo goed uit,' legde hij uit. 'Toen ben ik teruggegaan om er zelf een te pakken. Ik heb plagiaat gepleegd.'

Jezus, zijn glimlach is verblindend, dacht Sabine. Heel even stond ze met haar mond vol tanden.

'Volgens mij is dat strafbaar,' antwoordde ze uiteindelijk. Niet te geloven. Het lukte haar zelfs om ad rem te zijn! Het was een wonder.

Hij lachte. 'Daag me alsjeblieft niet voor de rechter!'

'Mevrouw?' onderbrak de caissière. 'Gaat u nou nog betalen of niet?'

'O, sorry,' antwoordde ze. 'Hoeveel is het?'

Ze haalde haar portemonnee tevoorschijn. Ze had ongeveer drie minuten om de man die eerder bekendstond als Metrovlam, maar nu officieel Rozijnjuwelen heette, te pakken te krijgen. Hij stond met haar te flirten. Zelfs zij, zichzelf verachtende Sabine, kon dat niet ontkennen. Zou ze hem vragen of hij met haar mee wilde lopen of was dat te wanhopig?

'Hé, vind je het erg om even te wachten?' vroeg hij. Hij was haar vóór. 'We kunnen samen naar huis lopen.'

Sabines glimlach dreigde haar kaken te breken. 'Tuurlijk, kan best.'

De caissière sloeg hen met een verdwaasde uitdrukking op haar gezicht gade. 'Ik zie dat meisje steeds in de metro,' legde Rozijnjuwelen uit. 'Maar ik kan nooit de moed opbrengen haar aan te spreken. Ze lijkt het altijd zo druk te hebben, snap je?'

De caissière lachte, terwijl ze zijn boodschappen scande. 'Dat is ook lastig in de metro,' beaamde ze. 'Iedereen is bezig ergens naartoe te gaan.'

'Precies.'

'Jij zag er nou ook niet bepaald open uit,' wierp Sabine tegen. Heel even had ze overwogen stommetje te spelen, te doen alsof ze hem nog nooit gezien had, maar ze kon het gewoon niet voor zich houden. Ze had al zo vaak gefantaseerd dat dit zou gebeuren, dat het spelen van een spelletje om iets anders te suggereren enorme tijdverspilling leek. Hij had naar haar gekeken! Ongelooflijk.

Hij betaalde en pakte zijn tasjes. 'Heb je een naam?'

'Sabine. Ik wil je wel een hand geven, maar mijn tasjes...'

'Natuurlijk, geeft niets. Hier, laat me er een van je overnemen.' Hij hing het zwaarste tasje om zijn pols. Sabine was sprakeloos. Beeldschoon, charmant en ook nog eens een gentleman? Met een uitstekende smaak voor schoenen?! Hij was de personificatie van een broodjeaapverhaal.

'Ik heet Zach.'

'O, wauw, wat ben ik toch een klojo!' antwoordde Sabine. 'Ik was van plan je dat te vragen, echt.'

'Geeft niets,' antwoordde hij lachend. 'Je wordt niet elke dag in de supermarkt platgewalst door een praktisch vreemde.'

Sabine lachte. 'Ja, ik kwam hier voor een pak cornflakes en ik vertrek met een kerel. Ik wist niet dat er een speciale aanbieding was vandaag! Bij elk pak cornflakes een gratis man.'

Zach glimlachte. 'Waar woon je?'

'O, een paar straten verder maar.' Sabine weerhield zich ervan hem te vertellen dat hij haar nergens naartoe hoefde te brengen, dat ze heel goed voor zichzelf kon zorgen. Natuurlijk kon ze dat, maar dit was verdomme Metrovlam schuine streep Rozijnjuwelen. En hij droeg haar boodschappen! Als er ooit een moment was om de rol van wanhopige jonkvrouw te spelen, dan was het nu wel. Ze begonnen te lopen.

'En, waar ga jij elke morgen met die vastberaden blik naartoe?' vroeg Zach.

'Zie ik er echt zo eng uit? God, dat is totaal niet mijn bedoeling. Het zal mijn New Yorkse krengengezicht wel zijn. Dat krijg je vanzelf als je al tien jaar in deze stad woont. Het is een soort ereteken.'

Zach lachte. 'Knap en grappig, hè? Wat zijn de minpunten?'

Zei hij nou net dat ik knap was? Sabine vroeg zich af of ze droomde. Misschien was ze na de yogales regelrecht naar huis gegaan en uitgeput in slaap gevallen. Ze keek omhoog en zag Zachs ogen naar haar flonkeren – zijn gezicht was maar een paar centimeter van haar af, haar tasje met kip hing om zijn pols. Dit was geen droom.

Sabine wuifde zijn compliment weg. 'Ik ben redacteur,' vertelde ze. 'Ik werk bij een uitgeverij in midtown.'

'Aha! Dat dacht ik al. Ik heb je een paar keer manuscripten zien lezen.' Hij zweeg, ietwat gegeneerd door zijn openhartigheid. 'Ik ben bang dat ik je nogal in de gaten heb gehouden. Ik hoop dat je daar niet de zenuwen van krijgt. Niet op een stalkerachtige manier of zo, maar gewoon zoiets als: "Daar heb je d'r! Metromeisje!"'

'Wacht even, noem jij me Metromeisje?' vroeg Sabine breed glimlachend. 'Bizar.'

'Echt? Waarom?'

'Omdat jij Metrov… Metroman was!' *Ho ho, gaf ik dat nou gewoon ruiterlijk toe? Aan hem? In ieder geval heb ik dat 'vlam' nog net op tijd ingeslikt.* Sabine kromp ineen.

'Ga weg!' antwoordde hij, zichtbaar blij met die bekentenis. 'Waarom hebben wij nooit met elkaar gepraat?'

'Ik denk dat we daar allebei te schijterig voor waren. Ik wilde je altijd gedag zeggen, maar dat is over het algemeen zo'n hachelijke onderneming, vind je niet? En dan heb je nog het element van het 's ochtends naar je werk reizen, wat het allemaal nog gecompliceerder maakt.'

'Precies. Dat is de gewijde tijd voorafgaand aan de sleur. Stoor iemand die niet gestoord wil worden en je loopt het risico je hand kwijt te raken.'

Sabine lachte. Hij was ook nog grappig. Wie was deze kerel? 'Waar ga jij 's morgens naartoe, Zach?'

'Ik ben milieujurist, dus ik ga elke ochtend de wereld redden.' Hij sloeg zijn ogen ten hemel. 'Mijn baan heeft leuke kanten, maar het werk is echt niet zo idealistisch als ik me had voorgesteld. Iets te veel bureaucratische regelgeving naar mijn smaak.'

'Ach, je wordt eronder gehouden. Dat hebben we op mijn werk ook. Hoe lang werk je daar al?'

'Iets meer dan drie jaar,' antwoordde Zach. 'Hoe lang werk jij bij die uitgeverij?'

'Ik zit daar al sinds de oertijd,' zei Sabine. 'Het was mijn eerste baantje na college. Ik zit daar nu ongeveer' – ze zweeg voor een inwendig rekensommetje – 'negen jaar, al met al.'

'Wauw, dat is lang. Zeker voor New Yorkse begrippen. Maar ik heb wel eens iets gehoord over de belachelijke uitgeversladder. Lijkt me verschrikkelijk.'

'Ja, de eerste vijf jaar zit je feitelijk op een soort bijstandsniveau en je neemt altijd werk mee naar huis in het weekend. En als je dan eindelijk promotie maakt, besef je dat je die baan überhaupt nooit leuk gevonden hebt.'

'Hè bah, is jou dat overkomen?' vroeg Zach.

'Misschien. Een beetje. O, weet ik veel!' Kijk mij nou, dacht ze, nu al Debbie Depri, nog geen kwartier in haar allereerste niet-gefantaseerde gesprek met Metrovlam. Ze moest hiermee stoppen. Pronto.

'En,' begon ze om van onderwerp te veranderen, 'woon jij hier dichtbij?'

'Ja, drie straten verder maar, op Seventh Street. Nogal bizar, hè?' zei Zach. 'Ik bedoel, het had ook heel goed gekund dat we elkaar nooit in de metro hadden gezien. De hemel zij dank dat er gevogelte is.'

'En we hadden ook allebei onze mond dicht kunnen houden,' voegde Sabine eraan toe. 'God mag weten hoeveel jaar dit nog door had kunnen gaan!' Ze glimlachte en raakte vervolgens meteen in paniek toen ze zich realiseerde dat ze bij haar huis waren. Wat moest ze nu doen? Hem binnenvragen voor de kip?

'Hier woon ik,' zei ze.

'O,' zei Zach, terwijl hij haar het tasje gaf. Ze staarden elkaar schaapachtig aan.

'Bedankt voor het dragen van mijn tasje,' zei Sabine.

'O, geen punt,' zei Zach. Hij vermeed opeens haar blik en staarde naar de stoep.

Sabine zocht wanhopig naar een manier om hem mee uit te vragen. Moest ze nu agressief zijn of gewoon wachten tot ze hem 's ochtends weer een keer zag? Haar moeders stem schalde in haar oren: je wordt er niet jonger op, Sabine! Carpe diem!

'Nou eh, wil je misschien een keer met me uit eten gaan?' vroeg Zach. Zijn woorden tuimelden in een nerveuze lawine naar buiten.

'Ja!' antwoordde Sabine. Haar gezicht lichtte op als het Chrysler Building. 'Ja, dat zou leuk zijn,' herhaalde ze, in de hoop er relatief rustig uit te zien. Vanbinnen werd vuurwerk afgestoken.

'Leuk,' zei Zach. Zijn gezicht ontspande tot een grijns. 'Volgende week zaterdag?'

Sabine pijnigde haar hersens. Had ze plannen voor volgende week zaterdag? Dat leek nog lichtjaren weg. Ze besloot dat ze, als dat zo was, daar schijt aan zou hebben. 'Natuurlijk, dan kan ik wel.'

'Cool. Ik had het liever eerder gedaan, maar ik ben met een waanzinnige zaak bezig.'

'Geeft niets, ik heb ook een waanzinnige week,' antwoordde Sabine. *Niet!*

'Zal ik je dan hier ophalen? Om acht uur?' vroeg Zach.

'Prima. Kun je onthouden waar ik woon?'

'Kom op, hé. Ik vergeten waar Metromeisje woont?! Onmogelijk.'

'Ik geef je voor de zekerheid toch maar even mijn nummer,' zei Sabine. Als deze afspraak om wat voor reden dan ook niet doorging, wilde ze daarop voorbereid zijn. In haar eentje op haar stoep staan bevriezen omdat hij haar had laten zitten, was geen optie. Ze gaf hem haar nummer.

'Nou,' zei Zach.

'Nou,' antwoordde Sabine.

'Het was geweldig om je eindelijk eens te spreken.'

'Zeg dat,' beaamde Sabine. 'Wie had kunnen denken dat jij kon praten?'

Zach lachte. 'Tot over een week.' Hij bewoog zich naar haar toe voor een onbeholpen jas-en-tas-beladen omhelzing. Sabine leunde tegen hem aan; ze voelde zich een plompe walrus.

'Jep,' zei ze. 'Tot ziens!' Ze glimlachte nog een keer en draaide zich om, om de trap op te lopen. Ze moest zich inhouden om niet achterom te kijken. *Stoer doen, Sabine.* Toen ze haar sleutel in het slot stak, stond ze zichzelf één blik toe. Hij stond er nog steeds en keek haar na.

Ze zwaaide nog één keer en glipte naar binnen. De trap op, snel, snel, snel, en haar woning in. Lassie begroette haar met een verwachtingsvol gemiauw. Ze liet haar tasjes vallen, ontdeed zich van haar omhulsel en tilde de verbijsterde kat in haar armen.

'Lassie!!' fluisterde ze. 'Ik heb Metrovlam ontmoet!' Lassie staarde haar stoïcijns aan.

'IK. HEB. METRO. VLAM. ONTMOET,' zei ze, iets langzamer dit keer. Toen Lassie zich loswurmde, liet Sabine zich verbijsterd op haar bank vallen. Was het echt gebeurd? Had ze echt een afspraak met Metrovlam/Rozijnjuwelen/Zach!?! En als ze hem nou voor die tijd in de metro zag? Dat zou pas bizar zijn. Met hem praten in plaats van hem vanaf een veilige afstand begluren.

Ze sloot haar ogen en sloeg haar armen stevig om een kussen. De rinkelende telefoon schudde haar uit haar gemijmer. Ze keek naar het schermpje. Haar moeder! Perfect. Haar timing was griezelig.

Sabine nam op. 'Hallooooo,' zong ze.

'Wauw, jij klinkt vrolijk. Waaraan dank ik dit genoegen?'

'Ik heb hem ontmoet, mam!'

'Wie? George?!' Haar moeders liefde voor George Clooney was legendarisch. Wat haar betreft was hij de enige geschikte vrijgezel voor Sabine. Ze zei altijd tegen Sabine dat ze 'naar een van die clubs waar ze over in de bladen had gelezen' moest gaan om hem te ontmoeten. 'Hij houdt van gewone meisjes,' zei ze dan zakelijk, als Sabine haar uitlachte. 'Dat meisje met wie hij was? Dat was een serveerster. Doe me een lol. Doe wat lippenstift op, laat die meiden een poepie ruiken en ga erheen.'

'Eh, nee. Niet George.'

'De kerel uit de Bondfilms? Ik heb er vorige week nog een gehuurd. Hij is een beeldschone jongeman, Sabine. Eigenlijk is hij helemaal niet mijn type – een beetje te arisch – maar hij heeft iets… volgens mij komt het door zijn accent.'

'Geen beroemdheid, mam! Ik heb Metrovlam ontmoet.'

'Echt?!' kirde ze. 'O, Sabine, dat is nog beter. Hoe is het gebeurd? Vertel me alles.'

Sabine deed verslag. 'Nou, niet te geloven, hè? We hebben een date!'

'Natuurlijk geloof ik het wel. Ik zei toch dat hij stond te kijken of je wat was. Wie zou dat niet doen? Je bent niet voor de poes.'

'Hij is naar MIJ toe gekomen,' zei Sabine dromerig. 'Ik heb helemaal niets hoeven doen.'

'Het is fijn dat hij toenadering heeft gezocht. Mannen zijn tegenwoordig zo, nou ja, Sabine, ze zijn niet meer zoals vroeger. Wij moeten al het werk doen. En waarvoor?'

'Zeg dat wel,' beaamde Sabine. 'Maar hij lijkt me een *Mensch*.'

'Vast. Hoe heet het Mensch?'

'Zach,' antwoordde Sabine, genietend van de naam.

'Oooo!' antwoordde haar moeder. En vervolgens, fluisterend: 'Hij is joods!'

'Hoe weet je dat nou, mam?'

'Wie noemt zijn kind nou Zach als hij niet joods is?'

'Zo veel mensen,' antwoordde Sabine – in gedachten zag ze opeens Zack Morris uit *Saved by the Bell* voor zich. Die was zeker niet joods. Hoewel hij een verzonnen iemand in een televisieserie was. Dat voorbeeld was niet betrouwbaar.

'Ik weet eigenlijk niet wat hij is.'

'Weet je dat niet? Nou ja, wat maakt het ook uit. Zolang jij maar gelukkig bent. En hij rijk is.'

'Ik ben gelukkig,' zei Sabine. 'Maar ik denk niet dat hij rijk is. Hij is milieujurist.'

'Oei. Nou ja, hij heeft tenminste een baan. Mindy vertelde me dat haar dochter verkering had met een dakloze.'

Sabine lachte. 'Mam, alsjeblieft! Voor Mindy betekent dakloos gewoon dat hij minder dan een ton per maand verdient. Zij is zo erg. En Nicole, die dochter van haar? Breek me de bek niet open.' Toen Sabine net naar de stad was verhuisd, hadden ze haar gedwongen een avondje te gaan stappen met Nicole. Op Nicoles voorstel hadden ze afgesproken in een kroeg vol mannen die baadden in grote hoeveelheden haargel en meisjes met piepkleine Louis Vuitton-tasjes. Nicole was er helemaal op haar plaats. Het hoeft geen betoog dat er geen tweede 'date' volgde.

'Als jij het zegt,' beaamde haar moeder. 'Hoe dan ook, je klinkt gelukkig. Saby. Daar ga ik voor.'

'Bedankt, mam. Ik moet rennen. De dag glipt uit mijn handen.' Sabine wierp een blik op de klok. Hoe kon het al half vier zijn? En hoe kwam het dat de werkweek tergend langzaam voortkroop, maar het weekend voorbijvloog?

'Weet ik! Ik moet naar mijn pilatesles. Dag, lieverd, ik hou van je.'

'Dag, mam.' Pilates?? Je kon geen cursus noemen of haar moeder had hem gevolgd. Ze keek naar de boodschappentasjes op haar aanrecht en glimlachte. *Zach.* Beste zaterdag ooit.

13

Naomi

'Mag ik nog een beetje stroop, mama?' smeekte Noah, terwijl hij met zijn vork zijn pannenkoeken over zijn bord schoof. 'Deze zijn niet soppig meer.'

Naomi wierp een blik op zijn bord. 'Waar is die stroopzee van daarnet gebleven? Ik kon de pannenkoeken die erin dreven nauwelijks zien!'

'Maaaaaam,' brulde Noah. 'Het was geen zee.' Hij glimlachte. 'En de pannenkoeken hebben alles opgezogen.'

'Als verrukkelijke sponzen?' vroeg Naomi, terwijl ze nog meer stroop uit de fles kneep. Meestal was ze behoorlijk streng met zoetigheid voor Noah – hij was een monster wat dat betreft – maar vandaag was het zondag. Iedereen moest kunnen zondigen op zondag.

Noah lachte. 'Ja! Als verrukkelijke sponzen!' Hij prikte een stukje pannenkoek aan zijn vork en tilde het, druipend van de stroop, naar zijn mond.

God, wat hou ik van dit kind, dacht Naomi. Vaak schrok ze van de kracht van die liefde voor haar zoon. Er was niets wat haar meer beïnvloed had dan het moederschap. Verliefd zijn niet, foto's maken niet… Het was het meest verbijsterende gevoel ter wereld. Soms, als ze stilstond bij het feit dat Noah er bijna niet geweest was, sprongen de tranen in haar ogen. Het was een beetje sentimenteel, dat wist ze, maar zo voelde ze zich nu eenmaal.

'Heb je nog steeds pijn, mama?' vroeg hij, terwijl hij in een ander stukje pannenkoek prikte en haar met zijn fonkelende amberkleurige ogen aankeek.

'Nou, zeg dat wel! Alles doet pijn. Het voelt alsof ik overreden ben door een enorme vrachtwagen.' Yoga had haar echt een loer gedraaid. Na afloop van de les had ze zich veel beter gevoeld dan tijdens dat moment met die loodzware benen, maar tegen de tijd dat het avondeten op tafel kwam, was ze zo stijf als een plank en volkomen uitgeput geweest. Wat was de zen daarvan?

'Getsie,' zei Noah. Hij liet zijn vork vallen en Naomi zag die in de goudkleurige stroopvijver zakken. Hij ging achter haar staan en legde zijn kleverige handjes in haar nek. Hij begon haar huid te kneden in de hoop haar te kunnen helpen. Maar elke samentrekking van zijn handen voelde opvallend hulpeloos, aangezien zijn techniek meer deed denken aan karate dan aan massage.

'Het is ontzettend lief van je, schat, maar het helpt niet echt veel.'

'Oké,' zei Noah en hij keerde terug naar zijn bord stroop. 'Ik wilde alleen maar helpen.' Naomi zag zijn onderlip een beetje trillen.

'Hé, ik zei het niet om je verdrietig te maken. Het doet gewoon te veel pijn, ook als je het maar heel zachtjes aanraakt.' Ze stond op, ging achter Noah staan en drukte hem tegen zich aan. Hij was een gevoelig knulletje. Soms was ze bang dat hij een moederskindje zou worden, omdat hij grotendeels vaderloos was, maar meestal was ze er wel van overtuigd dat ze het best goed deed en hem aan voldoende hoeveelheden testosteron blootstelde. Wat dat ook mocht betekenen.

'Oké,' zei hij, achteroverleunend.

'Wat gebeurt er allemaal op school de laatste tijd?' vroeg ze, terwijl ze hem met een laatste kneepje losliet en hun borden pakte.

'Heb ik je verteld over mini-Noah?'

'Nee! Wie is mini-Noah?'

'Het is zo cool!' antwoordde hij. 'Juf Lynch heeft ons een verhaaltje voorgelezen over een jongetje dat Platte Stanley heet. Hij is gemaakt van karton en doet allemaal coole dingen omdat hij plat is.'

'Wat dan?'

'Hij gaat naar Californië in een envelop! Hij hoeft niet eens het vliegtuig te nemen!'

'Cool!'

Noah knikte enthousiast, zijn krullen wipten op en neer. 'Wij krijgen ook Platte Stanleys, maar dan zijn het mini-onsjes! Snap je?'

'Mmmm, niet echt,' antwoordde Naomi. 'Vertel verder, alsjeblieft.' Inwendig huiverde ze een beetje. De laatste keer dat juf Lynch een opdracht had gegeven die zo veel enthousiasme bij Noah had opgeroepen, was Naomi tot twee uur 's nachts opgebleven om voor de wetenschapsmarkt uitgeknipte figuurtjes op een driedimensionaal tentoonstellingsbord te plakken. Niet leuk toen zij acht was en zeker niet leuk nu ze tweeëndertig was.

'Nou kijk, we hebben miniversies van onszelf getekend en uitgeknipt,' legde Noah uit. 'Wacht, ik laat het wel even zien.' Hij rende naar de andere kamer. Ze hoorde hem zijn rugzak openritsen en daarin rommelen.

'Hier is-ie!' zei Noah triomfantelijk toen hij de keuken weer in kwam rennen. Hij hield een uitgeknipte kopie van zichzelf omhoog, compleet met zijn zwarte krullenbos. 'Zie je!'

Naomi lachte, ze was ontroerd door zijn enthousiasme. 'Ik zie het! Hij lijkt precies op jou!'

'Hij heeft mijn lievelingsschoenen aan,' zei Noah, wijzend naar zijn piepkleine kartonnen gympies.

'Jij bent het, helemaal!' beaamde Naomi. 'En wat nu? Wat moet je met hem doen?'

'Ik stuur hem op reis en ga foto's van hem maken. En dan ga ik daarover schrijven.' Naomi slaakte een zucht van opluchting. Goddank, geen tentoonstellingsborden. Dat van die foto's kon ze wel aan, zeker omdat ze die samen met Noah zou maken. Misschien was het zelfs wel leuk.

'Waar ga je hem naartoe brengen?'

Noah staarde opeens schuldbewust naar de grond. 'Nou, ik had een idee,' zei hij op de toon die hij altijd aansloeg als hij iets vroeg wat niet een onmiddellijk ja garandeerde.

'Wat dan?' vroeg Naomi, terwijl ze een tochtje met de veerboot naar het Vrijheidsbeeld voor zich zag. Hoewel dat een soort van lastig was, was het niet onuitvoerbaar. Ze zou gewoon het merendeel van haar werk doordeweeks moeten doen en een weekenddag vrijhouden. Stelde niet zo veel voor.

'Ik wilde aan papa vragen of hij me kan helpen,' antwoordde Noah.

Naomi onderdrukte te neiging om te gaan schreeuwen. Kalm blijven, zei ze tegen zichzelf. Rustig. Ze dacht aan yoga. Adem.

'Hoezo?' vroeg ze zo vriendelijk mogelijk.

'Nou, ik weet dat papa over een paar weken naar Parijs gaat,' legde Noah uit. 'En ik dacht dat het echt cool zou zijn als mini-Noah met hem mee mocht. Dan kan pap allemaal coole foto's van hem maken op al die Franse plekken. Plekken die de andere kinderen niet zullen gaan gebruiken.'

'Wat is er mis met Brooklyn?' Nu voelde ze zich pas echt alsof ze was overreden door een grote vrachtwagen.

'Niets, mama. Maar Parijs is gewoon anders, snap je? Volgens mij is het gewoon supercool om mijn miniversie bij de Eiffeltoren te hebben en zo.'

Naomi haalde diep adem en was wanhopig op zoek naar haar kern. Ze nam zich voor om Charlie te vragen hoe ze het best kon ademen als ze totaal in paniek was. Het was niet alleen dat ze zich gekwetst voelde, hoewel Noahs besluit om zijn vader erbij te betrekken in plaats van haar absoluut stak. Het was meer dat ze ervan overtuigd was dat Gene Noah zou teleurstellen.

De versie van zichzelf die Gene aan zijn zoon liet zien, was zonder twijfel totaal anders dan zijn ware ik. Noah dacht dat zijn vader zijn miniversie mee zou nemen naar de Eiffeltoren, maar Naomi zag zijn ware trip voor zich: mini-Noah die lijntjes coke snoof op een modellenfeestje. Mini-Noah die in elkaar zakte voor de minibar. Mini-Noah die een of ander veertienjarig supermodel uit Estland naar haar nummer vroeg.

Gene was modefotograaf en zijn leven leek in niets meer op dat van vroeger; hij zou alleen naar de Eiffeltoren gaan om zijn dealer te ontmoeten. Bij zijn herintreden in Noahs leven had Gene tegen Naomi gezegd dat hij clean was en als hij Noah op kwam halen voor zijn wekelijkse bezoekjes, had alles daar ook op gewezen, maar toch vertrouwde Naomi hem niet. Ze wilde Noah vreselijk graag waarschuwen voor zijn vaders onvermogen om iets te doen voor een ander behalve zichzelf, maar ze wist dat ze dat niet moest doen. Noah was een kleine jongen en het ging hier om zijn vader. Zo simpel was het. Noah zou zelf achter de rest moeten komen.

'Als dat echt is wat je wilt, lieverd, dan moet je het hem volgens mij gewoon vragen.' Ze probeerde te glimlachen toen ze dat zei, maar ze voelde zich meer als een boer met kiespijn.

'Echt, mama? Bedankt!'

'Nou, bedankt dat je me vroeg wat ik ervan vond,' antwoordde Naomi. 'Dat had je niet hoeven doen.'

'Jawel,' antwoordde Noah, terwijl hij zijn warme lijfje tegen het hare drukte. Hij liet haar los en glimlachte. 'Ik ga het hem vandaag vragen als ik bij hem ben, oké?'

'Oké,' antwoordde Naomi. Zondagmiddag ging Noah altijd naar Gene. Dat was al zo sinds Gene, na acht jaar afwezigheid, opeens weer in haar inbox was opgedoken. Alleen al bij het zien van zijn naam op het scherm had ze haar monitor tegen de muur willen smijten. Ze had de e-mail genegeerd, en de vier die erna kwamen ook, in de wetenschap dat als Gene iets wilde, hij het niet op zou geven.

Uiteraard had ze gelijk. Toen ze afgelopen voorjaar op een ochtend dat Noah op school zat thuiskwam van de wasserette, had ze hem bij haar voordeur aangetroffen. Hij wilde zijn zoon zien, had hij tegen haar ge-zegd. Het verdiende geen schoonheidsprijs. Naomi had weerstand gebo-den tot haar geweten de overhand had gekregen.

Het was net zo noodzakelijk dat Noah deze man leerde kennen als dat zij hem met geen mogelijkheid kon uitstaan of vertrouwen. Ze had Gene aarzelend weer toegelaten. Wat was begonnen als wandelen in het park – met een angstig toekijkende Naomi op een afstandje achter hen – had uiteindelijk geleid tot deze zondagmiddagen. Tot dusver had Gene het niet verpest, maar Naomi was altijd voorbereid op zijn verdwijning.

'Bedankt, mam,' kirde Noah in haar oor.

'Graag gedaan, moppie,' antwoordde ze. Ze pakte hem zo stevig moge-lijk vast.

14

Charlie

Charlie liep langzaam de trap op. Ze was uitgeput. Het was een hectische dag geweest – vijf lessen plus een financiële vergadering met Julian en Felicity. Financieel in de zin van 'geld hebben we niet'. Zeker, ze hadden een behoorlijk aantal leerlingen, maar er was niet genoeg doorstroming om helemaal uit de rode cijfers te komen.

Eigenlijk was er maar één manier om hun zichtbaarheid te vergroten: een website. Charlie had meteen aan Naomi gedacht. Die verdiende daar haar geld mee. Charlie had Julian en Felicity beloofd dat ze aan haar zou vragen een website voor Prana Yoga te ontwerpen.

Ergens had Charlie er spijt van dat ze hun over Naomi's werk had verteld. In haar vorige leven op Wall Street had ze meermalen meegemaakt dat het verstrengelen van zakelijk en privé bijna altijd gigantisch misliep. Maar in dit geval, waar de yoga het zakelijke was en het lesgeven privé, leek het Charlie wel geoorloofd om haar eigen regels een beetje aan te passen.

Ze haalde de deur van haar eigen etage van het slot en slaakte een zucht van opluchting. Ze had heel veel moeite gedaan om van haar huis een toevluchtsoord te maken en dat was te zien. Het stelde niet veel voor – feitelijk gewoon een eenkamerappartement met een piepkleine alkoof voor haar bed – maar de muren waren geschilderd in een mooie, subtiele lichtblauwe kleur en haar spaarzame meubels oogden duur, maar waren dat in feite niet, dankzij Charlies obsessie voor vlooienmarkten.

Haar bank was een chocoladebruin gerieflijk kunstwerk met een paar verspreide oranje- en witgeschakeerde kussens erop. Een kleine, honingbruine tafel stond knus in de hoek van haar eetgedeelte en een Perzisch tapijt in bonte schakeringen van kastanjebruin, marineblauw en goud lag op de vloer. Een stel ingelijste zwart-witfoto's sierde de muren. Kleine

95

lampjes rustten op een paar houten tafeltjes verspreid door de kamer en een torenhoge boekenkast was gevuld met haar lievelingsboeken. Haar bed was een witte droom: donzig en uitnodigend, met hoog opgestapelde kussens. Het was perfect.

'Schatje, ik ben thui-huis,' riep ze tegen niemand, terwijl ze haar tas liet vallen en zich uit haar jas worstelde.

Mmm, het is hier warm, dacht ze. Ze trok haar yogaspullen uit en schoot in haar favoriete pyjamabroek en haar oude sweatshirt met capuchon van de universiteit van Boston. Er waren maar weinig dingen in het leven die zo goed voelden als het aantrekken van een pyjama na een lange dag.

Charlie deed haar koelkast open en bekeek de inhoud. Ze stierf van de honger. Ze kon een salade maken en wat tofoe bakken. Ze trok haar neus op bij die gedachte. Met tofoe en verschrompelde groenten ging ze het vanavond niet redden. Ze deed de koelkast dicht en liep naar haar voorraadkast.

'Ja!' riep ze uit. Macaroni met kaas. Van de oude stempel: vol conserveringsmiddelen en ingrediënten waarvan niemand de naam kon uitspreken. Ze at meestal gezond, maar zo nu en dan moest ze gewoon even zondigen. De zonde was in dit geval gevuld met gedroogde pasta en poederkaas.

Toen ze een pan met water vulde en die op het gas zette, moest ze glimlachen bij de herinnering aan haar macaroniverjaardag. Neil had behoorlijk krap bij kas gezeten omdat hij het even zonder zijn gebruikelijke barkeeperbaantje moest doen, maar bij thuiskomst uit haar werk bleek hij hun sjofele etage in de Lower East Side veranderd te hebben in een knusse bistro, compleet met bloemen en een tafelkleed. Hij had macaroni met kaas en rode wijn geserveerd. Hij had zelfs geld opzijgelegd om een kettinkje met een gouden hangertje van een giraf uit een van de winkeltjes verderop, waar ze verlekkerd naar had staan kijken, voor haar te kopen. Lief, romantisch, attent... allemaal eigenschappen die Neil had gehad voordat hij een totaal ander iemand werd.

Charlie zuchtte. Ze ging aan haar tafel zitten, die tevens dienstdeed als bureau, en schakelde haar laptop aan.

'Reclame, reclame, reclame,' zei ze hardop, terwijl ze die stuk voor stuk met een muisklik verwijderde.

Hè, wat is er aan de hand met Facebook? Ze zag weer drie uitnodigingen van mensen die ze zeker vijf jaar niet had gesproken in haar inbox. De afgelopen maanden had ze talloze verzoeken gekregen van verschillende namen die in de krochten van haar geheugen vage belletjes deden rinkelen. Ergens was ze daardoor geïntrigeerd, maar haar desinteresse voerde de boventoon.

Op dat moment ging haar telefoon. Ze raapte hem op en keek er behoedzaam naar. Sasha! Sasha was een vriendin die Charlie van een van haar eerste yogaretraites kende. Ook zij had haar goedbetaalde kantoorbaan opgegeven om een eigen studio te openen, maar dan in Queens. Ze was eerlijk, geestig en superslim, en Charlie was erg op haar gesteld. Als nieuwbakken studio-eigenaars hadden ze het echter allebei zo druk, dat er nauwelijks tijd overbleef om elkaar te zien.

'Hé, vreemdeling,' zei Charlie. Ze zag Sasha aan de andere kant van de lijn voor zich – in een buurt die feitelijk maar één metroritje hiervandaan was, maar aanvoelde als Mars in termen van wezenlijke afstand. Charlie kwam tegenwoordig amper meer in de stad. Ze stond op om naar de pan op het vuur te kijken.

'Halloooooo! Hoe is het met Charlie?'

'O, je weet wel, zelfde shit, andere dag.' Met haar telefoon tussen haar kaak en haar schouder geklemd, scheurde ze het zakje met pasta open en strooide de inhoud in het kokende water.

'Breek me de bek niet open. Het enige wat ik doe is werken.'

'Hoe gaat het allemaal in jouw studio?' vroeg Charlie. Ze vond het heerlijk als Sasha over haar ervaringen vertelde, aangezien die altijd erg leken op de hare.

'Het zou best kunnen dat ik er een vroegtijdige dood door sterf. Onze leidingen zijn vorige week gesprongen. Rampzalig!'

'Kassa!' zei Charlie, die ineenkromp bij de gedachte aan die onverwachte kostenpost.

'Inderdaad. Maar wat moet ik anders, ik vind het veel te leuk om er nu mee op te houden.'

'Ja, ik ook. Als het goed is, is het echt goed en als het slecht is…'

'Is dat balen,' maakte Sasha haar zin af. 'En ben je platzak. Het is net als een relatie met iemand die geen geld heeft en nooit met je vrijt.'

'Wat waren ook alweer de goede kanten?' vroeg Charlie lachend. 'Ik maak macaroni met kaas,' bekende ze. 'Ik ben een slechte yogalerares.'

'Ooo, die uit een pakje die vol rotzooi zit waarvan je ingewanden gaan rotten?'

'Jep, de enige echte.'

'Jammie! Dat klinkt me nu als muziek in de oren. Jammer dat ik alleen een blik kikkererwten in huis heb.'

'Getver,' zei Charlie. Ze draaide zich naar haar computer. 'Hé, Sasha, zit jij ook op Facebook?'

'Ja! Ik ben een Facebooksul en ik schaam me er niet eens voor.'

'Hoe zit het ook alweer met Facebook? Zijn wij daar niet te oud voor?' Ze wierp een blik naar haar gasfornuis en zag het water boven de pan uit borrelen. Ze stond snel op en haalde de pan van het vuur. Toen ze de inhoud in het vergiet goot, sloeg de stoom haar in het gezicht.

'Hoe bedoel je, hoe zit het ook alweer? Het is net als op de middelbare school, maar dan zonder de druk om samen dingen te doen. Je kunt bevriend zijn met honderden mensen met wie je nooit praat.'

'Dus het is net zoiets als een alleenstaande vrouw van in de dertig in New York zijn?' vroeg Charlie. 'Maar dan in cybervorm?'

'Ha! Dat is een goeie. Maar nee, het is meer dan dat. Het beste deel ervan is de ex-factor.'

'Hoe bedoel je?' vroeg Charlie, terwijl ze de poederkaas, melk en boter bij haar macaroni deed. Ze begon te roeren.

'Nou, mijn vriendinnen en ik hebben een soort slagzin voor Facebook bedacht die zo'n beetje de aantrekkingskracht ervan samenvat. Of het gebrek daaraan, het is maar hoe je het bekijkt,' legde Sasha uit.

'En die is?' Charlie stopte met roeren en schepte wat macaroni in een kom.

'Neem je vagina mee terug in de tijd met Facebook,' antwoordde Sasha.

'Wacht even, wat?' Charlie verslikte zich haast in de gigantische lepel vol macaroni die ze zojuist had doorgeslikt.

Sasha lachte. 'Ik zal je vertellen, Charlie, iedereen met wie ik ooit naar bed ben geweest, heeft me erop opgezocht.'

'Geen wonder dat je honderden vrienden hebt.'

'Die zit!' zei Sasha lachend. 'Erg geestig. Maar even serieus. Eigenlijk is het nogal hilarisch. Dan krijg je een uitnodiging van iemand wiens naam je ergens bekend voorkomt. Een klik later besef je dat het die kerel uit 2004 is, die na een maand van de aardbodem verdwenen was.'

'Dus die mannen leven nog? Ik dacht dat ze allemaal doodgingen als ze dat soort rotstreken uithaalden. Althans, dat hoopte ik.' Ze nam nog een hap.

'Ik ook. Maar rarara, ze leven allemaal nog en willen zich maar al te graag in een cyberrelatie storten. Ze mogen dan niet in staat zijn je te vertellen waarom ze je op dat feestje in die godvergeten buitenwijk – om vier uur 's morgens zonder dat je terug naar huis kon – in de steek hebben gelaten, maar ze zijn maar al te bereid om je tussen hun cyberfoto's op te hangen.'

'Bizar! Wat hilarisch. Wacht even, je hebt die buitenwijkgozer toch niet als vriend geaccepteerd, hè?'

Sasha zweeg.

'Wel?' gilde Charlie. 'Wat ben jij toch een sukkel!'

'Weet ik. Maar anders kon ik zijn profiel niet zien. Ik wilde weten of hij dik was geworden, want dat is wat ik al die klootzakken die uit mijn leven verdwenen zijn toewens.'

'En?'

'Nee, maar hij is zo kaal als de neten,' antwoordde Sasha.

'Lekker dan!'

'Serieus, het is echt leuk. Vaginaverleden of geen vaginaverleden.'

'Oké, misschien doe ik er toch wat mee. Mijn vagina hoeft niet per se terug in de tijd, maar god weet dat ze érgens naartoe moet.'

'Zo mag ik het horen!' riep Sasha. 'Goed zo, meisje. Ooo, mijn sushi is er. Ik moet hangen. Je kunt me vinden op Facebook!'

'Doe ik. Dag.' Charlie hing op, liep terug naar haar computer en plofte neer op haar stoel. Vagina terug in de tijd, dacht ze. Ze vroeg zich af of Neil op Facebook zat. Waarschijnlijk wel, aangezien de hele wereld aangemonsterd leek te hebben. Zij was de enige overlevende van de cybernetwerkende Apocalyps.

Haar cursor balanceerde boven AANMELDEN! *Zet ik stug door of zwicht ik?* 'Ik zwicht!' riep ze, terwijl ze er vol overgave op klikte. Ze vroeg zich af of Facebook enige aantrekkingskracht had gehad als Sasha er niet zo lovend over gesproken zou hebben. Zodra ze had verteld dat het de link naar je liefdesverleden was, was Charlies Neil-meter de hoogte in geschoten.

Terwijl ze de rest van haar nu ietwat koude macaroni met kaas naar binnen lepelde, vulde Charlie de vereiste hokjes in. Ze realiseerde zich dat ze geen foto had om te uploaden. Dat vond ze niet erg. Het was nergens voor nodig.

Ze zag de zoekknop in de rechterbovenhoek van het scherm. Zou ze? Aarzelend bewoog ze de muis die kant op. Haar vingers hingen boven het toetsenbord, klaar om toe te slaan.

Nee, zei ze tegen zichzelf. Nog niet.

Misschien, heel misschien, zou Neil naar haar op zoek zijn, zoals Sasha gezegd had. Ze zou het een week geven. Nee, twee weken. Het was een test. Ze wist niet zeker waarom ze hem wilde zien – ook al was het alleen maar in cyberspace – maar haar behoefte aan een soort van verlossing was voelbaar. Hij was de liefde van haar leven geweest en had vervolgens haar hart in miljoenen stukjes geslagen. Ze vond het verschrikkelijk dat ze na al die tijd nog steeds iets om hem gaf; na al het verdriet dat hij haar had bezorgd. Dat gezegd hebbende, zolang haar verlangen voor het grootste deel privé was – met uitzondering van het incidentele dronken gebazel tegen Julian of het minzame geklaag tegen Sasha – wie had er nou feitelijk last van? *En uiteindelijk vertoon ik toch duidelijk wilskracht. Als ik echt gestoord was, zou ik naar hem op zoek gaan.* Ze schakelde haar computer uit, ietwat gegeneerd door de absurditeit van haar pseudopeptalk. Ze wist wie ze ermee belastte: zichzelf. Ondanks die wetenschap kon ze zich niet van hem losmaken. Het was op de een of andere manier om gek van te worden en tegelijkertijd troostend.

Over wilskracht gesproken, dacht ze, terwijl ze de rest van de macaroni in de vuilnisbak schraapte.

15

Bess

Bess zat achter haar bureau, haar vereiste avondkoffie stond naast haar te dampen. Ze worstelde met een stukje over een onfortuinlijke Courtney Love in bikini. Althans, er was haar verteld dat dit Courtney Love was. Dit misvormde, plastic opblaashoofd vertoonde geen enkele gelijkenis met de Courtney Love met wie zij opgegroeid was.

'Verbeeld ik het me nou, Rob, of heeft Courtney Love echt geen navel meer?' vroeg ze. Rob schoot overeind achter zijn bureau, dat recht tegenover dat van Bess stond, en kwam kijken.

'Het is geen verbeelding,' antwoordde hij. 'Jezus christus, wat is dat eng.'

'Ja, dat is precies het juiste woord. Heeft die dokter gewoon tegen zichzelf gezegd: "Ach, ze zal hem niet missen"?'

Rob lachte. 'Het zou me verbazen als ze wist dat-ie weg was.'

'Ja, alleen is nu het verstopplekje van haar supergeheime pil door de medische wetenschap uitgewist. Ooo, dat wordt mijn bijschrift!'

'Fraai!' zei Rob. 'Daarom betalen ze je die bakken met geld.' Hij keerde terug naar zijn stoel.

Bess zag aan het flikkerende lichtje dat er een bericht voor haar was. Ze klikte erop. Dan! Ze straalde zonder dat ze het wilde; alle gedachten aan beroemdheden die rijp waren voor het gekkenhuis werden tijdelijk in de kast gezet. Ze hadden hun ruzie bijgelegd door in principe overeen te komen dat ze het er niet over eens waren. Dan zou er niet naar vragen en Bess zou er niet over vertellen. Ergens wist Bess ook wel dat dit net zoiets was als een pleister plakken op een gebroken been, maar ze had besloten dat naast zich neer te leggen. Trouwens ze miste hem verschrikkelijk.

DAN: Hé, lekker ding. Wat heb je aan?

BESS: Niets. Ik draag nooit kleren op kantoor. Die beperken me te veel.

DAN: Zo mag ik het horen, kom voor jezelf op! Hoe is je dag?

BESS: Soort van bla. Ik mis je.

DAN: Ik mis jou ook! Ik popel om je in levenden lijve te zien.

Over drie dagen zou Dan komen. Bess was aan het aftellen.

BESS: Ons programma is op een oortje na gevild.

DAN: O, echt? Gaat het ongeveer zo: Ochtend: Seks, Ontbijt. Middag: Seks, Lunch. Avond: Seks, Wijn, Avondeten.

Bess' grijns dreigde haar kaken te breken toen ze Dans plan las.

BESS: Zo ongeveer wel ja. Maar één ding: ik kan niet onder de yoga op zaterdagmorgen uit.

DAN: Wat?! Dat kun je best. Ik ga echt geen ochtend samen verspillen aan yoga!

BESS: Maak je geen zorgen, de les is heel vroeg. Voor je wakker bent, ben ik al weer terug. Je hebt niet eens door dat ik weg ben geweest.

DAN: Waarom moet je per se naar yoga? Je vriendje vliegt triljoen kilometer speciaal om 's morgens met jou wakker te worden en dan kun jij geen les overslaan?

BESS: Het spijt me, Dan. Het kan echt niet. Je weet dat de tijdfactor van wezenlijk belang is voor dat artikel. De cursus duurt maar zes weken. Dat is heel kort om research te doen.

DAN: Ach, kom nou toch! Je bent toch niet echt van plan om door te gaan met dat artikel, hè?

BESS: Wat mag dat verdomme betekenen?

Haar vingers ramden als spijkers in het toetsenbord.

DAN: Ja, hoor eens, het spijt me. Ik denk gewoon dat dat artikel niet zo'n goed idee is.

BESS: Nee, je wilt gewoon niet alleen wakker worden op zaterdag en je zeurt erover als een verwend klein kind.

Ze stond op scherp. Ze moest zich vreselijk inhouden om haar scherm niet in een halve nelson te nemen. Wat was Dan een ongelooflijk neerbuigende klootzak. En alleen maar omdat hij zijn eigen koffie zou moeten zetten op zaterdag. Mannen waren echt zó doorzichtig.

DAN: Sorry dat ik zo aangebrand doe. Ik weet dat dat vervelend is via Instant Messenger. Je weet hoe ik erover denk. Het zal wel geen zin hebben om mijn zin door te drijven.
BESS: Dacht het niet.
DAN: Ik bel je nog, oké?
BESS: Oké.

Bess klikte IM weg. Ze kreeg hoofdpijn bij het idee deze stompzinnige conversatie voort te zetten. Zij en Dan moesten zich gewoon houden aan hun voornemen het eens te zijn over het oneens zijn. Er waren genoeg momenten geweest dat Bess een van Dans scenario's had gelezen en inwendig ineen was gekrompen. Was zij altijd aardig geweest met haar kritiek? Ja. Oké, behalve dan die ene keer misschien, toen ze hardop had gelachen om een vooronderstelling die Dan als avant-garde beschouwde, maar die in feite gewoon afschuwelijk pretentieus was.

Ze wist dat haar artikel niet in aanmerking kwam voor de Pulitzerprijs, maar ze vond wel dat het potentie had. Het was geen niemendalletje. En al dat gepraat van Dan over de onethische kant, over het 'verraden' van deze vrouwen, was onzin. Getver, alleen al door de gedachte aan Dan en zijn zelfvoldane geoordeel vanuit LA – de hoofdstad van onethische bullshit – kreeg ze de neiging te gaan schreeuwen.

'Hé, Bess, gaat het?' vroeg Rob, waarmee hij haar losrukte uit haar gedachten.

Ze keek op om hem te antwoorden. 'Eh, jawel, hoezo?'

'Omdat je gezicht de kleur van een tomaat heeft,' antwoordde hij. 'En je over je toetsenbord gebogen zit als een beroepsbokser.'

'O,' zei Bess, terwijl ze probeerde haar rug te rechten. Ze wilde Rob erg graag vertellen over Dans klotegedrag, maar ze kon het niet. Ze wilde het idee voor haar artikel voor zich houden. Op dit moment kon ze niet nog een andere mening aan.

'Nee, joh, niets aan de hand. Ik probeer alleen te bedenken wat ik dit weekend met Dan ga doen.' Afgezien van hem verdrinken in de badkuip, voegde ze er in gedachten aan toe.

'Komt hij?' vroeg Rob. 'Super. Je zult wel lyrisch zijn!'

Bess lachte. 'Ja. Het zal geweldig zijn om hem weer te zien.' En dat was ook zo. Ze konden alleen niet over het artikel praten.

Rob zette zijn computer uit. 'Volgens mij is het sluitingstijd,' zei hij. 'Tijd om dag te zeggen.' Bess keek op het klokje van haar computer. Hoe kon het nu al zeven uur zijn?

'Blijf niet te lang,' waarschuwde hij, toen hij opstond en zijn tas over zijn schouder slingerde. 'Courtney Love is morgen ook nog een puinhoop. Je hoeft je echt niet het hoofd te breken over dat bijschrift.' In het voorbijgaan gaf hij een klapje op Bess' hoofd.

'Dat is een ding dat zeker is. Dag, Rob!'

Bess stond even op en strekte haar armen boven haar hoofd. Ze moest de ramp met Dan van zich afzetten als ze nog iets uit haar vingers wilde krijgen.

Ze ging weer zitten en keek naar haar computerscherm. Ze kon het gevoel dat ze misschien wel helemaal niet anders was dan deze vrouwen niet van zich afschudden. Ook zij was gezwicht om in deze stad aan de kost te kunnen komen. Ze werkte verdomme bij een roddelblad. Dat stond wel heel erg ver af van Christiane Amanpour.

Nee! berispte ze zichzelf. Zij had een paar van haar dromen in de ijskast gezet, maar slechts tijdelijk. Ze zat die hier tenslotte toch hardnekkig na te jagen. Onvermijdelijk schakelden haar gedachten door naar Dan. Wat zou er met haar dromen gebeuren als ze deze relatie voortzette? Als hij nu al op zijn strepen ging staan over haar ideeën voor artikelen, wat zou hem er dan van weerhouden haar volledige toekomst te saboteren met zijn negatieve houding? En stel nou dat hij uiteindelijk niet eens oprecht tegen dit artikel was? Stel dat hij zich meer zorgen maakte over het feit dat ze haar vrije tijd niet aan hem, maar aan andere dingen besteedde? Zijn overdreven reactie op het feit dat ze haar yogales niet over wilde slaan, was immers behoorlijk veelzeggend. Misschien zat er achter die gevoeligeschrijversfaçade wel gewoon een egoïstische vooringenomen klootzak. Moest ze nu niet gewoon een eind aan hun relatie maken?

Ze klikte haar fotobestand aan en zette een foto van hen samen op het scherm. Ze bestudeerde zijn gezicht en vroeg zich af of er onder dat knappe oppervlak iets duivels loerde. Ze keek ook naar zichzelf; kromp ietwat ineen vanwege de smoorverliefde grijns die op haar gezicht geplakt was. Was dat de glimlach van een serieuze carrièrevrouw?! Nee. Ze slaakte een diepe zucht en haalde de foto van het scherm.

Ze moest zich focussen. Twijfels noch een man (hoor je me, Dan!?!?) gingen haar van koers doen veranderen.

16

$\mathscr{L}es\ twee$

'Goedemorgen, dames,' zei Charlie. Sabine, Bess en Naomi zaten op hun matjes en keken haar verwachtingsvol aan, althans voor zover dat mogelijk was op zaterdagmorgen om negen uur.

'Tja, ik was dus op zoek naar een manier om de les vandaag te beginnen,' zei Charlie. 'Een perfect citaat of een volmaakte gemoedstoestand om jullie weer terug in de nieuwe wereld van yoga te brengen. Op mijn boekenplank stond een beduimeld exemplaar van Aristoteles' *Ethica Nicomachea*. Van college nog wel. Hebben jullie dat gelezen?'

Sabine knikte. 'Jep, op college. Geesteswetenschappen. Behoorlijk verheven gedoe.'

'Inderdaad,' antwoordde Charlie. 'Ik was het totaal vergeten. Hoe dan ook, ik was nogal geroerd door wat Aristoteles te zeggen heeft over morele deugdzaamheid en evenwicht.' Ze zweeg; ze had in de gaten dat Bess zich opgelaten voelde.

'Niet afhaken, Bess, ik beloof dat het je zo allemaal logisch in de oren klinkt.' Bess lachte zenuwachtig. Ze moest echt voorzichtiger zijn met haar gezichtsuitdrukkingen.

'Hij praat aan één stuk door over het feit dat morele deugdzaamheid gaat over het vinden van het juiste evenwicht – "het midden tussen twee tegenovergestelde extremen",' vervolgde Charlie. 'Vervolgens zegt hij min of meer dat dit midden per mens verschilt. Er bestaat geen universeel, onbetwistbaar midden waarnaar iedereen zou moeten streven. Het beste wat we kunnen doen is ons bewust zijn van wat "extreem" voor ons betekent en ons altijd terugbuigen naar het midden om ons evenwicht te hervinden.' Charlie zweeg om haar woorden even te laten bezinken.

'In een bepaald opzicht kan diezelfde vooronderstelling toegepast worden op yoga. Jouw gevoel van evenwicht, Sabine, zal niet hetzelfde zijn als dat van Naomi. En Bess, het jouwe is niet hetzelfde als het mijne. We kunnen ons hoogstens verbinden met onze innerlijke balans en die stimuleren. Hier, tijdens de les, en daarbuiten – in ons alledaagse leven.'

Charlie glimlachte. 'Sorry dat ik zo zit te bazelen, maar ik word altijd een beetje frikkerig als eeuwenoude ideeën zo ongelooflijk relevant zijn, begrijpen jullie?' Sabine, Naomi en Bess knikten instemmend.

'Oké, laten we beginnen,' zei Charlie.

Het kostte Sabine veel moeite om zich van een berg, via een boom naar een driehoek te vouwen. Ze was ergens anders met haar gedachten. Bij Metrovlam om precies te zijn. Vanavond gingen ze uit eten en ze hád het bijna niet meer. Ze hadden elkaar de hele week niet gesproken, wat haar zorgen baarde. Stel dat hij haar vanavond liet zitten en zij nooit meer de metro kon nemen? Uiteraard maakte ze zich ook zorgen over de werkelijke Zach versus Metrovlam. Hoe kon hij in hemelsnaam voldoen aan de maatstaven die zij al voor hem vastgesteld had? Dat was praktisch onmogelijk. Al evenzeer gold: hoe zat het met de werkelijke Sabine versus Metromeisje? Was hun relatie vanaf het begin al gedoemd?

'Hé, Sabine, gaat het?' vroeg Charlie, die opeens naast haar stond en probeerde haar rug langer te maken en haar heupen te verplaatsen. 'Je lijkt een beetje gespannen vandaag.'

'Wie, ik?' vroeg Sabine, duidelijk van de wijs gebracht door Charlies kritiek. 'Ik denk gewoon...' ze zweeg en kwam verslagen overeind. 'Ik denk gewoon dat ik hier niet zo goed in ben.'

'Wat? Hier "goed" in zijn?' Charlie lachte, schudde haar hoofd en dempte haar stem. 'Liefje, er bestaat geen "goed" of "fout" in yoga. Je moet ermee ophouden zo te denken. Jouw gevoel van evenwicht is onlosmakelijk met jou verbonden, weet je nog? Richt je gewoon op die verbinding.'

Sabine keek Charlie vragend aan. Wat ze wilde zeggen was: oké, bedankt voor de tip, Yoda. Maar wat ze hardop zei was: 'Weet ik, weet ik. Op papier klinkt dat logisch, maar op de mat is het wat lastiger.' Ze gebaarde naar Naomi, die als Mikhail Baryshnikov van de ene in de andere houding gleed. 'Ik bedoel maar, als je het daartegen op moet nemen...'

'Kijk, nu doe je weer precies hetzelfde!' Charlies stem schoot van frustratie omhoog. 'Je hoeft het niet "op te nemen tegen" iemand! Kom op, Sabine, doe even mee. Echt, probeer in verbinding te komen met jezelf. Kom me tegemoet.'

'Oké, ik zal het proberen. Ik vermoed dat ik de natuurlijke stroom van mijn hersens moet omzetten om in de natuurlijke stroom van mijn lichaam te komen. Of zoiets.'

Charlie sloeg haar handen in elkaar en lachte. 'Juist,' fluisterde ze. 'Zo is het maar net.' Ze liep weg bij Sabine en vervolgde haar rondje door de studio.

Bess' grijns liep van oor tot oor; ze zag eruit als een imbeciele halloweenpompoen. Dans komst had haar naar de zevende hemel geslingerd. Sinds hij thuis was, hadden ze het niet één keer over het artikel gehad. Ze hadden eigenlijk helemaal niet zo veel gepraat. Ze haalde diep adem en genoot van de na-ijlende tintelingen van de gebeurtenissen van vannacht.

Seks, dacht ze. Echt goede seks. Ze moest zich beheersen om van opwinding de deurpost van de studio niet te bespringen. Alle stress van de afgelopen week, alle twijfels over haar relatie met Dan en haar onafhankelijkheid... poef! Weg. Ze nam de boomhouding aan en verwonderde zich over de elasticiteit van haar voorbipsspieren. Ze was die morgen als een dief in de nacht uit bed gekropen, had geruisloos haar spullen gepakt en zelfs gewacht met het dicht ritsen van haar jas en het aantrekken van haar schoenen tot ze op de gang stond.

Uiteraard besefte ze waarom ze zo omzichtig uit haar woning was weggeglipt, maar ze had toen geen zin gehad om erover na te denken. Hoewel ze Dan van tevoren had verteld over haar yogales – herinneringen aan hun IM-uitval achtervolgden haar nog steeds – had ze hem de avond ervoor er nou niet bepaald aan herinnerd. *Waarom zou ik dit moment verpesten?* had ze bij zichzelf gedacht. Ze had een briefje achtergelaten op de badkamerspiegel met de belofte bagels mee terug te nemen, maar ze wist niet zeker hoe Dan zou reageren. Hopelijk was hij over zijn verheven, almachtige pose heen en had hij zich neergelegd bij haar beslissing. Zo niet, nou ja... dat zag ze dan wel weer. Voorlopig bleef ze even lekker sudderen in haar postcoïtale gelukzaligheid.

Charlie richtte haar aandacht op Bess. Bess was een rare. Ze leek het prototype van een zwaar opgefokt iemand te zijn. Charlie had haar meerdere malen met haar ogen zien rollen, dus wat deed ze hier eigenlijk? Misschien wilde ze die neigingen van zichzelf veranderen. Of misschien wilde ze Madonna-armen – wat meestal het geval was met de wat minder spiritueel ingestelde types. Hoe dan ook, Charlie was blij dat ze er was. Ze vond het heerlijk om te zien hoe mensen als Bess leerden hun geest open te stellen via yoga.

Het deed Charlie denken aan haar eigen worstelingen in het begin. Ze had het zo druk gehad met twijfelen over yoga, dat ze de voordelen ervan consequent over het hoofd had gezien. Pas na een enorme ruzie met Neil en een daaropvolgende yogaretraite om hem haar openheid te 'bewijzen', had ze zichzelf laten gaan en zich overgegeven aan de yogakrachten. De rest was, zoals ze zeggen, geschiedenis.

Charlie liep een rondje om Naomi en bekeek haar met voldoening. Naomi was echter aan het vechten tegen kwade gedachten over Gene en mini-Noah. Ook was ze hypergevoelig voor de reacties van haar lichaam op de houdingen. De gewaarwordingen van vorige week hadden haar overdonderd, ook al was ze relatief weer in normale doen. Haar lichaam voelde weer vertrouwd, maar nog steeds onnatuurlijk vermoeid. Het werd steeds moeilijker voor haar om 's morgens haar bed uit te komen.

Het is gewoon de winterellende. Plus dat hele mini-Noah-gedoe, waarover ik me echt niet zo druk moet maken. Het is verdomme een pop. Maar waarom heeft Noah niet voorgesteld dat ik zijn miniversie mee naar de yogales nam? Dat zou cool zijn geweest. Of naar… wacht, waar ga ik nog meer heen? Naar mijn bureau om te werken aan stomme websites? Naomi zag het sneue mini-Noah-album voor zich dat zij zou produceren.

Ze zag al voor zich hoe Noah het in de klas aan zijn leeftijdgenoten liet zien; er mompelend doorheen bladerde om zijn gêne te maskeren: 'En hier is mini-Noah naar *The Hills* aan het kijken. Hier gaat hij naar de supermarkt met zijn kortingsbonnen. En hier staat hij verlekkerd te kijken naar een tas in de etalage van een van die bespottelijk dure winkeltjes bij ons in de buurt.' Naomi giechelde in zichzelf, maar ze was toch vooral ietwat ontsteld door het gebrek aan variatie of pit in haar leven. Zou haar zoon haar saai vinden?

'Hé, Naomi,' zei Charlie, die opeens naast haar stond, 'rustig aan. Langzaam maar zeker.'

Naomi liet haar gedachten los. 'O, natuurlijk! Sorry, ik was mezelf even kwijt.' Ze probeerde weer een soort zengevoel op te wekken, maar haar twijfels werkten zich omhoog naar een vlaag van waanzin.

'Vandaag gaan we de surya namaskar, ofwel de zonnegroet, proberen,' zei Charlie. 'De zonnegroet is een reeks van twaalf asana's, yogaposities, die in een dynamische volgorde wordt uitgevoerd. De meeste van die standen zijn nieuw voor jullie, dus we doen het rustig aan.'

Naomi's vingertoppen schuurden over de vloer, terwijl ze Charlies aanwijzingen volgde. Ze werd nog steeds in beslag genomen door mini-Noah, alleen was ze nu van vertwijfeling overgestapt op razende woede.

Saai!?! Ik zal hem laten zien wat saai is! Naomi probeerde diep te ademen in een poging te ontsnappen aan de heksenketel in haar hoofd. Ze was op zich niet saai, maar haar leven was natuurlijk wel 'beperkt'. Het draaide grotendeels om Noah. Ze wist dat het tijd werd hem een beetje los te laten, om weer eens stil te staan bij wat háár gelukkig zou maken, maar dat was gemakkelijker gezegd dan gedaan. Hij was haar kleine manneke.

God, hoe ben ik op dit punt beland? Uitgeput door haar inwendige worstelpartij vroeg Naomi zich dit af. *Van mini-Noah naar mijn saaie bestaan naar mijn afkeer van Genes vrijheid naar het besef dat ik iets van mijn leven moet maken naar totale uitputting tot in de puntjes van mijn tenen? En dat allemaal in minder dan een uur?* Ze ademde diep. Yoga was in meer dan één opzicht inspannend. Geen wonder dat ze afgemat was.

O, dus dit is wat ze de omlaagkijkende hond noemen, dacht Bess, toen haar bloed naar haar hoofd stroomde. Dat was de enige yogahouding waar ze wel eens van gehoord had voordat ze met deze lessen was begonnen.

Charlie liep naar Sabine en legde haar handen op haar onderrug om die voorzichtig een stukje op te tillen. 'Ietsje verder,' zei ze vriendelijk. 'Mooi, Sabine.'

Toen Charlie hen in de lage plank loodste, kraakten Bess' armen van de druk. *Ik hoop dat ik bij de volgende houding op mijn kont kan zitten,* dacht ze, terwijl een zweetdruppel precair aan het puntje van haar neus bungelde en vervolgens viel om ter ziele te gaan op de mat onder haar.

'Van hieruit gaan we over in de ashtanga namaskara, de achtledige groet,' zei Charlie.

Hou verdorie toch eens op met die yoganamen, dacht Sabine. *Alsof we die überhaupt gaan onthouden!* Haar triceps voelden als drilpudding. Ze wilde Charlie pijn doen. *Zelfvoldane yogi Charlie,* met haar strakke armen en ogenschijnlijke wasbordje onder haar shirt.

'Adem uit en buig je knieën naar de vloer. Breng vervolgens ook je borst en kin naar de vloer. Hou je borst open en je ellebogen dicht bij de zijkant van je ribben. Juist, Naomi, goed zo! Van hieruit gaan we over in bhujangasana, ook wel de slanghouding of cobra genoemd. Concentreer je op het intrekken van je buik in de richting van je ruggengraat. Goed, heel goed,' zei ze bemoedigend. 'Oké, we herhalen dit nu aan de linkerkant.'

Neeeee, verdomme, gemene vrouwwwww, dacht Naomi. Haar armen voelden aan als verlamde pastaslierten, toen ze mokkend de aanwijzingen volgde.

O, alsjeblieft, laat dit de laatste houding zijn, dacht Bess. Ik beloof dat ik de hele week lief zal zijn, voegde ze eraan toe. Haar postcoïtale blijd-schap leek een vage herinnering. Ze keek opzij naar Sabine en Naomi. Op hun gezichten was dezelfde soort gefrustreerde uitputting te lezen. Ik ben in ieder geval niet de enige, dacht ze, voordat ze haar linkerbeen naar ach-teren stootte.

Toen ze klaar waren, liet Charlie hen op hun matjes in de kindhouding zitten. Met gebogen knieën en hun bovenlichaam daar zo ver mogelijk overheen gestrekt, genoten ze allemaal van de ontspanning.

Aaaa, deze is verrukkelijk, dacht Sabine. Ze wist niet zeker wat er eerder was geweest, de houding of de naam ervan, maar ze pasten perfect bij el-kaar. Het deed haar denken aan haar middagslaapjes op de peuterschool – dat zweterige, vermoeide gevoel. Juf Wheeler dimde dan altijd het licht en Sabine sukkelde weg in wat niet langer dan een half uurtje slaap kon zijn. Bij het wakker worden kregen ze likkoekjes en appelsap. Hemels.

Charlie loodste haar leerlingen door een reeks zittende rekoefeningen en vervolgens naar de doodhouding op hun matjes. Terwijl ze allemaal met gesloten ogen afkoelden, cirkelde zij door de studio en streek twee vingers in de vorm van een V van hun neusrug naar de bovenkant van hun voorhoofd.

Mamma mia, wat lekker, dacht Naomi, toen Charlie het bij haar deed. Alle spanning leek te verdampen onder de aangename druk van Charlies vingers. Verbijsterend.

Toen ze rechtop gingen zitten, liep Charlie weer naar voren.

'Bedankt voor jullie komst vandaag,' zei ze. 'Ik hoop dat jullie een besef van jullie eigen evenwicht de week mee in kunnen nemen. Vergeet het niet na te streven, zelfs als je het het liefst uit zou willen gillen door de drukte van New York.' Ze glimlachte.

'Namaste.'

'Namaste,' herhaalden ze glimlachend.

17

Na les twee

'Goedemorgen, dames,' zei Felicity, toen ze de studio uit kwamen lopen. Ze was geconcentreerd bezig haar verscheidene potjes en tubes in een mooie formatie op de balie neer te zetten.

'Is dit niet te opzichtig, Charlie?' vroeg ze, met een vleugje twijfel in haar anders altijd zo zelfverzekerde stem.

Charlie bekeek de ietwat grote piramide die ze had gebouwd. 'Hmmm, niet opzichtig. Maar misschien een beetje veel.'

Ze pakte een potje van Felicity's vochtinbrengende haarcrème en keek er verlekkerd naar. 'Maar wel een cool etiket! En die naam is behoorlijk gewiekst.' Het bolle, glazen potje was gevuld met een geleiachtige drab die beloofde zelfs het meest weerbarstige kroeshaar tot bedaren te brengen. Felicity had het 'Kop op en krul' genoemd. Charlie schroefde het dekseltje eraf om te snuiven aan de vaag naar lavendel ruikende haarcrème. 'Mmm, het ruikt ook lekker.'

'Echt, vind je het lekker? Ik heb met een massa geuren geëxperimenteerd. Uiteindelijk ging het tussen deze en mandarijn.'

'Nou, als het de bedoeling is dat iets bedaart, kan het beter naar lavendel dan naar mandarijn ruiken,' merkte Naomi op, die hun gesprek had opgevangen. Ze kwam bij hen staan en pakte het potje om eraan te ruiken. 'Wauw, dit ruikt erg lekker,' voegde ze eraan toe. 'Zijn deze allemaal van jou?' Ze gebaarde naar de nu ontmantelde piramide van potjes en tubes.

'Jep,' antwoordde Felicity trots. 'Ik durf te wedden dat ik al vóór jouw geboorte aan deze haarproducten werkte. Gewoon net zo lang klungelen met verschillende ingrediënten tot ik de juiste samenstelling had.'

'Weet je nog die shampoo van een paar maanden geleden?' vroeg Charlie, die lachte bij de herinnering. 'Dat was niet een van je hoogtepunten.'

'O! Die shampoo die volume beloofde, maar in plaats daarvan een instant-rastakapsel opleverde?! Ik weet nog steeds niet hoe dat heeft kunnen gebeuren. Een beetje te veel van iets.'

'Van wat? Gluton?' plaagde Naomi.

'Hoe dan ook, ik wil alleen maar zeggen dat je het een eind geschopt hebt. Pas nog vroeg een vrouw in de supermarkt hoe het toch kwam dat mijn haar zo glansde,' zei Charlie.

'Echt waar?!' riep Felicity vrolijk uit. 'Wat heb je tegen haar gezegd?'

'Nou, ik heb haar natuurlijk alles over jou verteld. Maar toen ze vroeg waar ze het kon kopen, stond ik dus met mijn mond vol tanden.'

'Jou gevraagd waar ze wat kon kopen?' wierp Bess tussenbeide toen ze uit de wc kwam. Ze wilde zo snel mogelijk terug naar Dan, maar ze kon ook geen sappige gespreksonderdelen missen.

'Mijn haarproducten,' legde Felicity uit. 'Ik ben nog niet toegekomen aan het op de markt brengen van de producten zoals ik dat wil. Met de studio en de kinderen heb ik al amper tijd om ze te maken.'

'Heb jij kinderen?' vroeg Sabine, die bij het groepje kwam staan terwijl ze haar sjaal om haar hals wikkelde.

'O jawel, twee. Malcolm en Dionne. Hoewel "kinderen" tegenwoordig een nogal vreemde benaming voor hen lijkt. Malcolm doet dit jaar eind-examen en Dionne is net gaan studeren.'

'Jee, zijn ze al zo oud!' zei Naomi. 'Jij hebt de huid van een baby. Ik word er misselijk van.'

Felicity glimlachte. 'Bedankt, liefje. Maar jou staat hetzelfde te wachten, Naomi. Ik denk echt dat een zwarte huid mooi oud wordt. Mijn zussen zien er ongeveer tien jaar jonger uit dan ze in werkelijkheid zijn.'

'Echt?' vroeg Naomi. 'Ook al ben ik maar halfvol?' Ze lachte schalks.

'Er is genoeg cacao om jou op je wenken te bedienen,' antwoordde Felicity. Ze stak haar hand uit en wreef over Naomi's schouder, terwijl ze teruglachte.

'Tja, en ondertussen worden wij bleekneusjes zo'n beetje gebóren met kraaienpootjes,' zei Bess zuchtend. 'Ik keek pas in de spiegel en toen moest ik gillen.'

Naomi lachte. 'Alsjeblieft, Bess. Jij bent een ivoren godin.'

'Maar je hebt toch wel een website, Felicity?' zei Sabine. 'Volgens mij is dat de ideale plek om je spullen te verkopen. Je kunt naar andere websites linken en voilà! Instantberoemdheid.'

'Ja, Malcolm en Dionne zeuren voortdurend dat ik er een moet maken.

Ik snap wel wat ze bedoelen, echt waar, maar ik weet gênant weinig van het world wide web. Ik kan nauwelijks e-mailen.'

'Maar wie ontwerpt de website voor Prana dan?' vroeg Sabine. 'Waarom vraag je die ook niet gewoon voor je haarproducten?'

Felicity hield haar hoofd schuin en keek naar Charlie. 'Charlie? Wil jij daar antwoord op geven?'

Charlie stond zenuwachtig te draaien. 'Tja, nou, eigenlijk hebben we nog geen website voor Prana.'

'Wat zeg je nou!?' riep Bess uit. 'In welk jaar leven we, 1942? Hállo? Zonder website kun je het wel schudden.' Bess nam zich voor om dit op te nemen in haar artikel. Zelfs Charlie, die een uitzondering leek te vormen op de rest van de groep (nou ja, los van Bess zelf natuurlijk), baande zich ietwat halfslachtig door het leven. Hoe serieus nam ze zichzelf als ze niet eens zelfverzekerd haar aanwezigheid op het web kon verkondigen?

'Hé, effe dimmen, Bess,' zei Charlie bestraffend. Ze ergerde zich aan de felheid van Bess' opmerking. 'Ik heb gewoon nog geen tijd gehad om iemand te vinden die dat zou kunnen doen. Het staat boven aan mijn eindeloze lijstje met rotklusjes.' Ze keek Felicity boos aan. 'Waarom kan Julian dat eigenlijk niet doen? Ik begrijp niet waarom ik hier elk kleredingetje moet regelen.'

Het was even stil na Charlies uitbarsting.

'Hé, Charlie, sorry dat ik je zo voor het blok zette,' zei Felicity, terwijl ze haar hand op die van Charlie legde. 'Ik ging te ver.'

Charlie ontspande zich. 'Ik weet dat we een website nodig hebben. Maar ik heb echt gewoon nog geen tijd gehad om me daarmee bezig te houden. Ik ben ook behoorlijk onnozel op dat gebied en ik schrik een beetje terug voor het idee om nog meer geld uit te geven om er een te laten maken.'

'Hé, Naomi is grafisch ontwerper!' verkondigde Sabine. Zodra de woorden haar mond uit waren, wilde ze die weer inslikken. Zij had de irritante gewoonte om de diensten van andere mensen aan te bieden zonder hun dat eerst te vragen. Ze wierp een blik op Naomi om haar reactie te peilen.

'Dat is zo,' zei Naomi. Sabine kon uit haar toon niet opmaken hoe blij ze was met deze bekentenis. 'Ik doe niets anders dan websites ontwerpen,' voegde ze eraan toe. 'Ik wil met alle liefde proberen er eentje voor jullie op te zetten.'

Bess vroeg zich af of Naomi daar iets voor zou rekenen. Een man zou dat in die positie absoluut doen. Waarom waren vrouwen toch zo bereid hun eigen waarde te ondermijnen? Het was wel duidelijk dat Prana Yoga niet zwom in het geld, maar ze konden haar toch zeker wel íéts betalen?

'Echt?' vroeg Charlie. 'Weet je dat zeker? Dat zou geweldig zijn, Naomi.'

'Fantastisch!' deed Felicity er een schepje bovenop. 'Ik zorg dat je de rest van je leven niet zonder haarproducten zit.'

'Nu je het zegt,' zei Naomi, 'ik zou jouw spullen ook op de Pranawebsite kunnen zetten, gewoon om je op gang te helpen. Twee vliegen in één klap, begrijp je?'

'Ooo, Naomi, ga je ook foto's maken?' vroeg Sabine.

'Weet ik niet,' mompelde ze opgelaten.

Sabine, die niet in de gaten had hoe ongemakkelijk Naomi zich voelde, ging gewoon door. 'Naomi is een geweldige fotograaf. Ik bedoel, je had de foto's moeten zien die ze op college maakte. De helft van onze kamer was een soort expositieruimte. Ze heeft er ongelooflijk veel oog voor, echt. Ze heeft een keer een foto van mij gemaakt, laat op de avond in onze kamer, en die gebruik ik tot op de dag van vandaag als mijn pasfoto.' Ze zweeg even. 'Nou ja, dat is gelogen. Ik moest hem vorig jaar met pensioen sturen. De studietijd is lang geleden.'

'Tien jaar, om precies te zijn,' zei Bess.

'Hoe dan ook, Naomi, sorry dat ik hier je geheimen zit te verklappen, maar ik ben nooit vergeten hoeveel talent je had,' zei Sabine.

'Ja, "had", verleden tijd dus,' antwoordde Naomi. Ze slaakte een zucht. 'Ik maak eigenlijk geen foto's meer. Het is niet meer zoals vroeger.'

'Waarom niet?' vroeg Bess. 'Ben je het ontgroeid of heb je er gewoon geen tijd voor?' Ze was benieuwd naar Naomi's antwoord. Haar artikel moest het van dit soort informatie hebben.

'Ik weet eigenlijk niet precies waarom,' antwoordde Naomi. 'Ik doe het gewoon niet meer, oké?'

Sabine voelde zich verschrikkelijk. 'Sorry dat ik mijn grote mond weer niet kon houden, Naomi. Ik heb er gewoon niet bij stilgestaan.'

'Het geeft niet,' antwoordde Naomi, ietwat gegeneerd door haar defensieve houding. 'Ik wil de website graag ontwerpen, maar ik denk dat jullie me de foto's moeten leveren, Charlie.'

'O, geen probleem!' antwoordde Charlie. Ze vroeg zich af waarom

Naomi zich zo onvermurwbaar tegen haar eigen godgegeven talent afzette, maar ze wist dat ze niet moest aandringen. Iedereen had zo zijn redenen voor dingen. 'Julian is een redelijke fotograaf,' zei ze. 'Ik vraag hem wel een paar foto's te maken.'

'Ja, en Dionne kan het ook,' voegde Felicity eraan toe. 'Wat zijn we hier blij mee, Naomi. Echt, ik kan je niet vertellen hoe fijn ik het vind.' Ze stond op en sloeg haar armen om Naomi heen.

Naomi, die een beetje zenuwachtig werd van Felicity's genegenheid, maakte zich los uit de omhelzing en glimlachte. 'Ach joh, ik doe het graag. Iedereen moet weten van deze plek! Het wordt zo langzamerhand tijd om internet op te gaan. Ik zal mijn best doen om over een paar weken iets voor jullie klaar te hebben.'

'Dat zou waanzinnig zijn,' zei Felicity. Haar warme bruine ogen straalden van opwinding.

'Oké, meiden, ik moet snel nog even naar de wc voor mijn volgende les,' zei Charlie. 'Het was geweldig vandaag. Ik kijk nu al uit naar volgende week.' Ze lachte vriendelijk en hupte weg.

Bess keek op haar horloge. Ze moest rennen – geen tijd om te lanterfanten als ze thuis wilde zijn voordat Dan wakker werd. 'Ik moet rennen! Dag, Naomi, dag, Sabine, dag, Felicity!' Ze zwaaide ten afscheid en rende de deur uit.

'Kijk uit op die trap!' riep Sabine haar na. 'Jezus, het lijkt wel of er een kudde olifanten de trap af dendert. Waar zou ze heen moeten?' Ze wierp Naomi een schuldbewuste blik toe. Ze voelde zich verschrikkelijk over haar misstap. 'Hé, Naomi, het spijt me echt van daarnet. Ik ben te ver gegaan.'

Naomi glimlachte naar Sabine. Er mochten dan tien jaar verstreken zijn sinds hun studententijd, maar Sabine was nog net zo lief als de dag waarop ze elkaar ontmoet hadden; toen ze haar had aangeboden de gigantische trommel met koekjes die ze had meegenomen met haar te delen. 'O, laat toch zitten. Ik reageerde een beetje te heftig.' Ze glimlachten naar elkaar.

'Hé, heb je zin om even te gaan ontbijten bij die *diner* verderop in de straat?' vroeg ze aan Sabine. 'Ik ben uitgehongerd!'

'Ja! Maar alleen als je belooft een paar aardappelkoekjes met me te delen.' Sabine sloeg geen acht op haar maniakale inwendige mooimaakneigingen. Ze zou Zach pas over tien uur zien. Er zat een grens aan de hoeveelheid haar die een vrouw kon verwijderen. Trouwens, het leek haar erg leuk om even met Naomi alleen te zijn.

'Afgesproken,' antwoordde Naomi. Haar maag knorde al verwach-tingsvol.

18

Bess

Bess zat in de metro na te denken over de macht van seks. Nog maar een paar dagen geleden was ze één geïrriteerde oestrogeenbonk geweest – die haar baas met een kettingzaag te lijf wilde gaan toen ze voor de zoveelste keer met een nieuw stompzinnig voorstel voor een artikel kwam, die Robs soepkom boven zijn toetsenbord om wilde keren toen ze hem gretig de inhoud op hoorde slurpen tijdens de lunch, die zelfs een oudere Chinese dame binnensmonds vervloekte toen die haar op Ninth Avenue hobbelend op haar teenslippers de weg versperde. Zelfs denken aan Dans ophanden zijnde komst had haar duivelse gemoedstoestand niet kunnen beteugelen. Sinds hun IM-ruzie hadden ze geen serieus telefoongesprek meer gevoerd – alleen een beetje gebabbeld over wat ze gedaan hadden, zonder dat het écht ergens over ging.

Pas op het moment dat Dan haar gebeld had om te vertellen dat hij in een taxi op weg naar haar toe was, was het tij gaan keren. Louter het idee dat ze zijn gezicht weer zou zien en haar armen om zijn brede jongensrug kon slaan, toverde een glimlach op haar gezicht – de eerste sinds weken. Bess schaamde zich bijna voor haar lustgevoelens. Die leken een beetje raar, vooral als je bedacht hoe rationeel ze meestal was. Pas op het moment dat Dan binnen kwam lopen – en de warmte zich als bloed door haar lichaam verspreidde – pakte de rede haar koffers en ging op een welverdiende vakantie.

Ze waren giechelend en gretig aan elkaar plukkend meteen in bed getuimeld. Na afloop had Bess hem het programma laten zien dat ze voor zijn bezoek had vervaardigd. Dan had gegrijnsd en het van haar afgepakt, het doormidden gescheurd en op de grond gegooid.

'Ik wil gewoon bij jou zijn,' had hij gezegd, terwijl hij haar dicht tegen zich aan trok. 'Bijzondere plannen zijn niet nodig. Wat mij betreft komen we het bed niet eens uit.' Bess had hem stevig vastgepakt; de felheid waarmee ze dat deed had hen beiden verbaasd. Dan in haar bed hebben – in New York hebben – maakte haar verrukkelijk vrolijk. Althans, de eerste seksoverladen twaalf uur, corrigeerde ze zichzelf. Konden ze zich maar werkelijk van elke vorm van realiteit afsluiten, ook van haar twijfels over de duurzaamheid van hun relatie op de lange termijn. De realiteit van deze ochtend had zich tijdens Bess' yogales gepresenteerd. Ze hoopte echt dat Dan tot het besef gekomen was dat zijn mening over het artikel beter onuitgesproken kon blijven. Ze zou het verschrikkelijk vinden om hun zeer beperkte samenzijn te laten verpesten door een zinloze ruzie. Misschien dat een smakelijke hinderlaag in de vorm van een verrassingsbagel met zalm elk gemopper zijnerzijds in de kiem zou smoren.

Toen ze het metrostation uit was, liep ze direct naar haar bagelwinkel en kocht Dans lievelingsbagel: geroosterd met roomkaas met bosuitjes, uiringen en zalm. En voor zichzelf hetzelfde. Dan hoef ik me tenminste geen zorgen te maken als hij uit zijn mond gaat stinken, zei ze tegen zichzelf. Dat was een van de enorme voordelen van het stelletje-zijn: je kon alles eten wat afstotelijk was, zonder dat je bang hoefde te zijn dat je niet gezoend werd. Nou ja, misschien was dat bijna altijd zo. Het was in ieder geval zo als je allebei precies dezelfde geurnachtmerrie at.

Met de warme bruine papieren zak stevig in haar hand geklemd, stampte Bess de trap naar haar etage op. Ze keek op haar horloge: 11.45 uur. Ze hoopte echt dat Dan nog in bed lag. Dan zou ze terloops met haar yogaverklaring kunnen komen als hij vroeg wat ze gedaan had én dan zou hij te duf zijn om oordelen te vellen.

Niet te geloven dat ik zo stiekem moet doen om naar een yogales te gaan, dacht Bess. Ze bekeek dit weliswaar van de ironische kant, maar ergens baarde het concept haar toch zorgen. Dat je ergens over moest liegen tegen je vriend, of zelfs maar een ervaring moest bagatelliseren, was geen fijne voorbode. Haar opwinding vanwege het zien van een slaperige Dan, begon te vervagen toen de realiteit – dit keer in de vorm van weerzin – haar bekroop.

Bess schudde het van zich af toen ze de voordeur opendeed. Ze gluurde eromheen naar haar belachelijk kleine woonkamer. Het een 'woonkamer' noemen was eigenlijk een lachertje. Je kon het beter omschrijven als een 'bankkamer', aangezien dat feitelijk het enige was wat erin paste. De kamer was leeg – geen teken van Dan.

Yes! Ik kan Martha Stewartje spelen en hem bagels op bed brengen. Ze vroeg zich af of ze iets had wat voor dienblad kon doorgaan. 'Mogge, schooooonheid,' hoorde ze uit de keuken. De blijdschap stroomde haar lichaam uit, alleen al bij het horen van zijn stem.

Wat ben ik toch een sufkut, dacht ze. Dan schuifelde de kamer in en keek haar breed glimlachend aan. Er zaten nog kussenkreukels in zijn gezicht en zijn haar kwam aardig in de buurt van iets hanenkammerigs.

'Hé, slaapkop. Ik heb bagels!' riep ze, terwijl ze de zak voor zich uit stak en er opgetogen mee schudde. 'Je lievelings!'

'Jij bent geweldig,' antwoordde Dan, terwijl hij naar haar toeliep en haar vastpakte. 'Bagels zijn illegaal in LA. Als je er alleen maar aan denkt, moet je levenslang naar een *fatcamp.*'

Bess lachte toen hij de zak mee naar de keuken nam. Ze ritste zich uit haar donzen gevangenis.

'Het is ongrappig koud buiten. Soms ben ik ervan overtuigd dat de winter nooit op zal houden – dat de zomer gewoon een mythe is.'

'Het duurt hier inderdaad eeuwen,' beaamde Dan vanuit de keuken, waar hij de bagels op borden legde. 'Ik heb koffiegezet. Wil je een kop?'

'Ja, graag.' Ze vroeg zich af of ze voor het ontbijt haar yogaspullen uit zou trekken en nog even een douche zou nemen. Ze voelde zich inderdaad een beetje groezelig, maar niet groezelig genoeg om de belofte van voedsel te overtroeven. Dat was het gekke aan yoga: ze werkte zich nooit helemaal in het zweet, zoals op de loopband op de sportschool, maar haar spieren voelden toch aangenaam vermoeid na afloop – misschien nog wel meer.

'Alstublieft, mevrouw,' zei Dan, toen hij Bess haar bagel op een bord overhandigde. 'Het ziet er verrukkelijk uit. Ontzettend bedankt voor het halen.' Hij liet zich naast haar neerploffen en nam een enorme hap van zijn bagel.

'Mmmmm, oar asse bahompf?' vroeg hij met volle mond. Zelfs dit was in Bess' ogen schattig. Ze zat hem met stralende ogen kauwend aan te kijken.

'Wat zei je?' vroeg ze, nadat ze haar hap had doorgeslikt.

'Sorry. Neem me niet kwalijk, ik ben opgevoed door wolven.' Hij nam een slokje van zijn koffie. 'Waar was je vanmorgen?'

Bess haalde diep adem voordat ze antwoordde. 'Op yogales,' zei ze, zonder Dan aan te kijken. *Alsjeblieft, alsjeblieft, alsjeblieft geen ruzie.*

'O,' antwoordde Dan, terwijl hij zijn bagel bestudeerde voor zijn volgende hap. 'Cool.' Het viel Bess op dat hij haar ook niet aankeek. 'Hoe was het?'

'Lekker. Erg lekker. Mijn spieren doen pijn, maar op een goede manier, snap je?'

Dan knikte kauwend. Bess schoof dichter naar hem toe op de bank en legde haar hoofd tegen zijn warme borst. Hoe kon hij toch altijd zo warm zijn? Het was ongelooflijk.

'Ik ben zo blij dat je er bent,' zei ze, deels om van onderwerp te veranderen en deels omdat ze dat echt zo voelde: ongelooflijk blij dat ze naast hem op de bank een bagel zat te eten.

'Ik ook,' zei hij, terwijl hij tegen haar aankroop. 'Weet je, als je naar LA zou verhuizen, had je helemaal geen last meer van die winterse ellende.'

'Bedankt, meneer de meteoroloog,' antwoordde ze, al enigszins defensief. Ze hadden het daar al een of twee keer eerder over gehad en Bess had zich er altijd keihard tegen verzet. Niet alleen omdat ze was opgegroeid in het zuiden van Californië en moeite had met het idee zich daar als volwassene te vestigen, maar ook omdat ze geen zin had om haar leven op zijn kop te zetten vanwege een man. Voor haar voelde dat een beetje té jarenvijftig-huisvrouwerig.

'Dan, ik weet alles van het weer in LA.' Ze ging rechtop zitten. 'Maar je weet hoe ik erover denk, wat ik ervan vind om mijn hele leven hier voor jou achter te laten. Dat offer brengt dingen met zich mee die ik vervelend vind. Dan is de toon gezet.'

'Jezus, elke keer als jij begint te zeiken over die "toon"-onzin gaan mijn armharen rechtovereind staan. Wat bedoel je daar in hemelsnaam mee?'

'Hoe bedoel je, "wat bedoel je daarmee"?' vuurde Bess terug. 'Het betekent dat ik alles waar ik voor gewerkt heb op zou geven om jou naar de andere kant van het land te volgen. En waarvoor?'

Geforceerd geconcentreerd zette Dan zijn mok op de piepkleine salontafel. 'Ten eerste gebruik jij die onzinverklaring als een excuus. Je laat namelijk geen ene reet achter. Je zou je kunnen laten overplaatsen naar vestiging in LA en bovendien is de kans dat je freelancewerk daar in de kranten wordt geplaatst een stuk groter dan hier. Je hebt daar zelfs een kruiwagen die je weigert te gebruiken.' Dat was waar: Bess had op de middelbare school gezeten met de hoofdredacteur van de *Los Angeles Times*, maar ze kende hem amper. Ze had het gevoel dat Dan zich vastklampte aan strohalmen.

121

Bess probeerde kalm te blijven. 'Ik ben hier in New York té ver gekomen om het nu de rug toe te keren. En ik ben echt enthousiast over dat artikel. Ik denk echt dat het kans maakt om in een belangrijke krant gepubliceerd te worden.'

Dan zweeg toen hij haar minachtend aankeek. Bess zag dat hij iets achterhield. 'Wat? Zeg het maar hoor,' zei ze.

'Je weet hoe ik over dat artikel denk. Het heeft geen zin om daar weer over te beginnen.'

'Het is wel interessant dat dit artikel jou zo van streek maakt, weet je.'

'Hoezo?'

'Volgens mij jaagt de vooronderstelling ervan jou angst aan. Ik denk dat die iedere man angst aanjaagt,' zei ze.

'Neem me niet kwalijk hoor, Bess, maar waar héb je het over?'

'Dat idee dat vrouwen zich niet langer zo onder druk gezet hoeven te voelen om hun dromen en doelen opzij te zetten voor iemand of iets anders. Zo was het vroeger niet. Mannen zijn nu een soort accessoires. Vrouwen hebben hen niet nodig om het goed te doen.'

'Wat heeft dat in godsnaam met jouw artikel te maken?' snauwde Dan. 'Jouw artikel gaat over het baanbrekende idee dat "vrouwen functies vervullen waar ze een hekel aan hebben – om te kunnen overleven in een van de duurste steden ter wereld". Wauw, wat een innoverend concept! Laat me niet lachen. Jouw artikel heeft helemaal niets te maken met mannen en of die al dan niet een accessoire zijn. Alleen dat woord al, "accessoire"! Wie denk je dat je bent? Gloria Steinem of Paris Hilton!? Waar heb je het in godsnaam over? Het slaat nergens op, Bess.'

Bess voelde de woede als een zandstorm door haar lichaam zieden. Deels was ze razend vanwege Dans arrogantie en deels – een heel klein, kokend deeltje – wist ze dat hij gelijk had. De laatste tijd werd ze verlamd door de gedachte dat dit artikel misschien wel eens helemaal geen bestaansgrond zou kunnen hebben. Dat zij, gek genoeg, net zo schuldig was aan het overboord gooien van haar dromen als Sabine en Naomi.

Maar dat was het juist: het schrijven van het artikel was haar manier om onder die classificatie uit te komen. Ze moest het afmaken, alleen maar om zichzelf te bewijzen dat ze nog steeds een creatieve visie had – dat ze wel degelijk verlangde naar een leven dat meer behelsde dan haar negen-tot-vijfbestaan. Dat ze de strijd niet opgaf alleen omdat ze zo stom was geweest om verliefd te worden op een man die aan de andere kant van het land was gaan wonen.

Alle gedachten, twijfels en angst waren in Bess' hoofd een kolkende massa van verwarring geworden. Ze had deze emotionele tornado ruim anderhalve week weten te vermijden, maar nu was die hier, in haar woonkamer. Jammer dat ze zich niet onder de bank kon verstoppen tot hij voorbijgeraasd was.

Ze slikte tranen van frustratie in. 'Ik ga even douchen. Ik kan hier nu niet meer over praten. Het slaat allemaal nergens op en jij bent een klootzak.' Dan opende zijn mond om te protesteren tegen die benaming, maar vermande zich toen hij een traan over Bess' gezicht zag rollen die haar stoere façade onderuithaalde.

'Oké,' zei hij, vechtend tegen de drang haar in zijn armen te nemen. Hij had ook een hekel aan ruziemaken, maar hij kon niet net doen of hij geen mening had. Zo was hij gewoon niet. 'Ik ga een stukje lopen.'

'Prima,' antwoordde ze over haar schouder toen ze naar de slaapkamer liep. Ze deed de deur dicht en wierp zich als een hoopje ellende op het bed. En als Dan nou gelijk had? Stel dat dit artikel niets anders was dan een sneue poging om door te breken met iets wat niet eens goed was? Omdat ze met haar gezicht op het bed lag, kon ze de deur niet zien opengaan, maar ze merkte instinctief dat Dan er was. Ze verstarde, als een slang in gevaar die klaar was om toe te slaan.

'Hé, Bess,' fluisterde Dan. Ze gaf geen antwoord.

'Bess,' herhaalde hij, terwijl hij naast haar op het bed ging zitten. Hij legde zijn hand op haar rug. Meteen voelde Bess de warmte door haar ruggengraat stromen. Ze ontspande zonder dat ze dat wilde en vervloekte de mysterieuze kracht van fysieke aanraking. Daar was niet tegen op te boksen.

'Hoor eens, het spijt me dat ik zo moeilijk doe over la en dat artikel.'

Bess draaide zich om en keek hem aan. 'En terecht. Het voelt alsof je me over beide onderwerpen totaal geen ruimte laat. Je drijft me in een hoek.'

'Ik ben gewoon, nou ja… Ik denk dat ik me gewoon zorgen maak over de toekomst.'

'Echt? Waarom?'

'Ik bedoel, ik denk dat we onze dromen makkelijk kunnen vervlechten, weet je?' zei Dan. 'Ik denk gewoon niet dat we zulke verschillende doelen na hoeven te streven. We kunnen toch gewoon samen streven naar creatieve voldoening?'

Opnieuw vocht Bess tegen haar tranen. 'O, Dan,' zei ze, terwijl ze ging zitten en hem stevig vastpakte. 'Ik weet dat je gelijk hebt, maar het is zo moeilijk voor me. Ik ben al zo lang alleen, dat het nooit bij me opgekomen is dat ik alles zou kunnen hebben wat ik wilde. Een glansrijke carrière én liefde? Hoe kun je het ene hebben zonder het andere daarvoor op te offeren?'

'Wauw,' zei hij, terwijl hij haar haar streelde. 'Waanzin. Jij bent iemand die alles verdient in het leven. Het feit dat je liefde en persoonlijke voldoening als twee aparte entiteiten ziet, stemt me treurig.' Hij kuste haar wang. 'Ik weet dat je het allebei kunt hebben.'

'Maar tegen welke prijs? Ik bedoel, er zal toch íéts onder moeten lijden.'

'Misschien dat je minder weckpotten kunt vullen dan gewoonlijk,' plaagde Dan. 'Of een achterstand oploopt met je borduurwerk. Kom op, Bess, je moet jezelf niet zo onderschatten. Ik weet dat jij je leven zo betekenisvol of zo betekenisloos kunt maken als je wilt.'

Bess lachte. 'Ik heb de kracht om een leven te leiden dat volstrekt betekenisloos is! Ik heb die kracht in me!'

Dan kneep haar bijna fijn terwijl hij met haar meelachte. 'Je weet best wat ik bedoel. Ik wil gewoon dat wij dit samen doen. Ik wil jou niet kwijtraken aan jouw onzekerheden over je onafhankelijkheid of het gebrek daaraan.'

Bess streelde zijn nek. 'En ik wil ook niet weglopen van wat wij hebben vanwege die onzekerheden. Maar het zijn niet alleen die onzekerheden. Ik bedoel, waar zijn we mee bezig?'

'Hoe bedoel je?'

'LA… New York… wat is er aan de hand? Wie gaat waarheen? Of blijven we voor altijd in la-la-langeafstandsland wonen?'

Dan slaakte een diepe zucht. 'Telkens als ik over LA begin, kap jij dat af.'

'Waarom hebben we het nooit gehad over de mogelijkheid dat jij terugkomt naar New York? Waarom wordt er gewoon van úítgegaan dat ik degene ben die moet verhuizen? Van dat soort dingen gaan mijn haren dus echt overeind staan, snap je? Dat hele man-vrouwgedoe. Natúúrlijk moet het vrouwtje haar boeltje pakken om achter het mannetje aan te gaan. God verhoede dat het andersom is.'

'Ho, ho, ho! Rustig aan, hou je een beetje in. Jézus. Je weet best dat ik op korte termijn niet terug kan naar New York. Ik volg verdomme een opleiding voor scenarioschrijver. Dat is een soort van LA-gebonden, in ieder geval voor de eerste paar jaar, denk je niet?'

'Weet ik,' gaf ze toe. 'Maar ik denk gewoon dat ik New York niet kan verlaten om bij jou te zijn, zonder een verschrikkelijke hekel aan jou te krijgen als het niets wordt tussen ons. Hoe je het ook wendt of keert – ik zou makkelijk een baan kunnen krijgen in LA, mijn familie komt uit LA en het gaat de laatste tijd niet al te goed met mijn pa, LA is goedkoper, bla, bla, bla – maar feit blijft, dat ik er feitelijk alleen maar naartoe zou gaan vanwege jou. Dat zet een relatie nogal onder druk.'

'Dat weet ik. Die druk voel ik ook, weet je. Ik ben dan weliswaar niet degene die moet verhuizen, maar ik zou wél degene zijn die in ieder geval een beetje verantwoordelijk moet zijn voor jouw geluk. En het feit dat we dan samen zouden wonen, maakt het ook weer totaal anders.' Hij zweeg even. 'Hé, hoe is het trouwens met je vader? Je hebt het al een tijdje niet meer over hem gehad. Hoe gaat het met die pacemaker?' Bess' vader had een hartaanval gehad toen zij op de middelbare school zat en had dat godzijdank overleefd. Hoewel hij nog steeds even stoer en actief als vroeger was, moest hij dat nu doen met slechts twee derde van zijn hartcapaciteit. Hij was niet het type om daarover te klagen, maar zijn mandje vol medicijnen en zijn defibrillator spraken boekdelen.

'Hij geeft het niet op. Je weet dat hij de laatste is die zou zeggen dat hij zich ziek, zwak of misselijk voelt. Ik maak me zorgen over hem,' zei Bess. Dan streek het haar uit haar gezicht. 'Ik moet echt naar hem toe, en naar mijn moeder. Misschien kan ik een keer dubbel komen – naar jou en naar mijn ouders.' Ze zweeg even. 'Zou je hen willen ontmoeten?'

'Dat zou ik heerlijk vinden,' antwoordde hij zonder aarzelen. 'Dat hoort bij "de volgende stap", Bessie. Leuk!' Ze glimlachte naar hem. Haar ouders hadden sinds de middelbare school geen vriendje van haar meer ontmoet.

'Hoor eens, ik wil dat met ons écht een kans geven,' zei Dan. 'Natuurlijk begrijp ik dat je aarzelt en twijfelt over een verhuizing naar het westen, geloof me. En als we door moeten gaan met dit langeafstandsgedoe, dan gaan we daarvoor. Ik wil jou niet kwijt… en ons ook niet. Ik hou van je, Bess.'

Bess ademde fel in. Dan had dat nog nooit tegen haar gezegd. Dit was enorm. Zonder dat ze het wilde, sprongen de tranen haar in de ogen. *Wie had kunnen denken dat ik zo'n huilebalk was?* 'Ik… ik hou ook van jou. Echt.'

'Holy shit! We zijn verliefd!' riep Dan uit. Hij duwde Bess op haar rug en keek glimlachend op haar neer.

'Weet ik! Hoe is het mogelijk!' Ze stak haar hand uit en streelde zijn haar. 'Nu dit deel geregeld is, gaat de rest misschien wel vanzelf.'

Dan schudde zijn hoofd en lachte. 'Ja, natuurlijk. Net als in de film.' Hij ging boven op Bess liggen en ze sloeg haar armen en benen om hem heen. *Mmmm, lekker. Alleen ik en de man die van me houdt.* Ze kon er niets aan doen. Het meisjesachtige meisje diep in haar was ontboden door de vier magische woorden: ik hou van je. Bess zou haar snel terugstoppen, maar voorlopig mocht ze even blijven.

'Bess, het spijt me dat ik steeds zo zit te zeiken over dat artikel. Ik hou er nu over op, oké? Dit is jouw ding en ik wil me er niet de hele tijd tegenaan bemoeien.'

Bess worstelde Dan op zijn rug en kroop boven op hem. Ze drukte zijn handen naar beneden met de hare. 'Eerlijk gezegd klinkt dit artikel mij ook niet meer zo zinnig in de oren, maar ik ben er gewoon nog niet helemaal klaar mee. Ik moet er nog een beetje mee stoeien.'

'Ik zal jou iets geven om mee te stoeien,' antwoordde Dan met een grijns, terwijl hij zich uit Bess' greep worstelde en met haar van positie wisselde. 'Maar eerst moet ik mijn tanden poetsen.'

'Nou,' beaamde Bess, die haar neus zogenaamd walgend optrok. 'Die combinatie van zalm, ui en knoflook doet niet veel voor je.'

Dan ademde uit in Bess' gezicht. Ze gilde van genot. 'Aiiii! Je hebt zojuist al mijn neusporiën gescrubd!'

Dan lachte en kwam overeind. 'Ik ga ook onder de douche,' kondigde hij aan.

Bess lag op het bed en was blij met de manier waarop ze hun ruzie hadden bijgelegd. Moet je mij nou zien, dacht ze. In een volwassen relatie. Met iemand die van me houdt. Met iemand die gaat stralen als ik een ontmoeting met mijn ouders voorstel, in plaats van dat hij in rook opgaat. Ze zou wat gaan doen aan haar eigen bedenkingen over de offers die het hebben van een relatie met zich meebracht, maar nu ging ze gewoon even genieten van het gelukzalige gevoel, van het feit dat ze open genoeg was geweest om te bekennen dat ze hield van iemand die ook van haar hield. En die dat als eerste had gezegd.

Ze ging zitten en griste haar laptop van haar bureau. Ze besloot Sabine te mailen om iets af te spreken. Ze wist niet precies welke kant het uit ging met haar artikel, maar ze vermoedde dat een glas wijn met Sabine haar de juiste richting zou wijzen. Het kon in ieder geval geen kwaad.

19

Sabine & Naomi

'Is Brooklyn in zijn eentje verantwoordelijk voor de sojabeweging?' vroeg Sabine, toen ze met Naomi in een koffiezaakje in haar buurt zat. Ze had een gewone latte besteld en de serveerster had haar aangekeken alsof ze Swahili sprak.

'Hoe bedoel je, gewoon?' had ze gevraagd, geïrriteerd door Sabines veronderstelling van een universeel 'gewoon'.

'Eh, met melk?' had Sabine gedwee geantwoord.

'Volle soja, magere soja, chocolade, vanille, hazelnoot?' had de serveerster toen gezegd. Ze had het lijstje met geoefende desinteresse afgerateld. Sabine had Naomi aangekeken voor hulp.

'Zij wil graag een vanillesoja,' zei ze. De serveerster was vertrokken en Naomi had lachend haar hand op die van Sabine gelegd. 'Welkom in Brooklyn, Sabine! Melk is hier uit de gratie, voor het geval je dat nog niet in de gaten had.' Ze lachte nerveus. 'Neem me niet kwalijk. Deze zaak is net van eigenaar gewisseld. De nieuwe eigenaar schijnt een zuivelnazi te zijn, maar de koffie is gewoon verdomd lekker. Ik hoop dat je geen bezwaar hebt tegen vanillesoja. Het is erg lekker in de koffie. En trouwens ook met cornflakes.'

'O, dat weet ik,' zei Sabine. 'Het is niet dat ik het niet eerder heb gedronken, ik was gewoon niet voorbereid op die sojababbels van de serveerster. Maak je geen zorgen.'

'Sojababbels!' echode Naomi. 'Dat is precies de juiste manier om te beschrijven wat er net misging.' Ze zweeg even. 'Jij bent toch schrijver?'

Sabine zuchtte. 'In mijn dromen ben ik schrijver. In werkelijkheid ben ik redacteur bij Rendezvous Books. Ik redigeer romannetjes.'

'Ga weg! Dat is vast leuk – de hele dag broeierige seksscènes lezen.'

'Mmmm, dat valt vies tegen.' De serveerster verscheen met hun lattes en zette die op de tafel. Sabine pakte de beker met twee handen vast en genoot van de warmte ervan. 'Ik kan er de rekeningen mee betalen, maar verder is het eigenlijk nogal klote.'

'Echt? Wat vervelend. Hoe ben je daar terechtgekomen?'

'O, heel erg cliché. Jonge, naïeve schrijver met grootse dromen komt naar New York met de gedachte dat een baantje bij een uitgeverij zal leiden tot auteurschap. Tien jaar later komt het erop neer dat het enige wat ik schrijf e-mails zijn.' Ze slaakte een diepe zucht. 'Ik mis het schrijven, echt waar, maar ik heb er gewoon geen tijd voor. Of de gedrevenheid blijkbaar.'

'Daar kan ik in komen,' zei Naomi, terwijl ze een slokje uit haar beker nam. 'Ik maakte vroeger altijd foto's en nu ontwerp ik alleen nog maar websites.'

'Ja, maar jouw ontwerpen hebben toch zeker ook iets artistiekerigs?' Hoewel ze het als een stelling bedoeld had, kwam het er meer als een vraag uit. Ze had totaal geen verstand van webdesign, behalve dan van de sites waar ze elke dag langs surfte als een manier om dingen uit te stellen.

'Mmmm, niet echt. Het komt erop neer dat ik de ideeën van iemand anders in een sjabloon plug, er wat klikknopjes op knal en het allang best vind. Toen ik er net mee begon, was ik uren aan het zwoegen om het meest onnozele detail de beste plek te geven, maar nu gaat het allemaal nogal automatisch. Inpluggen, linken, scrollen,' zei ze met een robotachtige stem.

'Maar je hebt wél je eigen bedrijf. Je mag dan een robot zijn, maar je bent tenminste je eigen robot.'

'Oké, dat is waar,' capituleerde Naomi. 'Dat is heerlijk. Al was het alleen maar om garderoberedenen. Meestal trek ik mijn pyjama pas uit als ik Noah van school moet halen.'

'O ja!' riep Sabine uit. 'Je zoon. Hoe oud was hij ook alweer?'

'Acht jaar. Maar terwijl ik dat zeg, kan ik amper geloven dat hij al zo oud is. Het lijkt nog maar zo kort geleden dat hij een baby was.'

'Hoe is hij?' Sabine wilde Naomi vragen naar zijn vader, maar hield zich in. Ze vermoedde dat Naomi een alleenstaande moeder was, maar zeker weten deed ze het niet.

'O, hij is een schatje. Het liefste, slimste, grappigste, knapste jongetje op de hele wereld. Ik ben een ongelooflijke bofkont.'

'Waarschijnlijk ben je gewoon een geweldige moeder. Het is vast geen toeval dat hij zo geweldig is.'

'Je bent lief, Sabine. Bedankt. Ik doe mijn best. Maar het is niet makkelijk, vooral omdat ik het alleen moet doen.'

Sabine maakte inwendig een rekensommetje. Acht jaar geleden was Naomi vierentwintig. Vierentwintig. Wat had zij gedaan toen ze vierentwintig was? Ze doorzocht de krochten van haar geest en kon niets te berde brengen wat zo ingrijpend was als de beslissing een kind op de wereld te zetten.

'Had je het niet gepland?' vroeg ze, hoewel het antwoord voor de hand lag.

'O, nee. Voor geen meter. Ik maakte foto's in Manhattan en Brooklyn, genoot van het goede leven, leefde als een popster. Een baby was wel het laatste waar ik mee bezig was. Helaas, mijn baarmoeder had andere plannen.'

'Ik wilde je iets vragen,' zei Sabine verlegen. 'Ik hoop dat je het niet erg vindt.'

'Oooo, dat klinkt serieus. Ik ben blij dat ik zit.' Naomi's blauwe ogen keken Sabine over de rand van haar beker fonkelend aan.

'Was jij ongeveer negen jaar geleden model in een reclame voor Calvin Klein?' Sabine gooide de vraag er in één keer opgewonden uit. Ze had dit Naomi al willen vragen sinds, nou ja, sinds ze die reclame gezien had.

Naomi lachte. 'Ik ben bang dat het antwoord ja is.'

'Ik wist het!' zei Sabine, praktisch gillend. 'Ik wist dat jij het was! Ik bleef maar kijken naar die reclame. Ik bedoel, jij was het van achteren, toch? Je kon nog maar een heel klein stukje van je profiel zien.'

'Jep, dat was ik. Grappig hè?'

'Je zag er geweldig uit! Helemaal een supermodel. Hoe is dat zo gekomen?'

'Wat?' vroeg Naomi. 'Dat model staan?'

Sabine knikte enthousiast. 'Ja, natuurlijk! Ben je ontdekt in een winkelcentrum, net als Paulina Porizkova?'

Naomi lachte. 'Paulina Porizkova?! God, Sabine, wat een giller. Nee dus, het was lang niet zo dramatisch. Ik was eigenlijk een redelijk succesvolle fotografe in die tijd. Ik had wat tentoonstellingen in Manhattan en Europa en hoorde zo'n beetje bij de scene, snap je?'

'Welke scene?'

'O, je weet wel, die bullshit downtown, club- en drugsscene. Mijn vriendje in die tijd, nou ja, eigenlijk dus Noahs vader, was er altijd bij. Hij was ook fotograaf, maar hij was veel succesvoller dan ik.'

'Waarom?'

'Een heel klein deel talent, een groot deel ritselvaardigheden en een nog groter deel uiterlijke schoonheid en cokesnuiverij,' antwoordde Naomi. 'Hij heeft zijn naam heel groot gemaakt.'

'Dus jullie waren een soort hedendaagse Studio 54 of zoiets?' vroeg Sabine ongelovig.

'Zoiets ja. Het was een wild leventje. Gene, zo heet hij, was als een waanzinnige raket op weg naar een sterrenstatus en ik mocht gewoon meerijden.' Ze zweeg even om een slokje van haar inmiddels lauwe latte te nemen. 'Hoe dan ook, hij kwam Calvin tegen bij een of andere opening en werd meteen diens muze. Kort daarna ontmoette Calvin mij en toen vroeg hij ons om aan zijn najaarscampagne mee te doen. Voilà, instantsterrendom. We waren allebei superstoned tijdens die fotoshoots. Ik kan me er nauwelijks iets van herinneren.'

'Echt? Daar was niets van te zien. Maar het zal wel tijdens het toppunt van heroïnechic geweest zijn, hè?' Sabine herinnerde zich de eerste keer dat ze de advertentie had gezien: op een gigantisch billboard op de hoek van Lafayette en Houston. Ze had letterlijk een kreet van verbazing en ontzag geslaakt, zó zeker wist ze dat ze haar voormalige kamergenoot zag, opgeblazen tot enorme proporties op een van de drukste kruispunten ter wereld. Ze was verbijsterd geweest.

'Ik ken haar!' had ze hijgerig opgeschept tegen haar vriendin, terwijl ze enthousiast naar het billboard in de lucht wees. 'Ik heb met die griet op college gezeten! Ze was mijn kamergenoot!'

Haar vriendin had een blik op het billboard geworpen en gezegd: 'Ze kan wel een hamburger gebruiken. Jezus.' Sabine vond dat ook, maar was opgetogen door het idee dat het meisje dat nota bene op haar slaapkamer smokey eyes bij haar had gemaakt, nu een beroemd fotomodel was.

'Ja, inderdaad,' zei Naomi. 'Gelukkig heb ik alleen wat geëxperimenteerd met drugs. Ik kon me er nooit helemaal aan overgeven. Gene, daarentegen, was een puinhoop.'

'Wat erg. Dat moet zwaar geweest zijn. Zijn jullie daarom uit elkaar gegaan?'

'Min of meer. Ik werd zwanger en hij vertrok. Hij kon er niet mee omgaan. Ik heb overwogen de baby af te staan of te laten weghalen, maar dat wilde ik gewoon niet. Ik dacht dat de baby een teken was. Eindelijk iets of iemand anders dan mijn ouders die me vertelden een normaal leven te gaan leiden. Dus dat deed ik.'

'En hoe ging het met de fotografie?'

'Ik ben op dat moment gewoon min of meer van de kunstwereldkaart geveegd,' zei Naomi. 'Toen Gene en ik niet langer een stelletje waren, was er eigenlijk niemand meer die nog een reet om mij of mijn werk gaf. Ze wilden hem.'

'Echt? En je was zo getalenteerd, zelfs in het eerste jaar al!'

'Tja, dank je. Maar mijn foto's hadden het op een bepaald moment gewoon niet meer. En voor mij raakte de fotografie vervlochten met een leven dat ik niet meer wilde leiden. Ik heb mijn camera aan de wilgen gehangen, zoals ze zeggen.'

'Dat vind ik echt heel erg voor je,' zei Sabine.

'O, mijn god, hou op, zo erg is het niet! Ik heb een prachtige zoon en een zelfbesef en onafhankelijkheid die je alleen maar krijgt als je door de mangel bent gehaald. Alsjeblieft! Ik heb nergens spijt van.'

Sabine lachte. 'Je hebt helemaal gelijk. Maar het is wel een fascinerend verhaal. Nadat ik die advertentie had gezien, bleef ik maar hopen dat ik je een keer zou tegenkomen. Maar ik had nooit gedacht dat ik daadwerkelijk samen met jou sojalattes zou gaan zitten drinken in Brooklyn.'

'Wie had kunnen denken dat die stomme reünie zulke leuke gevolgen zou hebben?' Naomi lachte. 'Ik voel me afschuwelijk, Sabine. Ik zit maar door te ratelen over mezelf en jij hebt er amper een woord tussen kunnen krijgen. Ik wil alles weten over jouw schrijverij. En we hebben het nog niet eens over de les gehad!'

'O, alsjeblieft. We hebben meer dan genoeg over mijn schrijverij gepraat. Ik doe het niet, dus het is alleen maar terecht dat ons gesprek daarover zo kort was.' Ze lachte en keek op haar horloge. 'Nee, hè, het is al twaalf uur! Ik moet ervandoor!' Zach zou haar over op de kop af acht uur op komen halen en ze was nog niet eens begonnen met de cosmetische revisie die ze van plan was. Ze had ter voorbereiding zo ongeveer een half weekloon bij Duane Reade uitgegeven aan ontharingscrème, scrubcrème, nagellak en wat dies meer zij.

'Twaalf uur! Ga weg! Cecilia vermoordt me. Ik had een uur geleden al thuis moeten zijn.'

'Wie is Cecilia?' vroeg Sabine, terwijl Naomi heftig gebarend om de rekening vroeg.

'O, mijn buurvrouw. Ze past op Noah als ik naar yoga ga.' De vrouwen betaalden en ritsten zich weer in hun winterwapenuitrusting om zich voor te bereiden op de bittere kou buiten.

'Wat was dat leuk,' zei Naomi, terwijl ze Sabine op straat omhelsde.

'Ja, hè?' beaamde Sabine. 'Hé, heb je zin om van de week een keer een borrel te gaan drinken? Ik wilde Charlie en Bess eigenlijk ook uitnodigen.'

'Absoluut. Geweldig idee. Er is geen enkele reden om ons samenzijn te beperken tot zaterdagochtend.'

'Precies! Cool, ik stuur iedereen wel een e-mail.'

'Oké, dag!' zei Naomi. 'Doe voorzichtig!' Ze zwaaide en begon op een drafje de straat uit te lopen.

Sabine ging glimlachend op weg naar de metro. Naomi was een voormalig Calvin Klein-model! Ongelooflijk. Ooo, ik kan beter wat water kopen voor onderweg, dacht ze toen ze langs een *deli* liep.

De ingang werd geblokkeerd door een groepje snauwende opgeschoten jongens. Ze waren lang en slungelig, hadden neuzen die te groot waren voor hun gezicht en jammerlijke gevallen van acne in verschillende stadia. Ze droegen schrikbarend dunne jasjes gezien de barre weersomstandigheden.

'Yo, stupido,' zei een Aziatische jongen.

Zijn blanke tegenhanger mompelde iets terug dat klonk als 'poedel'. Sabine wist het niet zeker. Het viel haar altijd op dat de meeste jongeren uit de stad als mislukte rappers praatten. Ze vroeg zich af of ze zo ook tegen hun ouders praatten, die ongetwijfeld in de bakstenen huizen verderop woonden en de zomer doorbrachten in de Hamptons.

Toen ze op het punt stond zich naar binnen te worstelen, vloog de deur open en stuiterden twee jongens in een wolk ranzige testosteron naar buiten. Ze hadden bruine papieren zakken in hun handen. Sabine kon niet geloven dat ze zojuist literflessen bier hadden gekocht. Ze konden met geen mogelijkheid doorgaan voor zestien. En het was pas twaalf uur!

Een van de jongens stak zijn hand in de zak. Sabine zette zich schrap voor de onvermijdelijke bierfles. Tot haar verbazing bleek het een pak… sojamelk!?

Gebeurde dit nou echt? Ze keek om zich heen in de hoop dat hier nog iemand anders getuige van was.

'Yo, die troep smaakt naar vullis,' zei de Aziatische jongen.

'Yo, deze shit is vet cool, jochie,' antwoordde de sojamelkliefhebber. En toen draaide hij het dopje eraf en begon uit het pak te drinken. Zijn bruingezakte vriend volgde zijn voorbeeld.

Sabine, die haar lachen nauwelijks in kon houden, duwde zich langs hen heen de tl-verlichte deli binnen en barstte daar in lachen uit. *Nee, hè!? Dit verzin je toch niet! Sojagulpende Brooklyngangsters!?*

Ze kuierde naar de koeling en haalde er een flesje water uit, terwijl ze hoofdschuddend dacht aan wat ze zojuist had gezien. Soms schreven verhalen zichzelf. Ze lachte, blij met de onverwachte inspiratie.

Ze popelde om naar huis te gaan en het op te schrijven. Het was te mooi om waar te zijn.

DEEL III

Rechaka

20

Sabine

Sabine trok de kurk uit een fles wijn en schonk een glas in. In gedachten zei ze tegen zichzelf dat ze haar tanden moest poetsen voor ze vertrok. Niets was erger dan een rodewijnmond. Nou ja, een Kool-Aidmond misschien. Gelukkig was dat gevaar uitgesloten. Een limonadesiroopmond misschien. Dat was een jeugdzonde van Sabine. Soms kocht ze 's zomers een blik en genoot van de mierzoete stroperige vloeistof die door haar keel gleed. Dan voelde ze zich altijd weer zes.

Vanavond ging ze uit met Zach. *Adem.* Ze had zichzelf er bijna volledig van overtuigd dat hun afspraak een verzinsel van haar overijverige verbeelding was, dankzij het feit dat ze elkaar sinds afgelopen zaterdag niet meer gesproken hadden – in cyber-, sms of welke vorm dan ook. Maar toen ze na haar latte met Naomi van het metrostation terug naar huis liep, ging haar telefoon. Woest groef ze in haar opeens bodemloze tas, hopend dat hij het was, maar ervan uitgaand haar moeders nummer te zien. Tot haar grote verbazing en beschamende vreugde toonde haar schermpje een nummer dat ze nog nooit gezien had. *Zach?* Even had ze overwogen niet op te nemen, maar uiteindelijk kon ze zich niet inhouden.

'Hallo?' zei ze zo nonchalant mogelijk.

'Eh, Sabine?' vroeg Zach. Zijn stem klonk beter dan ze zich herinnerde, maar niet te gladjes. Dat was maar goed ook. De laatste kerel met wie Sabine uit was geweest, had een stem als boter en bleek uiteindelijk een ongekende klootzak te zijn. Zachs stem was mannelijk, maar had ook iets jongensachtigs.

'Hoi!' antwoordde Sabine, die haar voornemen om cool te doen had herzien. Het leven was te kort.

Zach lachte. 'Hé. Fijn om je stem te horen.'

Sabines glimlach dreigde haar jukbeenderen te verpulveren en door de straat te stuiteren. 'Dat is wederzijds,' zei ze. 'Wat is er?'

'Ik wilde alleen even zeker weten of de afspraak van vanavond nog doorgaat,' zei Zach een beetje onzeker. Sabine vond zijn kwetsbaarheid wel leuk. Daardoor was ze zich minder bewust van die van zichzelf. 'Natuurlijk,' had ze geantwoord. 'Acht uur, toch?'

'Jep, acht uur, bij jou op de stoep, zorg dat je er bent of je bent er geweest.' Hij lachte. 'Jezus, zei ik dat echt?'

'Geeft niks,' zei Sabine. 'Ik ben een grote fan van dat soort taalgrapjes. *See you later, alligator!*'

'Ik ga mezelf echt niet nog belachelijker maken,' zei Zach, zijn '*after a while, crocodile*' wijselijk inslikkend. 'Ik zie je snel. Ik eh… heb er echt zin in, Sabine.'

'Ik ook.' Ze had opgehangen en als een opgewonden kleuter een huppelsprongetje gemaakt, voordat ze een sprintje naar huis had getrokken.

En nu, iets meer dan een half uur voor Zachs komst, was ze er helemaal klaar voor. Er was niet één zwervend wenkbrauwhaartje meer te plukken of haarlok deskundig in de war te brengen. Alle toepasselijke delen waren geschoren en ze was van top tot teen van vochtinbrengende crème voorzien. Ze had zelfs de getinte moisturizer, die volgens haar moeder 'Gods werk in een flesje' was, over haar hele gezicht gesmeerd, voordat ze nauwgezet het kleine beetje make-up had aangebracht dat ze meestal gebruikte.

Haar mobiel kondigde de komst van een sms aan. Ze raapte hem met bonzend hart op in de veronderstelling dat het Zach was die de afspraak wilde afzeggen.

'Als je het over de duivel hebt,' zei ze hardop, toen haar hart zijn normale ritme weer hervatte. Het was haar moeder. Ze had pas onlangs leren sms'en – de zevenjarige kleindochter van haar vriendin had haar een deskundig lesje gegeven, inclusief een korte introductie over het bijbehorende jargon.

h mop had haar moeder getypt. Sabine kromp ineen. **hoessie? klaar 4je hot d8? vergeet n t ontharen! lol.**

Argh. Niets was huiveringwekkender dan een zestigjarige vrouw die probeerde hip te doen. Behalve misschien een tweeëndertigjarige vrouw die het woord 'hip' gebruikte. Sabine nam zich voor haar eigen raad op te volgen.

Ze legde de telefoon neer en bekeek zichzelf in de spiegel. Ze zag er goed uit. Knap zelfs. Ze lachte naar haar spiegelbeeld en nam nog een slokje wijn. Precies op dat moment ging de deurbel. Die haalde haar uit haar zelfverzekerde gemoedstoestand en bracht haar meteen in een staat van paniek.

Ze schoot als een verdwaasd vogeltje door haar huis. Kurk op wijnfles, check. Glas in gootsteen, check. Snelle poetsbeurt om rodewijnmond te vermijden, check. Opnieuw opbrengen lipgloss, check. Niets in brand, check. Jas, check. Deur op slot, check. Voor haar voordeur haalde ze diep adem. Het was zover.

Ze stuiterde de trap af, maar zorgde wel dat ze dat niet te snel deed. Het zou echt iets voor haar zijn om nu haar enkel te breken. Toen ze veilig beneden was aangekomen, tuurde ze door het raampje in de deur. Daar stond hij, in al zijn Metrovlammerige, Rozijnjuwelerige glorie.

'Hai,' zei ze. Haar stem beefde van opwinding.

'Hai!' Hij liep naar haar toe om haar te omhelzen.

Ik raak hem aan! Zijn schouders voelden erg sterk en warm. Ze bedwong de neiging zijn nek te likken.

Ze lieten elkaar los en keken elkaar aan, allebei met een grote grijns op hun gezicht geplakt.

'Je ziet er mooi uit,' zei Zach.

'Dank je,' antwoordde Sabine, die zich opgelaten voelde onder zijn starende blik. 'Jij ook.'

'Ik heb me altijd afgevraagd welke kleur ogen je had,' vervolgde hij. 'Dat was niet te zien vanaf de andere kant van de metrowagon. Ze zijn niet helemaal groen,' zei hij, terwijl hij haar van dichtbij bestudeerde, 'maar ook niet helemaal bruin.'

'Ze zijn groenbruin,' legde Sabine uit. Jezus, wat was hij leuk.

'Groenbruin,' herhaalde hij. 'Ze zien eruit als tijgerogen.'

Sabine lachte. 'Bedankt, Zach. En jouw ogen zijn chocoladebruin. Dat heb ik op de een of andere manier altijd geweten.'

'Moeten we niet gaan? Tijger en chocolade gaan stappen in de stad?'

'Ja, laten we gaan.'

'Hier linksaf,' instrueerde Zach. 'Het leek mij leuk om eerst een borrel te drinken en dan bij de Mexicaan te gaan eten. Wacht even, hou je wel van Mexicaans eten?'

'Ik ben er dol op. Als ik kon baden in avocado, zou ik dat doen.'

'O, gelukkig. Toen ik hiernaartoe liep, besefte ik opeens dat ik geen alternatief had. Als jij een hekel aan Mexicaans eten zou hebben, waren we de pineut.'

'Als ik een hekel aan Mexicaans eten had, zou ík de pineut zijn. Iemand die niet van taco's houdt, is iemand zonder ziel.'

'Dat zet ik op mijn grafsteen,' zei Zach. Sabine glimlachte. De aantrekkingskracht tussen hen was voelbaar. 'Hé, het spijt me dat ik je de hele week niet gebeld heb,' zei hij zenuwachtig. 'Niet dat je daar op zat te wachten of zo. Ik bedoel, ik heb écht aan je gedacht, maar ik had gewoon een monsterlijke zaak…'

'Hé, geeft niks, joh. Dat dacht ik al. Ik heb ook een waanzinnige week gehad.' Sabine was geïmponeerd door het feit dat Zach zijn zwijgen zelf ter sprake had gebracht. Wie was deze man? Hij was bijna té volmaakt. Ze dacht nog steeds dat er elk moment een of andere randdebielerige dubbelganger van Ashton Kutcher uit een rijdende taxi kon springen om haar te vertellen dat ze belazerd werd. Alsof hij het gehoord had, pakte Zach haar hand.

Het gesprek bleef moeiteloos doorkabbelen, terwijl ze over hopen natte sneeuw in de kleur van donderwolken sprongen om naar de kroeg en vervolgens naar het restaurant te gaan. Ook het fysieke contact nam op een vanzelfsprekende manier toe: een lach liep uit op een bovenbeengreep, het proeven van elkaars voorgerecht en Zachs hand op Sabines onderrug toen ze het restaurant uit liepen.

Tijdens de wandeling naar huis deed Sabine alsof ze werd meegesleept door de bedrijvigheid op straat. Maar vanbinnen woog ze snel de voors en tegens af van het hem naar binnen vragen.

Vóór: goede seks. Tegen: slechte seks. Goede reden vóór: vrijen met Metrovlam! Metrovlam!!! Goede reden tegen: elke kans op een serieuze relatie verknallen door meteen het bed in te duiken.

Wil ik eigenlijk wel een serieuze relatie? Ze piekerde over de onvermijdelijke afname van haar onafhankelijkheid als gevolg van die genoemde relatie en verbaasde zich.

'Hé, waar denk je aan?' vroeg Zach, terwijl hij zijn warme, sterke hand op die van haar legde en Sabine uit haar gemijmer haalde.

'O, niets.' *Nou, eigenlijk vraag ik me af of het een goed idee is om met je te neuken.* Ze bereikten haar woning met losse handen en keken elkaar opgelaten aan.

'Ik heb een geweldige avond met je gehad,' zei Zach. 'Je bent precies zo als ik dacht en meer.' Hij lachte nerveus. 'Jezus, wat klonk dat belachelijk. Maar hopelijk begrijp je wat ik bedoel. Ben je volgend weekend hier?' vroeg hij.

'Hè?' zei ze. Ze werd opnieuw in beslag genomen door haar seksuele-roulettespelletje.

Zach keek ietwat verbaasd.

'Het spijt me, Zach. Mijn hersens waren even lunchen. Ik ben bang dat alles wat je gezegd hebt langs me heen is gegaan.'

'Waar dacht je aan?'

Sabine besloot de waarheid te vertellen. Ze had het gevoel dat Zach het wel zou begrijpen. Ze waren allebei volwassen. Het had geen zin om net te doen of seks niet in hun hoofd opkwam.

'Ik vroeg me af of ik je mee naar binnen zou vragen,' zei ze verlegen.

'O, ja?' zei Zach met een ondeugende glimlach. 'En wat heb je besloten?'

'Ik ben nog niet tot een unanieme beslissing gekomen. Natuurlijk zou ik het heerlijk vinden als je meeging, maar ik wil gewoon niets stoms doen, snap je?'

'Ja,' antwoordde Zach, terwijl hij haar handen in de zijne nam. 'Eigenlijk was ik je dat aan het vertellen toen jij in dromenland vertoefde. Ik wil niets liever dan mee naar binnen gaan, maar ik denk dat ik gewoon naar huis ga. Ik weet het niet... Ik wil het niet overhaasten.'

Sabine glimlachte. 'Mee eens. Laten we onze hersens gebruiken en niet onze...'

'Andere dingen,' maakte Zach haar zin af. 'Ik wil je echt graag weer zien. Daarom vroeg ik of je er volgend weekend bent. Zaterdagavond misschien?'

'Ja.'

'Fijn.' Zach trok haar naar zich toe en kuste haar lippen. Een lange dralende zoen. Zijn lippen voelden hemels: pluche, zacht, stevig.

'Tot ziens,' zei Sabine, terwijl ze zich terugtrok voordat ze hem op de grond zou gooien. 'Bedankt voor vanavond.'

'Tot ziens.'

Sabine draaide zich om en liep naar binnen.

Binnen ritste ze haar jas open en knuffelde een verbaasde Lassie. 'Lassieeee,' kirde ze, 'hij is het einde.' Lassie was niet onder de indruk. Hij wurmde zich los uit Sabines greep.

Liggend op haar bank en starend naar het plafond glimlachte Sabine breeduit. Was het mogelijk dat ze eindelijk een fatsoenlijke kerel had ontmoet? In New York?! Over een broodjeaapverhaal gesproken.

Ze trok haar kleren uit en waste haar gezicht, terwijl ze besefte dat de margarita's die ze tijdens het eten achterover had geslagen sterker waren dan ze gedacht had. Ze kromp ineen bij de gedachte aan haar onvermijdelijke tequilakater en het manuscript dat ze moest redigeren.

Ze deed de lichten uit en sprong in bed; ze genoot van de zware warmte van haar donzen dekbed. Op het nachtkastje piepte haar mobiel.

welterusten, metromeisje stond er.

Onder haar dekbed maakte Sabine een klein overwinningsgebaar en rolde haar hoofd heen en weer van pure gelukzaligheid. Broodjeaapverhaal of niet, zij was volslagen draaierig.

'Welterusten, Lassie,' fluisterde ze, terwijl ze besloot niet terug te sms'en. Ze legde haar telefoon weer op het nachtkastje en rolde zich op tot een dekbedburrito. Met een gigantische grijns op haar gezicht doezelde ze weg.

*

21

Charlie

'Wat is dit lekker,' zei Charlie goedkeurend. Ze slikte de rest van haar ambitieuze hap bietensalade door. 'Wauw. Bietjes zijn mijn nieuwe lievelingsgroente.'

Sasha knikte instemmend. 'Inderdaad, ze zijn echt verrukkelijk. Maar mijn salade is ook lang niet slecht.' Ze nam nog een hap, terwijl Charlie een slokje wijn nam. 'En, hoe is het met Prana?' vroeg ze, nadat ze het eten had doorgeslikt. Zij en Charlie hadden hun jaarlijkse etentje. Omdat ze zich dood ergerden aan het concept Valentijnsdag hadden ze drie jaar geleden besloten om de 14e maart voortaan te beschouwen als hun opgestoken middelvinger naar de door Hallmark aangevoerde gevestigde orde. Sasha was met het voorstel voor deze traditie gekomen tijdens een in romantisch opzicht schrale periode in hun leven. Ze noemde het een excuus om henzelf te vieren. In werkelijkheid was het meer een excuus om zich te goed te doen aan lekker maar veel te duur eten en te veel te drinken.

'Zo'n beetje hetzelfde eigenlijk,' antwoordde Charlie. 'Sommige dagen zijn geweldig en andere zwaar klote. Bijvoorbeeld de dag van de elektriciteitsrekening.'

'Dat ken ik. Wij worden elke maand verkracht door het elektriciteitsbedrijf. Ik verlang zo naar de lente. Drie maanden zonder verwarming en met verrukkelijk zonlicht.'

'De lente! Ik smacht ernaar. De winter duurt altijd eindeloos. Heb ik je verteld over mijn recente zaterdagochtendklasje?' vroeg Charlie, toen de serveerster hun borden weghaalde.

'Nee, vertel?'

'Je weet toch dat ik een paar weken geleden naar die reünie van college ben geweest?'

'O, ja, waar je zo tegen opzag,' zei Sasha met een sluwe glimlach.

'Ja, die. Uiteindelijk kwam ik daar dus drie vrouwen tegen met wie ik in de schoolbanken heb gezeten. We raakten aan de praat en ik heb mijn liefste gezicht opgezet. Voor ik het wist wilden ze allemaal meedoen aan een intensieve beginnerscursus op zaterdag.'

'Super! Maar wacht even, maar drie mensen in een zaterdagklasje? Maak je daar geen verlies mee? Drie leerlingen...'

'Nou ja, ik weet dat het op papier nogal weinig lijkt, vooral op zo'n potentieel druk tijdstip. Maar het werkt, weet je? De les is vroeg en ze betalen iets meer voor mijn onverdeelde aandacht.'

'O, ik snap het. Cool. En, vind je het leuk?'

'Nou, ik zal je vertellen dat ik het geweldig vind.' Charlie pakte een stukje brood uit het mandje op de tafel en doopte dat in een beetje olijfolie. 'Het zijn stuk voor stuk interessante vrouwen.'

'Zijn jullie nu maatjes?' vroeg Sasha.

'Nou, het gaat er allemaal erg vriendelijk aan toe. Maar ik kan niet echt met hen bevriend zijn als ik hun lerares ben. Volgens mij vervaagt dat de grenzen een beetje te veel.'

'Jij met je grenzen. Je mag grenzen af en toe best eens verschuiven, hoor Charlie. Als je die vrouwen leuk vindt, kun je best met hen bevriend zijn. Ik denk dat vriendschap in zo'n klein klasje misschien juist wel goed is. Het feit dat ze bij jou op hun gemak zijn, vertaalt zich waarschijnlijk in een meer ontspannen houding ten opzichte van yoga.'

'Denk je?' Charlie dacht hier even over na. Eerlijk gezegd wilde ze zich graag wat opener opstellen tegenover Bess, Sabine en Naomi, wilde ze meer zijn dan alleen hun yogalerares. Ze wist alleen niet of dat wel zo'n goed idee was. De gedachte om privé met zaken te mengen en haar aandacht te laten verslappen, maakte haar altijd angstig. Er kleefden te veel risico's aan. Maar misschien had Sasha gelijk. Charlies starre houding was vaak haar ergste vijand. Het was moeilijk om met die gewoonte te breken, ook al was ze er zich bewust van. Het had iets veiligs.

'Zeker,' antwoordde Sasha. 'Verandering is niet altijd slecht, weet je.'

'Weet ik.' De serveerster keerde terug met hun hoofdgerechten en zette die met een glimlach op tafel. 'Over verandering gesproken,' zei Charlie, blij dat ze zich uit dit gesprek kon manoeuvreren, 'hoe zit het met jou? Iets te melden?'

Sasha lachte quasiverlegen en keek omlaag naar haar ravioli met kreeft. 'Eigenlijk wel.'

'Vertel!' riep Charlie uit. Het was niets voor Sasha om iets achter te houden.

'Ik heb iemand ontmoet,' fluisterde ze. Ze begon te stralen als een halogeenlamp.

'Ga weg!' riep Charlie. 'Dat is fantastisch. Kom op met de details, brutale meid!'

Sasha lachte. 'Ik heb hem tijdens de les ontmoet.'

'Wat? Over het vervagen van grenzen gesproken! Jezus, Sasha, wat is er gebeurd?'

'Ik weet het, ik weet het. Ik was het niet van plan, het gebeurde gewoon.' Sasha nam een hapje van haar ravioli.

'Schiet op, slik door!' Charlie schreeuwde het praktisch. 'Goh, eigenlijk best toepasselijk gezien de context van ons gesprek.'

'Viespeuk! Erg geestig. Hij zat in mijn klasje gevorderden van de dinsdagavond. Hij was me natuurlijk meteen al opgevallen, maar ik was vastbesloten om niet ten prooi te vallen aan de charmes van zo'n typische "yogaman". Ik vermoedde dat hij er was om te lonken naar meiden in strakke shirtjes, snap je?'

'Breek me de bek niet open,' antwoordde Charlie. Ze had in haar tijd heel veel yogamannen ontmoet. Met hun korte broekjes, tribaltatoeages en dolende ogen klungelden ze zich door de les, vol ongeduld uitkijkend naar het einde daarvan om zich vervolgens op de eerste biedster te kunnen werpen.

'Enfin, er gingen een paar weken voorbij en hij deed niets van dat alles. Hij kwam gewoon binnen, legde zijn matje achter in de studio en vertrok zodra de les was afgelopen. Hij bleef niet hangen, niets,' vertelde Sasha.

'Hoe doet hij zijn oefeningen?' vroeg Charlie.

'Heel elegant. Hij weet waar hij mee bezig is. En totaal onopvallend, weet je? Bescheiden.'

'Bescheiden, aantrekkelijk en snel weg?' vroeg Charlie. 'Dat klinkt als een droom.'

'Zeg dat wel. Hoe dan ook, na een week of drie kon ik mijn nieuwsgierigheid niet meer bedwingen en heb ik hem voor de les gevraagd hoe hij heette.'

'En, hoe heet hij?' vroeg Charlie. 'Ik stel me iets verleidelijk exotisch voor, Rafaelo of zoiets.'

'Nou, nee,' zei Sasha. 'Tenzij je Adam exotisch vindt.'

Charlie lachte. 'Nou ja, misschien in sommige landen wel. Dus hij vertelde je hoe hij heette en voordat jullie het wisten waren jullie verliefd?'

'Niet echt. Hij vertelde me hoe hij heette en vanaf dat moment is het gewoon geleidelijk gegaan, snap je? De vier of vijf lessen daarna gingen we gewoon steeds meer voor elkaar openstaan. Het begon heel voorzichtig, met 'hallo' en zo, en dat leidde toen tot een soort van onschuldig koffiedrinken na de les. Die koffie leidde weer tot een film en de rest... is geschiedenis, denk ik.'

'Wacht even, jullie begonnen dus te daten terwijl hij les bij je had? Was dat wel verstandig? Had de rest van de klas het door?'

'We zijn een keer of twee, drie uit geweest voordat de vlam oversloeg,' vertelde Sasha. 'Tuurlijk heb ik me afgevraagd of ik dat professioneel gezien wel kon maken. Maar ik was niet van plan om de eerste kerel die in maanden belangstelling voor me toonde uit mijn vingers te laten glippen vanwege een of andere antieke opvatting die niet eens op onze situatie van toepassing was. Ik bedoel, dit is niet het eerste jaar psychologie op college, weet je, waar ik de lerares ben en hij de jonge, naïeve leerling. Het gaat hier om twee eensgezinde volwassenen in een zeer fysiek georiënteerde omgeving.'

'Dat is waar,' beaamde Charlie. Uit de felheid van Sasha's reactie kon ze opmaken dat dit niet de eerste keer was dat die zich voor haar romance moest verantwoorden. 'Maar ik zou toch op mijn hoede zijn.'

'Nou, dat was ik ook. Toen duidelijk werd dat we romantische gevoelens voor elkaar koesterden, zag hij dat ik aarzelde om een stapje verder te gaan. Hij vroeg of het voor mij makkelijker zou zijn als hij stopte met de les. Ik zei dat dat zo was, dus is hij gestopt. Hij volgt nu de les van Gil op dinsdagavond.'

'Wauw, dat hebben jullie simpel opgelost,' zei Charlie. 'Hoe lang zijn jullie al samen?'

'Sinds december,' antwoordde Sasha verlegen glimlachend.

'Wat? Sinds december al? En dat vertel je me nu pas? Het is maart!'

'Ik weet het, het is nogal mesjogge, Charlie, maar je moet begrijpen – ik ben er pas onlangs mee naar buiten gekomen. Het heeft iets geweldigs om zoiets als dit een tijdje voor jezelf te houden. Dan gaat het alleen maar om jullie tweeën. Het is van jullie en niemand anders kan die zeepbel binnendringen. Dat is heerlijk.'

Charlie schudde haar hoofd. 'Ik denk dat ik wel begrijp wat je bedoelt, Sasha. Maar ik voel me toch een beetje gekwetst. Al die weekends dat ik je vroeg wat je gedaan had, heb je niet één keer zijn naam genoemd. Je hebt tegen me gelogen.'

'Weet ik en dat spijt me. Ik wilde het gewoon echt een tijdje voor mezelf houden. We waren natuurlijk van plan om het onze vrienden eerder te vertellen, maar het leven kwam er een soort van tussen.'

'Oké,' zei Charlie. Ze begreep het op de een of andere manier wel, ondanks haar gekwetste gevoelens. 'Ik kan wel zien dat je gek op hem bent.' Ze glimlachte naar Sasha. 'Als je over hem praat, komt er een twinkeling in je ogen.'

'Echt?' vroeg Sasha. Ze glimlachte. 'Het is waar, Charlie, ik ben verliefd op hem. Hij is een geweldige kerel. Ik had nooit gedacht dat ik me ooit nog zo zou voelen, na Nick.' Nick en Sasha waren uit elkaar gegaan rond dezelfde tijd dat Charlies hart door Neil was gebroken. Het wederzijdse liefdesverdriet had hun band verstevigd.

Toen ze aan die tijd terugdacht, kreeg Charlie het benauwd. Naar wie moest ze nu toe als ze een Neil-terugval had? Ze voelde zich opeens erg alleen. Ze haalde diep adem, vastbesloten om met haar zelfmedelijden niet het gras voor de voeten van haar vriendin weg te maaien. 'Wat heerlijk voor je, Sasha!' riep ze. 'Ik wil hem zo snel mogelijk zien.'

'Bedankt, Charlie. Ik weet zeker dat je hem leuk vindt.' De serveerster kwam hun borden weghalen. Charlie schonk haar glas bij. Ze had dringend behoefte aan een slokje.

'Hé, heb jij al iemand aan de haak geslagen?' vroeg Sasha.

Charlie verslikte zich bijna in haar wijn. 'Kom op, Sasha, je weet best dat dat niet zo is.' Onwillekeurig dwaalden haar gedachten naar Mario. Ze overwoog zijn naam te noemen, maar besloot het niet te doen. Het leek op de een of andere manier stom om haar ontluikende begeerte voor de deli-man op te biechten.

'En Facebook?' vroeg Sasha. 'Zit daar nog vers vlees tussen?'

Charlie dacht aan hun gesprek over Facebook; dat het een poort naar je seksuele verleden was. Tot dusver was ze met Jason Healey, haar vriendje uit de brugklas, het dichtst bij een hereniging met een voormalige verovering gekomen. Die had ze wellicht één keer vluchtig gezoend tijdens een wel heel vernederend spelletje pandverbeuren. Jason woonde nu in Hartford en had vier kinderen met zijn vrouw Misty.

'Nee, tenzij je gesuperpoked-zijn meetelt als voorspel,' antwoordde Charlie.

Sasha lachte. 'Wacht maar af. Ze komen vanzelf. Je zit er pas een paar weken op, toch?'

'Ja,' antwoordde Charlie. 'Ik heb nog niet echt tijd gehad om ermee te klooien.' Ze vertelde Sasha niet dat ze zichzelf had moeten omkopen om niet op zoek te gaan naar Neil. Vorige week nog, toen haar handen boven het toetsenbord zweefden en ze op het punt stond zijn naam in de zoekmachine in te tikken, had ze zichzelf een nieuw paar laarzen beloofd als ze daarvan af zou zien. De laarzen hadden gewonnen, maar ze vroeg zich af hoe lang ze het zich nog kon veroorloven om haar instincten te onderdrukken.

'Heeft Neil al contact met je gezocht?' Sasha tuurde Charlie met haar grijze ogen aan; haar bezorgdheid en oordeel waren voelbaar. Sasha wist alles van hun relatie, de akelige scheiding en de eeuwig voortsudderende nasleep. Soms liet ze Charlie haar hart uitstorten; liet ze haar in lyrische bewoordingen praten over haar ongezonde band met hem en haar verlangen hem weer te zien, maar soms – en zeker het laatste jaar veel vaker – kon ze er gewoon niet tegen. Ze had Charlie gesmeekt met een therapeut te gaan praten over het feit dat ze niet verder kon, maar Charlie had haar afgewimpeld en gezegd dat ze best zelf over hem heen kon komen, maar daar gewoon tijd voor nodig had. Sasha had haar verteld dat vier jaar zo ongeveer drie jaar te veel was. Charlie was die avond in een vlaag van woede en gekrenktheid het restaurant uitgestormd. Daarna hadden ze elkaar twee maanden niet gesproken. Vervolgens had Charlies eenzaamheid de doorslag gegeven: ze miste Sasha verschrikkelijk. Ze konden bevriend blijven; Charlie zou gewoon niet meer over Neil beginnen. Weer een grens die ze uit eigen beweging had gesteld. Het was makkelijker op die manier.

'Nee,' antwoordde Charlie. 'Dat doet hij vast niet.'

Sasha knikte, het was duidelijk dat ze zich inhield. 'Ik hoop het, Charlie,' zei ze, zo voorzichtig mogelijk. 'Dat is wel het laatste waar jij behoefte aan hebt, dat hij weer terugkeert in je leven, ook al is het dan virtueel.'

Charlie knikte instemmend en voelde zich plotseling opgeblazen. Haar tailleband sneed in haar buik. 'Hé, we kunnen beter gaan,' zei ze, terwijl ze gebaarde om de rekening.

'Geen toetje? Ik heb een plekje bewaard voor tiramisu.'

'Nee, niet voor mij,' antwoordde Charlie. 'Met die gnocchi zit ik de komende weken vol. Trouwens, ik wed dat jij en Adam plannen hebben voor vanavond.'

Sasha bloosde. 'Ik heb met hem afgesproken. Hij zit met een paar vrienden in een kroeg in Brooklyn. Ga met me mee!'

'Echt niet. Doe normaal. Ik zit te vol om fatsoenlijk te kunnen praten.

Een andere keer. Ik wil hem echt graag zien.'

Sasha glimlachte toen ze haar helft van de rekening betaalde en die vervolgens aan Charlie overhandigde voor het andere deel. 'Oké dan,' zei ze. Ze stonden op en baanden zich een weg door de stormachtige avond. Sneeuw die de afgelopen week gevallen was, lag hoog opgestapeld in de straathoeken en smolt langzaam tot de onvermijdelijke grijze, met afval vermengde natte hoopjes.

'Gelukkige veertiende maart, Sash,' zei Charlie, terwijl ze haar omhelsde. 'Ik ben zo blij voor jou en Adam. Niemand verdient het meer dan jij.' Sasha pakte haar stevig vast. 'Behalve jij dan. Bedankt, Charlie. Doe voorzichtig!' De twee vrouwen verbraken hun donzige omhelzing en gingen allebei een andere kant op.

Charlie boog haar hoofd omlaag tegen de kou toen ze wegliep. Zonder dat ze het wilde vocht ze tegen de tranen. Ze vroeg zich af of Neil haar leven voorgoed had verknald. Ze kon het zich niet eens voorstellen dat ze ooit weer van iemand zou houden. Alsof de duvel ermee speelde, passeerde ze op dat moment een van hun favoriete kroegen. Toen ze net samen waren, kwamen ze hier heel vaak. Ze bleef staan en keek door het raam. Nog precies hetzelfde. Dezelfde barkeeper zelfs. Ze besloot naar binnen te gaan om wat te drinken.

'Wat mag het zijn?' vroeg hij, terwijl hij haar nietszeggend aankeek. Charlie vroeg zich af waarom ze verwachtte dat hij haar, vier jaar na dato, nog zou kennen. Die man zag elke avond waarschijnlijk tientallen nieuwe mensen. Ze bestelde een whiskey met ijs en dronk de amberkleurige vloeistof met kleine slokjes op. Ze wist dat ze hier morgen spijt van zou krijgen, maar het was nu eenmaal zo'n soort avond.

Waarom had ze besloten hier naar binnen te gaan? De laatste keer dat ze hier een voet binnen had gezet, was haar leven rondom haar heen in puin gevallen. Zij en Neil hadden in die tijd constant ruzie gehad. Hij was opeens een soort van agressieve supergoeroe geworden – vulde zijn dagen met meditatie en yoga op haar kosten, omdat hij geen werk had. Dan kwam ze 's avonds na een dag hard werken thuis en trof hem mediterend in hun piepkleine eenkamerappartement aan. Hij vroeg haar dan met hem mee te doen, wat zij weigerde. Ze wilde gewoon wat ruimte en tijd voor zichzelf, en als dat het bekijken van een roddelprogramma op tv was, dan was dat maar zo. Vervolgens begonnen ze elkaar af te bekken en het eindigde er altijd mee dat hij nijdig het huis verliet en zij zat te huilen boven haar diepvriesmaaltijd. Charlie slaakte een diepe zucht bij de herinnering.

Haar diepvriesmaaltijdavonden waren steeds stelselmatiger geworden toen Neil haar helemaal begon te negeren door nooit thuis te zijn. Ze begon hem te missen en toen had de achterdocht zijn intrede gedaan. Als hij niet bij haar was, waar was hij dan verdomme wel? Hoeveel meditatiecursussen kon een man volgen? Hij was in ieder geval niet aan het werk. Dat kon ze wel aan haar bankafschriften zien.

Op een avond was ze door hun buurt gaan lopen en had ze bij hun vaste uitgaansplekken naar binnen gegluurd in de hoop een glimp van hem op te vangen. Ze had gewalgd van haar eigen wanhoop. En ineens had ze hem gevonden. In deze kroeg. Hun kroeg. Ze was naar binnen gegaan om naast hem aan de bar te gaan zitten en hem te vertellen dat ze hem miste, toen ze had gezien dat hij niet alleen was. Naast hem zat een vrouw – nou ja, 'vrouw', ze oogde geen dag ouder dan negentien – die koket met haar ogen naar hem zat te knipperen. De moed was Charlie in de schoenen gezonken. Instinctief wist ze dat dit popje problemen betekende. Toen ze naar hen toeliep, had Neil zich omgedraaid. In zijn ogen was schrik te lezen en vervolgens, al heel snel, angst. Inderdaad, problemen.

'Charlie!' had hij overdreven enthousiast uitgeroepen. 'Hai! Dit is Luna. Ze zit met mij op yoga.'

Luna!? 'Hallo,' had ze gemompeld.

Luna had Charlie van top tot teen minachtend opgenomen. 'Hoi,' zei ze. Geen schuldgevoel, niets. Gewoon twee yogavrienden die een borrel dronken. *Ja ja, vast.* Charlie had Luna's blonde lokken wel uit haar hoofd willen rukken. Het gesprek tussen hen drieën was vormelijk en opgelaten geweest; Neil had geprobeerd zich eronderuit te lullen, maar had jammerlijk gefaald. Luna bleek net zo irritant als ze eruitzag; ze praatte aan één stuk door over haar spirituele ontwaken van maanden eerder in Starbucks. Stárbucks. Terwijl zij maar door zat te zemelen, was het tot Charlie doorgedrongen. Ze wist dat Neil dit domme popje neukte of haar wílde neuken. Het was voorbij. Neil was die avond met Charlie meegegaan, maar de wandeling naar huis was stilzwijgend verlopen. Er viel niets te zeggen. Een paar weken later, toen Neil had aangekondigd dat hij Charlie verliet voor Luna omdat 'zij een veel spirituelere band hadden', was Charlie niet verbaasd geweest.

Ze dronk haar glas leeg en vroeg zich af of ze nog steeds samen zouden zijn. Ze hoopte dat Luna Neil als karmische vergelding had laten stikken. Ze boog haar hoofd naar voren en naar achteren en slaakte op de koop toe een diepe 'wee mij'-zucht. Ze was een beetje draaierig van de combinatie van zwaar eten, drinken en haar gemijmer over het verleden. Ze rekende af en liep licht wankelend naar buiten, de wind in. De ingang van de metro leek opeens mijlenver. Ze stak haar hand op om een taxi aan te houden. Vanavond had ze recht op van-deur-tot-deurservice.

22

Naomi

'Maaaaam, waar is mijn rugzak?' gilde Noah.

Naomi, die op bed lag met een koud washandje op haar ogen, kromp ineen door het aantal decibellen van zijn stem. Ze haalde haar zelfgemaakte kompres van haar gezicht. Gisteravond had ze voor de tweede keer die week een knallende koppijn gehad. Beide aanvallen waren vanuit het niets opgedoken en hadden haar lamgeslagen. De eerste aanval was gelukkig 's avonds gekomen, toen Noah al op bed lag, maar gisteren had de koppijn al toegeslagen toen ze eten voor hem aan het maken was. Zwaar en meedogenloos was die vanuit de bovenkant van haar nek omhoog gekropen en had zich in de rechterkant van haar hersenpan genesteld. Op de een of andere manier was ze erin geslaagd Noahs vissticks te bakken en op tafel te zetten, maar meer energie had ze niet op kunnen brengen. Ze had tegen Noah gezegd dat ze zich niet lekker voelde en zich verschanst in haar donkere slaapkamer. De bonkende pijn in haar schedel leek te resoneren in het matras, waardoor de hele kamer ging trillen. Noah was zichtbaar angstig haar kamer in gekomen om haar te troosten. Hij had zijn warme handje op haar voorhoofd gelegd en was een paar minuten tegen haar aangekropen. Doordat ze feitelijk was uitgeschakeld, had Naomi hem gevraagd of hij zichzelf naar bed kon brengen. Hij had ernstig knikkend gezegd dat hij dat kon. Vanmorgen, na een halve strip ibuprofen, een warm kompres en hooguit twee uur slaap, kon ze amper functioneren.

Noah was echter al vanaf zes uur druk in de weer – zó opgewonden was hij over het feit dat mini-Noah naar Parijs zou gaan. Naomi deed haar uiterste best om zich aan te passen en haar zoons ongebreidelde enthousiasme te delen, maar ergens vreesde ze de uitkomst – met of zonder de hoofdpijnkater. Wat ze ook probeerde, ze kon zich gewoon niet voorstellen dat Gene zich aan zijn belofte zou houden. Visioenen van zijn terugkeer zonder mini-Noah warrelden door haar hoofd – de waanzinnige worsteling van het opnieuw ontwerpen van het kartonnen jongetje en dat de hele stad door slepen, zou onvermijdelijk op haar schouders terechtkomen.

'Wat hadden we nou afgesproken over schreeuwen in huis, Noah?' zei ze zo kalm mogelijk. Ze moest de neiging om terug te schreeuwen onderdrukken, zodat ze hem niet het verkeerde voorbeeld zou geven.

Ze stond op en vond Noah liggend op de vloer van zijn slaapkamer. Hij gluurde onder zijn bed met een panische uitdrukking op zijn gezicht. 'Sorry, mam, ik kan gewoon... Ik kan gewoon mijn rugzak niet vinden. Weet jij waar die is?' Zijn stem trilde en zijn grote blauwe ogen vulden zich met tranen.

'Wanneer heb je hem voor het laatst gezien, lieverd?' vroeg ze, terwijl ze haar hand uitstak om hem omhoog te trekken. 'Ik wed om een kop warme chocolademelk dat hij gewoon nog op de plek ligt waar je hem hebt neergelegd.'

Noah ging op zijn rode gymschoenen staan. 'Ik ben er vrijdag mee thuisgekomen,' zei hij nadenkend, terwijl hij hand in hand met Naomi naar de woonkamer liep. 'Hij zat op mijn rug.'

'Ja, daar zit een rugzak meestal.'

Noah keek haar aan, geïrriteerd door die nonchalante opmerking. 'Dit is niet om te lachen, mam!' zei hij boos. Naomi moest haar lachen inhouden vanwege Noahs plotselinge ernst.

'Sorry, natuurlijk niet, Noah. Oké, dus hij hing op je rug. En toen heb je hem afgedaan. Waar heb je hem toen neergezet?'

'Ik heb hem afgedaan en hem hier laten vallen, naast de jassen,' antwoordde hij, terwijl hij gebaarde naar de vloer onder de kapstok.

'En dat is de laatste keer dat je hem gezien hebt?'

Noah fronste zijn voorhoofd terwijl hij het zich probeerde te herinneren. 'Nee. Gisteren heb ik hem ook gehad. Toen jij bij yoga was, hebben Cee Cee en ik het over de theorie van de tektonische platen gehad.'

'De theorie van de tektonische platen?' vroeg ze, overmand door een vlaag van nostalgie. Hoe lang was het geleden dat ze daarover gehoord had? Ze probeerde zich te herinneren wanneer ze dat zelf op school had gehad. In de vijfde klas? Noah zat in de tweede. Nou, dan is het onderwijssysteem er in ieder geval op vooruitgegaan, dacht ze, in een poging de positieve kant te zien van het feit dat ze zich wel heel erg oud voelde.

'Ja, mam,' jammerde Noah. Hij was zichtbaar ontstemd over haar gebrek aan ondernemingslust voor de onderhavige taak.

'Oké, waar hebben jullie dat gedaan? In de keuken?'

Noah rende voor haar uit om te gaan kijken. 'Ja, in de keuken. Cee Cee bakte pannenkoeken voor het ontbijt toen we het erover hadden.' Hij viel op handen en knieën om op onderzoek uit te gaan. 'Hier is-ie!' riep hij triomfantelijk, terwijl hij de kleine zwarte tas met het zwierige gebaar van een profbokser omhoogstak. 'We hebben hem gevonden, mam!' Zijn ogen lichtten op als kerstboomlampjes.

'Zie je nou wel, schat, ik zei toch dat-ie hier was,' zei Naomi, blij dat ze haar zoon zo'n onvervalst juichmoment had bezorgd. Gene mocht dan mini-Noah meenemen naar Parijs, zij was nog steeds de mama. Kleine overwinningen als deze waren haar specialiteit.

'Bedankt!' riep hij, terwijl hij op haar afstormde en zijn armen om haar middel sloeg. 'Dat was op het nippertje. Mini-Noah zit hierin!'

'O, wat ben ik blij dat hij terecht is!'

'Ik ook. Papa komt hem vandaag halen,' legde hij uit, hoewel Naomi zich maar al te bewust was van dit plan.

Naomi keek op de klok boven het gasfornuis. 'Nu je het zegt, je kunt maar beter je jas gaan aantrekken. Pap kan elk moment hier zijn.' Ze zag enorm op tegen het ophalen. Dat ging altijd gepaard met een onhandig 'hallo', terwijl ze inwendig strijd leverde met jaren onderdrukte weerzin en Noah aan Gene overdroeg. Het kostte haar enorm veel zelfbeheersing om geen rotopmerkingen te maken over Genes hippe jasje of de nieuwe tattoo die onder zijn manchet uit piepte. De man besteedde honderden, zo niet duizenden dollars aan pogingen om jong en bij de tijd te blijven, terwijl Naomi pindakaas en kindervitaminepillen kocht. De ongelijkwaardigheid van hun bestaan maakte haar soms gillend gek. En ze zou het ook op een gillen zetten, ware het niet dat Gene haar geld voor Noah gaf. Gelukkig wel. Niet altijd op tijd natuurlijk, maar hij deed het wel.

Op dat moment ging de deurbel. Naomi verstijfde. 'Oké, trek je jas aan,' zei ze tegen Noah, 'en je sjaal en je muts en je wanten.' Noah keek haar fronsend aan. Hij vond het afschuwelijk om een muts te dragen; elke keer als ze er een over zijn krullen trok, zei hij dat zijn 'hoofd niet kon ademen'. 'Geen gemaar! Het vriest buiten. Zelfs mini-Noah moet vandaag een muts op.'

Weer ging de deurbel. Noah verroerde zich niet. Hij wierp Naomi een ongemakkelijke blik toe. 'Wat is er?' vroeg ze hem geïrriteerd.

'Ik moet naar de wc, mam,' fluisterde hij.

'Oké, prima, ga maar even plassen, lieverd.'

Noah schudde zijn hoofd. 'Nee, dat andere,' zei hij met een gepijnigde blik op zijn gezicht.

Naomi haalde diep adem. Je kon er de klok op gelijkzetten met Noah. Altijd als ze ergens naartoe moesten, kwam onvermijdelijk het moment dat hij alles uit zijn handen liet vallen en naar de wc moest. Hij was behept met joodse ingewanden.

'Oké, ga maar. Ik vraag wel of je vader boven komt en hier wacht.' Noah rende naar de wc en zij nam het appartement in zich op. Het was een puinhoop. *Ach nou ja, dan ziet Gene ook eens hoe de andere kant woont.* Ze drukte op het knopje om hem binnen te laten en besefte toen dat ze nog in haar pyjama liep. Lekker dan, dacht ze, terwijl ze een poging deed haar haar glad te strijken dat ongetwijfeld alle kanten uitstak.

Ze hoorde Genes grotemannenlaarzen (ongetwijfeld duur en exclusief) de trap op stampen. Vervolgens geklop op de deur. Het was een aarzelend klopje. *Mooi. Toch enig ongemak vanwege het vreemde grondgebied.* Ze haalde diep adem, merkte dat ze haar tanden niet had gepoetst en deed de deur open.

'Hai, Naomi,' zei Gene. Hoeveel hekel Naomi ook aan hem had, zijn krachtige uitstraling viel niet te ontkennen. Als de term 'ruige, hippieachtige knapheid' in het beeldwoordenboek opgenomen werd, zou daar meteen een foto van Gene bij geplaatst worden.

Zijn lenige lichaam was met laarzen aan ongeveer één meter negentig lang. Zijn bruine haar hing lui rond zijn oren en krulde in zijn nek. Olijfkleurige huid, blauwe ogen en verblindend witte tanden maakten het plaatje af. Voor iemand die een leven leidde dat in alle voorspelbare opzichten absoluut ongezond was, zag Gene er verontrustend volmaakt uit.

Naomi vroeg zich af of hij nog steeds tot diep in de nacht verschillende substanties zat te snuiven met modellen die jong genoeg waren om zijn dochter te kunnen zijn. Eigenlijk had ze geen flauw idee. Nu hij zo voor haar stond, klaar om hun zoon voor een zondags avontuur mee te nemen, hoopte ze in ieder geval van niet.

'Hai, Gene. Sorry dat je naar boven moest komen. Noah zit op de wc. Kom binnen.' Ze stak haar arm stijfjes uit naar binnen om hem uit te nodigen de drempel over te steken. Genes ogen schoten het interieur door, terwijl hij behoedzaam naar binnen liep.

'Dus hij zit op de wc?' vroeg Gene, met een veelbetekenende grijns. 'Dat kind heeft de darmen van een vijftigjarige. Nou ja, dan weten we tenminste dat hij altijd een regelmatige stoelgang zal hebben, hè?' Toen lachte hij naar Naomi, die zich moest beheersen om niet uit te schreeuwen: wat weet jij van mijn zoons darmen?! Niets! Hij is van MIJ! Die darmen zijn van MIJ! Verzeild raken in een knokpartij over het spijsverteringskanaal van een achtjarige was een slechte manier om haar zondag te beginnen.

'Tja, het houdt wel op.' Ze zweeg. 'Sorry voor de rotzooi. Ik wilde vandaag de boel gaan schoonmaken, als jullie weg waren... je weet wel, het huis en, nou ja, mezelf.' Haar hoofdpijn keerde terug, klopte subtiel achter haar slapen.

'O, joh, het is hier brandschoon,' zei Gene. 'Als Maribel niet één keer per week mijn optrekje kwam schoonmaken, zou het eruitzien als een zwijnenstal.'

Naomi duizelde van zowel het feit dat Gene zijn appartement als een 'optrekje' betitelde als het feit dat hij zich een hulp kon veroorloven. Ze nam zich voor om zich wat meer als een kreng op te stellen als hij te laat was met zijn bijdrage voor Noah.

Gene ging wat onbeholpen op de bank zitten. 'Je ziet er goed uit, Naomi,' zei hij, goedkeurend knikkend met zijn hoofd.

Naomi bloosde zonder dat ze dat wilde. 'Doe normaal, Gene. Ik zie er verschrikkelijk uit. Ik heb nog niet eens de kans gehad om mijn tanden te poetsen.'

'Nee, je ziet er schattig uit. Je zag er 's morgens altijd het leukst uit. Geen make-up staat je goed.'

Wat weet jij van mij in de ochtend!? In gedachten schreeuwde Naomi hem dat toe. Hardop zei ze zo elegant mogelijk: 'Nou, bedankt.' Ze ging zitten in de stoel die schuin tegenover de bank stond. 'Ik heb gehoord dat je naar Parijs gaat.'

Gene's ogen lichtten op. 'Ja, ik ga foto's maken voor de campagne van Catherine Malandrino. Ken je haar kleding?'

Naomi dacht aan Malandrino's winkel in SoHo. Daar was ze een keer naar binnen gegaan en had toen als een hopeloos verliefde tiener de stofjes staan aaien. De prijskaartjes hadden haar bijna aan het janken gemaakt. 'O ja! Ze maakt geweldige dingen.'

'Ja, het is echt mooi, hè?' beaamde Gene. 'En zelf is ze ook een coole dame.'

Op dat moment kwam Noah als een raket de wc uit stormen. 'Papa!' schreeuwde hij, terwijl hij naar de bank toe rende. Hij bleef opeens staan toen hij Naomi tegenover zijn vader zag zitten. 'Hai, mam, hai, pap!' zei hij, terwijl hij het beeld in zich opnam. Opeens besefte Naomi dat haar zoon zijn ouders nog nooit zo ongedwongen bij elkaar had zien zitten. Ze hoopte dat hij zich niets in zijn hoofd ging halen. Ze had er altijd voor gewaakt kwaad te spreken over Gene waar hij bij was, maar als Noah zou beginnen over meer driepersoons 'gezins'-dingen, brokkelde haar zorgvuldig opgebouwde façade ongetwijfeld af.

'Hé, gozer!' antwoordde Gene, terwijl hij vooroverboog om Noah een enorme knuffel te geven. 'Nou, ik denk dat we er maar eens vandoor gaan,' zei hij, terwijl hij opstond. 'Trek je jas aan, Noah,' voegde hij eraan toe. 'Het is een soort Siberië buiten.'

Noah rende naar de kapstok en trok zijn jas van een van de haakjes. Zijn enthousiasme veroorzaakte een lawine van jassen en truien. Geschrokken keek hij naar Naomi.

'Geeft niks, Noah, die raap ik wel op,' beantwoordde ze zijn schuldbewuste blik. 'Veel plezier vandaag,' voegde ze eraan toe.

Ze keek naar Gene. 'Zorg alsjeblieft dat hij zijn muts op houdt,' zei ze. 'Hij heeft er een verschrikkelijke hekel aan, maar hij heeft hem nodig.'

'Komt voor elkaar. Weet je wat, ik zet de mijne ook op.' Hij stak zijn hand in zijn jaszak en haalde een gebreide muts tevoorschijn. Noahs ogen lichtten op. Mutsen waren nu officieel weer cool.

'Dag, mam!'

'Dag, Noah!'

'Ben je echt wel eens in Siberië geweest, pap?' hoorde ze Noah vragen toen de deur achter hen dichtviel.

Naomi liet zich op de bank zakken en slaakte een diepe zucht. Het was altijd heftig om Gene te zien, hoewel dat niets met liefdesverdriet te maken had. Puur zijn aanwezigheid was genoeg om haar terug te brengen naar die laatste, afschuwelijke dagen waarop ze samen waren geweest, voordat hij er – op die stomme Vespa van hem natuurlijk – vandoor was gegaan en haar had achtergelaten met hun piepkleine baby die in haar buik groeide. Nadat ze dagenlang had geprobeerd om door die stonede waas van ontkenning van Gene heen te dringen, werd het overduidelijk dat zij die baby in haar eentje zou krijgen. Er was geen plaats in Genes leven voor wat voor verantwoordelijkheid dan ook, laat staan voor een mensenleven.

Terugdenkend stond Naomi nog steeds versteld van haar besluit om hun baby te houden, ondanks het feit dat alles in haar nadeel leek te wijzen. Voor haar was Noah een geschenk geweest – een alarmbelletje in de vorm van een baby. Naomi was nooit erg godsdienstig geweest, maar voor haar kwam dit het dichtst in de buurt van goddelijk ingrijpen. Ze was van het juiste spoor afgedwaald, maar nu had ze dat weer gevonden.

Gene wilde dat niet vinden, dus had hij haar achtergelaten in hun gigantische, niet-betaalde appartement in DUMBO om de draad weer op te pakken. Naomi's ouders waren bijgesprongen, hadden hun oordeel voor zich gehouden en de rotzooi opgeruimd. Ze waren er op de een of andere manier in geslaagd haar appartement te verkopen, hadden haar weer opgenomen in het huis in Upper West Side waar ze was opgegroeid en voorbereid op twee nieuwe levens – dat van haar en dat van Noah. Ze glimlachte toen ze dacht aan hun onbaatzuchtigheid. Om op die manier die zwangere, alleenstaande en volwassen puinhoop van een dochter van hen te redden… Wauw. Ze werd verscheurd bij die gedachte alleen al.

Naomi pakte haar mobiel om hen te bellen; ze realiseerde zich opeens dat zij en Noah hen al meer dan een maand niet gezien hadden. Het was verbazingwekkend hoe ver Brooklyn en de Upper West Side gevoelsmatig van elkaar af lagen; het leken door dat verdomde openbaar vervoer wel twee aparte continenten. Ze toetste het nummer in en keek op de klok. Het was elf uur. Ze zouden ongetwijfeld de krant aan het lezen zijn – haar vader die in lyrische bewoordingen sprak over Maureen Dowd en haar moeder die ingespannen gebogen zat over de kruiswoordpuzzel met een uitgelepelde bagel op het bord voor haar.

'Hallo,' zei haar moeder.

'Ha, mama. Met mij.'

'Hai, lieverd,' antwoordde ze met een stem die danste van vreugde. 'Hoe is het met je? We missen jullie.'

'Goed,' antwoordde Naomi. Haar ogen sprongen opeens weer vol tranen. Wat was er toch met het horen van je moeders stem als je je ellendig voelde? Tranen waren een pavlovreactie; zelfs nu, op haar tweeëndertigste. Ze vroeg zich af of Noah later ook zo zou reageren op haar bezorgde stem.

'Je klinkt niet goed, Naomi. Gaat het wel met je? Alles goed met Noah? Heb je zin om vanavond bij ons kalkoen te komen eten?'

Naomi lachte, geroerd door haar moeders aaneenschakeling van vragen en de onvermijdelijke uitnodiging. 'Mam, het gaat prima. Ik ben alleen een beetje chagrijnig vanmorgen, dat is alles. Noah is bij Gene.' Haar moeders stilzwijgen volgde. Zij en haar vader waren razend geweest over Genes terugkeer in hun leven en ze vonden het nog steeds moeilijk om zich bij Naomi's beslissing neer te leggen. Het was een bron van onenigheid tussen hen geweest, maar uiteindelijk waren haar ouders gezwicht voor haar verklaring dat Noah een mannelijk rolmodel in zijn leven nodig had en dat ze het geld goed kon gebruiken.

'Gene mag dan een klootzak zijn, hij is wel Noahs vader,' had ze gezegd. 'Hij is terug en hij is een stuk volwassener geworden. Hij wil zijn betrokkenheid tonen. Zolang we zijn aanwezigheid tot een minimum beperken, zie ik echt niet wat het probleem is. Het zou niet eerlijk zijn om Noah die vreugde te onthouden.'

Haar vader had gefrustreerd zijn hoofd geschud. 'Hij is geen goede man,' had hij tegen Naomi gezegd. 'Ik ben het er niet mee eens, maar wat doe ik eraan? Het is jouw kind en het is jouw leven. Beloof alleen alsjeblieft dat je niet vergeet wat hij je aangedaan heeft. Zorg dat je niet betrokken raakt bij zijn bullshit.' Hij had even gezwegen en Naomi's hand vastgepakt. 'En als hij een keer niet betaalt, zeg je dat tegen mij en dan vermoord ik hem.'

Naomi had gelachen bij het idee dat haar lieve vader iets anders dan een tennisbal een mep zou geven. Maar daar was ze na één blik in zijn ogen van genezen. Hij meende het. Op dat moment drong het tot Naomi door hoe zwaar hun offer voor haar van al die jaren geleden was geweest. Hoewel ze nooit iets anders dan inschikkelijk waren geweest, hadden ze het er ongelooflijk moeilijk mee gehad. En toen ze naar de rimpels en vouwen in het gezicht van haar lieve vader keek, zag ze dat hij er ook door getekend was.

'Oké, pap,' had ze geantwoord. 'Oké.'

'O,' antwoordde Naomi's moeder eindelijk. 'Ik hoop dat ze hun jassen en mutsen dragen. Het is ijskoud buiten!'

'Ja hoor. Ze zitten allebei stevig verpakt in hun kleine iglootjes, maak je geen zorgen. Hé, mam, heb jij wel eens migraine gehad?'

'Neeeee, godzijdank niet. Ik moet het even afkloppen, maar ik heb zelfs zelden hoofdpijn. Waarom?'

'Ik heb gisteravond afschuwelijke koppijn gehad. Het was afgrijselijk. Het was alsof er een sumoworstelaar op de rechterkant van mijn hoofd zat.'

'Dat klinkt niet goed, lieverd. Normaal heb je toch nooit zulke hoofdpijn?'

'Nou, nee, behalve dan dat dit de tweede keer in, zeg maar een week is,' antwoordde Naomi. Haar stem trilde een beetje door de plotselinge brok in haar keel. Ik ben bang, dacht ze.

'O, liefje, dat klinkt pijnlijk. Ben je ongesteld?'

'Nee, mam,' antwoordde Naomi, lachend om de voorspelbaarheid van die vraag. Ovuleren of menstrueren was volgens haar moeder het antwoord op bijna al haar fysieke kwaaltjes.

'Je bent toch niet zwanger, hè?' vroeg haar moeder, met een tot fluistertoon gedempte stem.

Alsof de duvel ermee speelde, pakte haar vader op dat moment de andere telefoon op. 'Wat is al dat gefluister?' vroeg hij.

'Ik ben absoluut niet zwanger,' antwoordde Naomi. 'Tenzij ik de volgende messias op de wereld ga zetten.'

'O, godzijdank,' zei haar moeder. Naomi sloeg haar ogen ten hemel. Formeel gezien was Noah een 'ongelukje' geweest, maar het was niet zo dat ze indertijd niets met zijn vader had gehad. Niettemin was haar moeder ervan overtuigd dat Naomi nog nooit een condoom of een doosje anticonceptiepillen had gezien, iets wat Naomi blééf irriteren.

'Natuurlijk is ze niet zwanger, Ruth, kom op,' wierp haar vader tussenbeide. 'Wat is er aan de hand, Naomi? Voel je je niet goed?'

Naomi schoot ongewild weer vol. Waarom had ze toch zo'n moeite met bezorgdheid? 'Ik heb de laatste tijd waanzinnige hoofdpijnaanvallen,' legde ze uit. 'En mijn lichaam voelt ook niet helemaal zoals het hoort.'

'Hoe bedoel je?' vroeg haar moeder. 'Dat had je nog niet gezegd.'

'Laat haar nou even, Ruth,' zei haar vader. 'Ze vertelt het nu toch. Ga verder, Naomi.'

'Nou, pas nog, tijdens de yogales, had ik een heel zwaar gevoel in mijn armen en benen. Alleen het strekken van mijn armen boven mijn hoofd kostte me al belachelijk veel inspanning.'

'Misschien ben je gewoon niet zo fit,' zei haar vader.

'Misschien,' antwoordde Naomi. 'Dat heb ik ook gedacht. Maar het voelt anders. Ik kan het niet precies uitleggen. En bovendien heb ik zo nu en dan een raar tintelend gevoel in mijn benen. Niet heel erg of zo, maar gewoon iets wat zomaar uit het niets lijkt te komen.' *Wauw, het voelt goed om dit hardop te zeggen.* Onbewust had Naomi dit allemaal voor zich gehouden. Het was alsof ze zich schaamde voor haar fysieke beperkingen. *God verhoede dat ik hulp nodig heb.*

'Mam, pap – hallo? Jullie zeggen helemaal niets! Wat is er?'

'Ik weet het niet hoor, Naomi, maar dit klinkt nogal ernstig. Tintelen is nooit normaal, zeker niet als het gepaard gaat met zware hoofdpijn. Heb je de dokter al gebeld?'

'Nee, nog niet,' antwoordde Naomi. Daar was-ie weer, de brok in haar keel. *Waarom ben ik zo bang voor de dokter? Ik heb verdomme een kind gebaard! Een lichamelijk onderzoek zou een fluitje van een cent moeten zijn.* Maar terwijl ze probeerde haar angst weg te redeneren, wist ze waarom ze zo opzag tegen een bezoek. Instinctief voelde ze aan dat het niet om iets onschuldigs ging, wat er bij haar vanbinnen ook aan de hand was. Dat het iets meer zou vereisen dan één doktersbezoekje.

'Waarom niet?' vroeg haar moeder, ietwat panisch. 'Hoe kun je nou de dokter niet bellen als je lichaam tintelt?'

'Mam, alsjeblieft, doe even rustig. Ik heb er gewoon nog geen tijd voor gehad.'

'Je moet echt beter voor jezelf zorgen.' Ze zweeg even, voordat ze verderging. 'Het spijt me, Naomi. Ik maak me gewoon zorgen. Ik moet niet zo tegen je tekeergaan.'

'Luister, mijn vriend Bill is neuroloog bij Mount Sinai,' zei haar vader. 'Ik wil dat je naar hem toe gaat. Ik regel het wel. Hij staat nog bij me in het krijt.'

'Jee, pap, kalm aan! Moet ik niet eerst gewoon naar de huisarts?' *Een neuroloog? Krijg nou wat!*

'Lieverd, je vader heeft gelijk. Die hoofdpijn en dat getintel, volgens mij heeft dat allemaal met je hersens te maken. Je huisarts stuurt je toch naar een neuroloog toe als je vertelt welke symptomen je hebt. Op deze manier gaat het allemaal een stuk makkelijker.'

'En Bill is een aardige kerel,' voegde haar vader eraan toe. 'Geen zorgen. Weet je wat, ik ga hem nu bellen om een afspraak te maken.'

'Maar, pap, ik…'

'Het is geen punt, Naomi. Maak je niet druk. Hij is een goede arts en kan je vertellen wat er aan de hand is, áls er al iets aan de hand is. We houden van je, schat.'

Naomi slaakte een diepe zucht. Tien minuten geleden was ze nog gewoon iemand die de avond ervoor stevige hoofdpijn had gehad. Nu ging ze naar een neuroloog. 'Oké, jongens. Bedankt. Ik hou ook van jullie.'

'Ik bel je zodra ik iets geregeld heb,' zei haar vader.

'Ga op bed liggen, Naomi,' voegde haar moeder eraan toe. 'Nu Noah weg is, kun je beter wat rust nemen.'

'Oké, doe ik. Dag. Tot snel.'

Ze verbrak de verbinding en stopte haar hoofd tussen haar handen. *Wat gebeurt hier vanbinnen?* Van het idee dat er iets mis was met haar hersens kreeg ze zin om te janken. Zieke hersens waren nooit goed. Omdat ze behoefte aan gezelschap had, besloot Naomi even naar Cecilia te gaan. Ze poetste haar tanden en zocht naar iets wat ze voor haar mee kon nemen. Haar ogen bleven hangen bij een tube stylingcrème die ze van Felicity had gekregen. Naomi wist dat die maandenlang onaangeroerd in haar badkamerkastje zou blijven staan, ondanks haar oprechte voornemen de crème uit te proberen. Ze pakte de tube, sloot haar deur en liep de trap af.

Ze klopte op Cecilia's deur en besefte dat ze zich beter voelde, gewoon door haar huis uit te gaan na dat zware gesprek met haar ouders. Normaal.

De deur ging open en een warrige Cecilia stak haar hoofd naar buiten. Bij het zien van Naomi lachte ze. Meteen daarna bloosde ze – haar sneeuwwitte huid veranderde in een roze wolk. Als Naomi niet beter wist, zou ze denken dat ze koorts had. Wacht even, misschien was dat ook wel zo.

'Hé, Cee! Ben je ziek?' Instinctief legde ze de achterkant van haar hand tegen Cecilia's voorhoofd.

'Nee, nee, niet ziek.' Ze trok de deur achter zich dicht.

'Mag ik dan even binnenkomen?' vroeg Naomi, zich totaal niet bewust van Cecilia's opgelatenheid. 'Ik heb een cadeautje voor je meegenomen!' Ze zwaaide met de tube voor Cecilia's gezicht.

'Eh, nou, eigenlijk niet,' antwoordde Cecilia. Ze lachte verlegen. Als een bliksemflits drong het tot Naomi door.

'Er zit een man binnen!' fluisterde ze opgewonden.

Cecilia knikte instemmend. Haar ogen fonkelden.

'O mijn god! Oké, als hij weg is kom je me alles vertellen!' Ze kuste Cecilia's wang en rende de trap weer op – Cecilia's verovering had haar nieuwe energie gegeven.

Toen ze weer terug in haar woning was, viel ze met een wild kloppend hart op haar bed neer. Wat heerlijk voor Cee! Ze was met iemand aan het vrijen! Wat een heerlijke, onverwachte wending op een verder zo vervelende dag.

Seks. Heerlijke, verrukkelijke seks. Blij met de afleiding dacht Naomi eraan terug. Hoe lang was het eigenlijk geleden? Ze wierp haar hoofd naar achteren, piekerde in haar pyjama over haar libido of het gebrek daaraan. *O, shit, ik kan het me niet eens meer herinneren! Het kon toch niet... Wacht even, echt? Gene?!?! Heb ik echt acht jaar niet meer gevreeën?* Ze dacht aan Noahs geboortedag. *Wat?! Heb ik BIJNA EEN DECENNIUM geen seks gehad?!* Ze haalde haar handen door haar haar van verbijsterde frustratie. *O, wacht, die man! Godzijdank. Hoe heette hij ook alweer?! Michael? Mark? Mark!* Ze slaakte een grote zucht van opluchting toen ze zich hem herinnerde.

Een vriendin van haar ouders, Cindy Carpstein, had een blind date voor haar geregeld toen Noah bijna twee was. Naomi had haar ontmoet op een feestje en zij, zelf een alleenstaande moeder – twee studerende kinderen, *Lauren op Wesleyan en Andy op Princeton, dank u hartelijk beleefd* –, had erop gestaan dat Naomi zich weer in de wereld van het daten zou storten. 'Met zo'n gezicht,' had ze gezegd terwijl ze Naomi's wang aanraakte, 'kun je niet de hele dag binnen naar *Sesamstraat* zitten kijken. Ik heb iemand voor je.' Ze had ernstig geknikt en Naomi's poging tot weigering weggewuifd. 'Hij is de zoon van mijn vriendin Shelia.' Ze zweeg even om haar woorden kracht bij te zetten en fluisterde toen: 'Een arts.' Met die woorden was ze weg gewalst om haar glas aan de bar bij te laten vullen met wijn. Een week later was Cindy haar belofte nagekomen.

Mark, die er duidelijk aan gewend was dat zijn moeder iedereen met wie ze in contact kwam aan hem probeerde te koppelen, had Naomi gebeld om haar mee uit te vragen en Naomi had met tegenzin ingestemd. Ze waren naar het River Café in Brooklyn gegaan en Mark was uiterst acceptabel geweest – voor iemand anders dan Naomi. Relatief geestig, beleefd en een goede prater, met leuke ogen en een wijkende haargrens. Naomi had drie glazen riesling op een lege maag gedronken en was toen, gegrepen door de kans, met hem meegegaan naar zijn belachelijk kale vrijgezellenloft in TriBeCa. Als gevolg van haar wijnroes en Marks minder dan vaardige techniek was de seks niet noemenswaardig geweest, maar ze was vastbesloten om haar vagina als iets anders dan een geboortekanaal terug te vorderen. Ze betwijfelde of dat Cindy's bedoeling was geweest toen ze haar had willen koppelen, maar dat was de betekenis die de blind date voor Naomi had gehad. Een terugvordering.

Ze was Marks appartement onder de dekmantel van de nacht uit geglipt, slechts voldaan door het feit dat ze gedaan had wat ze moest doen. Daarna was ze hartstochtelijk teruggekeerd naar haar aseksuele bestaan.

Naomi rolde op haar buik. Ze rekte haar vingers en tenen. Misschien vertelde haar lichaam haar gewoon dat ze het voor de verandering eens wat rustiger aan moest doen. Haar angst vanwege mini-Noah was stom. Wat was er nou om zich zorgen over te maken? Het was een kartonnen pop. En als Gene het verpestte, nou en?! Het werd tijd dat ze haar grip op dingen waar ze toch geen controle over had wat liet vieren. Dat ze wat aardiger werd voor zichzelf.

Trap ik daarin? vroeg ze zich af, terwijl ze haar ogen sloot en zich onder de dekens nestelde. *Dat het getintel en die hoofdpijn gewoon waarschuwingen van mijn lichaam zijn en verder niets? Ik wil het geloven. Meer dan wat dan ook. Maar ik denk niet dat ik dat doe.*

23

Borrelen

Sabine zat aan de bar en probeerde zonder veel overtuiging een manuscript over een vrouwelijke weerwolf met een gillend libido te redigeren. Waarom dit een bestsellerreeks was, ontging haar volkomen, maar de fans hadden de twee vorige delen verslonden. De stijl was prima, maar de inhoud... Tja, wat moest ze daar nou van zeggen? Wat op haar lachwekkend overkwam, was duidelijk succesvol bij het boekkopende publiek.

Ze wreef over haar slapen en vroeg zich, voor de elfde keer die dag, af waarom zij niet gewoon door de zure appel heen beet en haar eigen roman over een of ander huiddoorborend, geil halfzoogdier schreef. Na al die jaren manuscripten fijnslijpen, moest ze de succesformule nu toch wel uit haar hoofd kennen.

Sabine wist dat het antwoord veel verder ging dan het obstakel van haar eigen smaak. Ze was gewoon niet gedreven genoeg. Ze mocht dan voortdurend haar ogen ten hemel slaan van frustratie en ongeloof over romans als deze, maar ze moest het de auteurs nageven: hun toewijding aan hun ambacht was indrukwekkend. Sabine dacht aan haar eigen gebrek aan doorzettingsvermogen en schudde vol afschuw haar hoofd. Ze wilde het gewoon niet graag genoeg.

'Is het zo erg?' kwam een stem van achter haar linkerschouder. Ze draaide zich om en zag Bess.

'Hé!' riep ze uit, terwijl ze van haar kruk sprong om haar te omhelzen. 'Hoe is het?'

'Goed. Gewoon het zoveelste dagje in de mallemolen.' Bess wees naar Sabines volgekliederde manuscript op de bar. 'Het ziet ernaar uit dat jij net zo'n soort dag hebt.'

'Ja,' beaamde ze. 'Het was behoorlijk erg.'

'Ik kan mijn werk tenminste achterlaten op kantoor,' zei Bess. 'Jij moet die ellende mee naar huis nemen, hè?'

'Meestal wel. Ik heb hier overdag gewoon geen tijd voor, weet je? Je hebt rust nodig om te kunnen redigeren en er gebeuren zo veel andere dingen; er zitten gewoon niet genoeg uren in een dag.'

'Wel ironisch dat je het enige wat echt binnen je functieomschrijving past, nou precies buiten kantooruren doet, hè?'

'Inderdaad,' zei Sabine. Ze schudde de papieren tot een nette stapel en deed er een elastiekje om.

'Wat voor soort manuscript is dat? Ik zag je gefrustreerd je hoofd schudden toen ik binnenkwam.' Bess hoopte dat ze erin slaagde haar nervositeit te maskeren. Toen ze haar taperecorder stevig tegen haar ribben plakte, had ze zich een onbeholpen James Bond gevoeld. Haar vorige pogingen om zich woordelijk te herinneren wat Sabine, Charlie en Naomi onthuld hadden, waren op zijn zachtst gezegd weinig succesvol gebleken. Vanavond moest ze er een schepje bovenop doen. Met vertrouwen op haar geheugen kwam ze er nu niet.

'O, het is een weerwolfromance, wat anders?'

'Ach,' antwoordde Bess meelevend. 'Klinkt leuk.' Bess ging op een kruk naast Sabine zitten. 'Zou jij ooit een romannetje kunnen schrijven?' vroeg ze aan Sabine. 'Ik bedoel, ik weet dat dat waarschijnlijk niets voor jou is, maar je zou het wellicht met je ogen dicht kunnen doen, toch?'

'Ik weet niet of ik überhaupt nog wel iets zou kunnen schrijven.' Sabine slaakte een diepe zucht voordat ze verderging. 'Ik bedoel, pas nog had ik eindelijk – na een maandenlange winterslaap – inspiratie, maar toen ik thuiskwam om het op te schrijven, werd ik al afgeleid voordat ik de eerste alinea goed en wel af had.'

'Afgeleid door een man?'

'Ik beken,' lachte Sabine. 'Maar hoe dan ook, het is echt bizar. Ik bedoel maar, wíl ik eigenlijk nog wel schrijven?' vroeg Sabine. 'Of denk ik gewoon dat ik dat wil?'

Bess keek haar peinzend aan. 'Ik snap wat je bedoelt. Het is lastig om daarachter te komen. Ik probeer dingen op het spoor te komen die zouden kunnen leiden tot een interessant verhaal dat niets te maken heeft met de idiote eentonigheid van mijn dagelijkse werk, maar dan ben ik vervolgens te slap om door te zetten,' bekende ze.

Ze dacht aan haar artikel. Dit keer was het uiteraard anders, maar er hing ook een stevig prijskaartje aan: het zou ten koste gaan van de opbloeiende vriendschap met drie behoorlijk indrukwekkende dames. Aan de andere kant: het hoefde geen vernietigende uiteenzetting over de passieve status van de vrouwelijke gedrevenheid te worden.

Ook al probeerde ze een schuldgevoel weg te redeneren, Bess wist dat ze deze vrouwen op een persoonlijk vlak verraadde. Ze drong zonder hun toestemming hun privéleven binnen en oordeelde – om nog wat olie op het vuur te gooien – ijskoud over hen. Bess kromp een beetje ineen bij die gedachte; ze hoopte dat Sabine het niet zag.

'Het is een hele geruststelling om te horen dat ik niet de enige ben die er moeite mee heeft,' zei Sabine. 'Meestal ben ik boos op mezelf dat ik zo'n slapjanus ben, maar het zal voor iedereen die zijn baan probeert te houden wel moeilijk zijn, toch? Ik bedoel maar, kun jij je voorstellen dat wij nu een gezin zouden hebben? Voor baby's moeten zorgen en proberen je werk met al die andere dingen te combineren? Ik heb geen idee hoe Naomi het voor elkaar krijgt.'

Bess knikte. 'Weet ik. Ik kan het me ook niet voorstellen. Nu je het zegt, zij en Charlie komen toch ook?'

'Jawel. Ik ben blij dat we eindelijk een tijd hebben gevonden waarop we buiten de les bij elkaar kunnen komen.'

'Super om iets met de groep te doen. Ik dacht dat Naomi het misschien wel druk zou hebben met Noah en Charlie les moest geven.' In eerste instantie had Bess liever met hen allemaal een gesprek onder vier ogen willen hebben, maar eigenlijk had Sabine gelijk: de groepsdynamiek had iets wat stimulerend werkte op ontboezemingen. En nu er al een derde van de lessen op zat, besefte Bess maar al te zeer dat haar toegang tot hen beperkt was.

'Hallo, dames!' hoorden ze achter zich. Ze draaiden zich om op hun krukken en zagen een stralende Naomi en Charlie staan.

'We liepen elkaar bij binnenkomst tegen het lijf,' legde Naomi uit. 'Perfecte timing.'

Ze begroetten elkaar vriendelijk.

'Zullen we een tafel nemen?' vroeg Charlie. Ze was een beetje gespannen vanwege het feit dat ze nu buiten de studio met Sabine, Bess en Naomi had afgesproken. Het was moeilijk om niet in de rol van lerares te schieten, ondanks haar beste bedoelingen. Ze dacht aan haar gesprek met Sasha. Ze kon net zo goed even oefenen in het verschuiven van haar zorgvuldig vastgestelde grenzen. Waarom zou ze zich niet een beetje kwetsbaar opstellen? Alleen al die gedachte maakte haar gespannen. Ze hoopte dat de vrouwen haar opgelatenheid niet in de gaten hadden. Ze had behoefte aan een borrel.

'Natuurlijk,' antwoordde Sabine. 'Daar in de hoek is er een.' Zij en Bess pakten hun spullen en ze liepen alle vier naar de tafel.

'Wat is die winter toch klote!' mokte Sabine, nadat ze zich allemaal uit hun jas hadden geworsteld en die op verschillende haakjes achter zich gehangen hadden. 'Ik heb zo'n zin in jasloos weer.'

'Zeg dat,' beaamde Charlie. 'Gewoon lekker kunnen lopen, zonder die gigantische donzen gevangenissen aan.'

De serveerster naderde de tafel. 'Wat willen jullie drinken?' vroeg Naomi.

'Rode wijn lijkt me heerlijk,' antwoordde Bess.

'Voor mij ook,' stemde Charlie in.

'Jij ook, Sabine?' vroeg Naomi.

'O ja, natuurlijk,' antwoordde ze. Naomi bestelde een fles en de serveerster liep weg. 'Ik hoop dat jullie je allemaal kunnen vinden in syrah,' zei Naomi. 'Ik dacht dat dat wel een veilige keus zou zijn. En het is een van de goedkoopste flessen op de kaart,' voegde ze eraan toe.

'Zo mag ik het horen,' zei Bess. 'Het is echt gestoord wat ze erbovenop gooien. Een fles die hier dertig dollar kost, kun je in de winkel voor, pak 'm beet, elf negenennegentig krijgen.'

'Weet ik,' beaamde Charlie. 'Heeft een van jullie trouwens de laatste tijd wel eens melk gekocht?' vroeg ze vol gespeeld afgrijzen. 'Dat kost een vermogen!'

'Het is echt eng zoals de economie nu in de shit zit,' zei Naomi. 'Eten voor twee kopen is tegenwoordig bijna niet te doen. Met het geld dat ik elke maand uitgeef, zou ik een week naar Tahiti kunnen.'

'Hoe is het met Noah?' vroeg Sabine.

Naomi glimlachte. 'O, geweldig. Hij is echt geweldig. We hebben een lang gesprek gevoerd over dat het oké is dat ik af en toe in mijn eentje 's avonds uitga. Hij had het er in het begin best moeilijk mee, maar toen begon het hem langzaamaan te dagen. Na iets van een half uurtje pruilen gaf hij me een stevige knuffel voordat ik vertrok en zei dat ik er mooi uitzag. Hij is volmaakt.'

'Gek hé, dat mannen zo weinig veranderen?' zei Sabine. 'Volgens mij had ik vorig jaar nog verkering met zo'n jongen, alleen zei hij nooit dat ik er mooi uitzag.'

Bess lachte. 'Serieus. Zo moeilijk is het niet om te zien hoe ze als klein jochie waren, toch?'

'Totaal niet,' zei Charlie. 'Vooral als ze iets wat ze heel graag willen niet kunnen krijgen. Ik heb in mijn tijd heel wat mannelijke driftbuien gezien, geloof me.'

'Heb jij een vriend, Charlie?' vroeg Naomi.

Charlie schudde haar hoofd. 'Neeeee. Eerlijk gezegd denk ik niet dat ik nu tijd voor een man zou hebben, zelfs als het tot de mogelijkheden behoorde.' Nog voor ze uitgesproken was, vroeg Charlie zich af of dat wel waar was. Ze keek naar de vrouwen om zich heen en overwoog hun te vertellen over Neil en het feit dat het haar maar niet lukte om over hem heen te komen. Ze zouden ongetwijfeld meelevend zijn en raad geven. Maar ze kon zich er gewoon niet toe zetten. Er stond te veel op het spel – hun respect namelijk. Ontdekken dat hun yogalerares een hoopje ellende was? Ondenkbaar.

'Hoe gaat het met de studio?' vroeg Bess. Charlie tot een openhartig gesprek bewegen, was net zoiets als het uit elkaar buigen van ijzeren tralies. De vrouw was zo gesloten als een oester. Heel subtiel verschoof Bess de taperecorder. Het apparaat knelde.

'O, zijn gangetje. De lessen en de mensen zijn geweldig, maar de dagelijkse bullshit is stomvervelend.'

'Wat dan?' vroeg Naomi.

'Ach, je weet wel, rekeningen, geld, loodgieters, bla bla bla. Al dat suffe gedoe achter de schermen.'

De serveerster keerde terug met hun fles. Ze bleef staan om het etiket te laten zien, de fles te ontkurken en een beetje voor Naomi in te schenken, zodat zij kon proeven. Naomi deed dat en knikte goedkeurend.

'Waarom heb je besloten je eigen studio te beginnen?' vroeg Bess, toen alle glazen gevuld waren. Nu ging het erom spannen.

Charlie knipperde snel met haar ogen; dat was een zenuwtic van haar. Moest ze onthullen hoe ze tot die monumentale beslissing was gekomen of zou ze haar gebruikelijke antwoord geven? Ze besloot de veilige weg te kiezen.

'Ik ben ongeveer vijf jaar geleden met yoga begonnen en dat heeft gewoon mijn leven veranderd,' vertelde ze. 'Ik haalde steeds minder voldoening uit mijn baan, weet je?' De vrouwen knikten instemmend. 'Ik had verschrikkelijk hard en voor mijn gevoel verschrikkelijk lang gewerkt aan iets waarvan ik blijkbaar erg weinig genoot. Het was tijd voor iets anders en gelukkig was de timing goed. Ik ontmoette Julian en Felicity en we besloten onze krachten te bundelen. Voilà: Prana Yoga.' Charlie lachte. Dat was niet helemaal gelogen. Sterker nog, het was bijna helemaal waar, behalve dan een essentieel detail of twee.

'Vond je het niet eng?' vroeg Naomi. 'Stel dat de studio mislukt was en jij al je geld kwijt zou zijn?'

'Nou, zeg nooit nooit,' zei Charlie, terwijl ze een grote slok wijn nam. 'Dat kan nog steeds gebeuren. Ik vond gewoon dat ik de gok moest wagen. En in het ergste geval, als het inderdaad misgaat, kan ik altijd terug naar Big Brother om aan de slag te gaan voor een of andere gigantische geldmachine. Dat ambacht beheers ik.'

Bess knikte. 'Dat is waar,' zei ze. 'Maar toch, je kunt niets anders dan respect opbrengen voor jouw moed en het vasthouden aan je droom.' De kant die dit gesprek als vanzelfsprekend op ging, beviel haar wel. Misschien was het artikel dan toch geen doodgeboren kindje. Ze keek de tafel rond, wachtend tot een van de andere vrouwen in zou gaan op wat zij gezegd had. Alsof ze haar gedachten kon lezen, zei Naomi: 'Ik ben het met Bess eens. En bovendien krijg je ook nog punten voor het feit dat je überhaupt weet wat je wilt. Vaak heb ik het gevoel dat ik totaal vergeten ben waarom ik eigenlijk doe wat ik doe.'

'Hoe bedoel je?' vroeg Sabine.

'Nou ja, blijkbaar ben ik op de een of andere manier uiteindelijk websites gaan ontwerpen,' antwoordde Naomi. 'Het is me niet zomaar in de schoot geworpen. Ik maakte altijd foto's, weet je? Dat was mijn grote passie. En toen dat niet ging zoals ik altijd gedacht had dat het zou gaan, liet ik het achter me om me te focussen op iets lucratievers. Ik bedoel, fotografie en webdesign hebben natuurlijk wel iets gemeen, maar ik kan niet om het feit heen dat het me, in wat ik nu doe, ontbreekt aan belangstelling en hartstocht.'

'Maar je moest gewoon iets hebben wat je een hoger basisinkomen zou opleveren,' zei Sabine. 'Je bent een alleenstaande moeder in New York. Over rekeningen gesproken – die van jou moeten astronomisch zijn.'

'Zeker. En ik zou nooit meer zonder Noah kunnen. Hij heeft mijn leven honderd procent mooier gemaakt op manieren die ik nooit uit zou kunnen leggen. Maar zelfs als ik foto's van hem maak, gewoon voor ons, heb ik iets weifelends wat ik nooit mee heb gemaakt toen ik fulltime fotograaf was. Het is alsof ik nu bang ben om foto's te maken. Wat moet ik doen als na een paar keer klikken de hartstocht weer oplaait? Ik kan mijn baan niet opgeven.' Ze zweeg even en nam een slokje wijn. 'Jèk, moet je mij horen, ik ga maar door.' Ze voelde zich ontzettend op haar gemak bij deze vrouwen. *Zal ik ze vertellen over dat getintel? Misschien kunnen ze hel-pen. Of misschien stellen ze te veel vragen en word ik kierewiet.* Ze had al de fout gemaakt om haar symptomen te googelen. Wat ze online gevonden had was doodeng. Ze besloot niets te zeggen. Praten over wat het ook was wat haar mankeerde, maakte het echt – té echt voor een avondje borrelen met haar yogavriendinnen.

'Nee, ik begrijp wat je bedoelt,' zei Bess. 'Nou ja, ik heb natuurlijk geen kind, maar Sabine en ik hadden het voor jullie komst over precies hetzelf-de. Ook al weet ik verstandelijk dat ik tijd kan maken om verslag te doen van gebeurtenissen die ik wil verslaan, ik bedenk altijd tig redenen om het niet te doen. Je weet wel, ik moet naar de sportschool, ik moet bood-schappen doen of mijn spullen ophalen bij de stomerij. Ik moet dingen met Dan doen. Tuurlijk, ik moet al die dingen ook echt doen, maar ik zou best de tijd kunnen vinden om mijn dromen te verwezenlijken als ik dat echt zou willen. De vraag is: wil ik het echt of denk ik dat alleen maar?' Bess dacht aan de taperecorder die vastgeplakt zat aan haar ribben. Wilde ze dit doen? Wat was ze toch hypocriet. Deze vrouwen waren net als zij.

'Wacht even, wie is Dan?' vroeg Charlie. 'Ik wist helemaal niet dat je een vriendje had, stiekemerd!'

Bess voelde zich opeens gevangen in de verwachtingsvolle blikken van Charlie en Naomi. Ze had Sabine al over haar langeafstandsrelatie met Dan verteld. Moest ze tegen de anderen dan ook maar open kaart spelen? Zou ze, door hun echt het gevoel te geven dat ze haar vriendinnen waren, het verraad niet alleen maar erger maken? Ze besloot ervoor te gaan in de hoop dat ze met haar bijdrage het gesprek nog een stukje openhartiger kon maken.

'Dan is mijn vriend, ja,' antwoordde Bess, opeens verlegen. Ze voelde haar wangen rood worden. Sabine knikte haar bemoedigend toe. Wel lief trouwens, dat ze niet zei dat zij wel van Dans bestaan af wist.

'Wie is hij? Wat doet hij?' vroeg Naomi opgewonden. 'Hoe hebben jul-lie elkaar ontmoet?'

'Hier in New York, op een toevallig feestje,' antwoordde Bess op de laatste vraag. 'Je kent het wel: ik wilde er helemaal niet naartoe, maar na dagen van heerlijke vrijwillige eenzame opsluiting sleurde ik mezelf van de bank af. Ik ging erheen en daar was hij. We zijn nu ongeveer een jaar sa-men.'

'Wauw, wonen jullie al samen?' vroeg Charlie.

'Was het maar waar. Hij is dus naar LA verhuisd. Hij volgt een opleiding voor scenarioschrijver aan de universiteit van Zuid-Californië.'

'Is het een beetje te doen, zo'n langeafstandsrelatie?' vroeg Naomi.

'Niet echt. Het is zwaar, begrijp je? Elkaar niet lijfelijk zien, maakt het allemaal ongelooflijk anders. Maar we proberen elkaar minstens één keer per maand te zien.'

'Hoe lang duurt die studie?' vroeg Naomi.

'Twee jaar. Maar als het afgelopen is, zal Dan waarschijnlijk in LA moeten blijven voor werk. Het is moeilijk om in New York werk als scenarioschrijver te krijgen, relatief gezien althans.'

'Echt?' vroeg Charlie. 'En wat ga jij dan doen?'

Bess stak haar hand uit naar de nu praktisch lege wijnfles. Waarom ging het gesprek nu opeens alleen maar over haar? 'Ik weet het niet. Ik hou van hem, maar ik wil niet alles waar ik zo hard voor gewerkt heb achterlaten voor hem. Ik bedoel maar, tien jaar bloed, zweet en tranen in de tijdschriftenwereld is niet niks. Om nog maar te zwijgen over het feit dat ik net naar een woning ben verhuisd waar dus echt ruimte is. Dat opgeven lijkt gewoon naïef, snap je?'

'Maar jullie houden van elkaar,' zei Charlie timide. 'Dat weegt best zwaar. Als je dat over het hoofd ziet door naar het formaat van je appartement te kijken, denk ik dat je jezelf geen dienst bewijst. Ik bedoel, in LA zou je toch ook kunnen werken? Heeft jouw tijdschrift geen afdeling aan de westkust?'

Bess knikte. 'Jawel. Heel veel van die stomme tijdschriften hebben dat. Maar daar gaat het juist om. Ik probeer te breken met dat stomme en over te stappen op icts inhoudelijks. LA en inhoud sluiten elkaar uit. Ze zijn water en vuur.'

'En de *Los Angeles Times* dan?' vroeg Sabine, die nu toch haar mond opendeed. 'Je New Yorkse referenties zijn waarschijnlijk buiten New York een stuk indrukwekkender. Daar kun je je mee naar binnen werken en vervolgens je imperium uitbreiden.'

Gefrustreerd schudde Bess haar hoofd. 'Kranten zijn op sterven na dood en dan nog, ik zou nog steeds achter hem aan gaan. Mijn hele leven – mijn dromen! – opgeven voor een man. Dat klinkt mij verschrikkelijk ouderwets in de oren. En dan heb ik het nog niet eens over de verbolgenheid die ik jegens hem zou koesteren en het feit dat ik terug zou keren naar de plek waar ik ben opgegroeid. De helft van mijn leven heb ik daar weg gewild.' Met een schuldgevoel dacht ze aan haar ouders en haar vaders ziekte. *Ik moet snel naar hen toe.*

'Volgens mij bekijk je het van de verkeerde kant,' zei Naomi. 'Jij beschouwt het als een eind in plaats van als een begin.'

'Mooi gezegd, Naomi!' zei Sabine. 'Ik probeerde haar net precies hetzelfde duidelijk te maken.'

'Als jij van Dan houdt en hij van jou, dan is een verhuizing om samen te zijn gewoon een logische volgende stap. Jouw dromen stammen nog uit de tijd dat je alleen was en zijn dus heel individualistisch, maar nu je iemand anders hebt om rekening mee te houden, kun je ook proberen je dromen zo te kneden dat ze bij twee personen passen.' Naomi zweeg, ze was blijkbaar onder de indruk van haar eigen wijsheid. 'Wauw, ik wist niet dat ik het in me had!' riep ze uit. 'Dat moet aan al die yoga liggen, Charlie.'

Charlie lachte. 'Vast! Maar Naomi, je slaat de spijker op zijn kop. Dat is ook min of meer de reden dat ik zo gek op yoga ben. Yoga heeft me van alles geleerd over ontwikkeling, zowel op een spiritueel als op een fysiek vlak, weet je?'

'Hoe bedoel je?' vroeg Bess.

'Yoga draait om het jezelf overgeven aan een inwendig ritme,' legde Charlie uit. 'Je komt in contact met je innerlijke wezen om op een fysiek niveau beter te kunnen functioneren. Je ontwikkelt je vanbinnen om je vanbuiten te kunnen ontwikkelen.'

'Ongelooflijk,' zei Sabine. 'Het klinkt volkomen logisch.'

'Jullie zijn allemaal heel wijs,' zei Bess. 'Het is een geweldig advies, echt, maar ik weet gewoon niet of ik me als individu al voldoende ontwikkeld heb om echt als een twee-eenheid verder te gaan. Of ik ben gewoon een enorme schijterd. Ik bedoel, onderzoeksjournalistiek is altijd mijn droom geweest, en ik vermoed ware liefde ook wel, maar nooit zo concreet. Die twee met elkaar in evenwicht brengen, lijkt bijna onmogelijk. Mannen nemen veel tijd in beslag.'

'Alleen als jij dat toestaat,' zei Naomi. 'Volgens mij ben jij je voldoende bewust van jouw tijd en de besteding daarvan om niet verstrikt te raken in de onvermijdelijke mannelijke overheersing daarvan. Iets zegt me dat jij geen enkel probleem zult hebben om voor jezelf op te komen.'

'Wauw,' zei Bess. 'Dank je.' Ze meende het nog ook. Zulk liefdevol, verstandig en meelevend advies had ze niet meer gehad sinds... Tja, sinds nooit. Ze vocht tegen de neiging haar trui op te tillen en de taperecorder te onthullen. Hoe kon ze dit artikel nu schrijven als ze allemaal in dezelfde strijd verwikkeld waren?

'Ik heb het gevoel dat ik in *The Tyra Banks Show* zit,' zei Sabine, waarmee ze de stilte verbrak.

'Zeg dat wel!' beaamde Charlie. 'Er is behoorlijk wat zusterschap aan deze tafel.'

Bess lachte opgelucht. 'Nou en of! En trouwens, ik begin een beetje aangeschoten te raken. Willen jullie iets te eten bestellen?'

'Ja, graaaaaaag!' antwoordde Naomi. 'Mijn maag is momenteel zichzelf aan het verteren.'

Bess gebaarde naar de serveerster. Deze vrouwen hadden waanzinnige dingen te vertellen, maar zij worstelde nog steeds met wat een verhuizing naar la echt voor haar zou betekenen. Ondanks haar tegenstrijdige emoties voelde ze zich gezegend. Met dit samenzijn, met Dan, met de kansen die voor het grijpen lagen… Haar glas was vol. Nou ja, figuurlijk gesproken dan, dacht ze, toen ze naar de lege fles op tafel keek en glimlachte.

24

Charlie & Naomi

'Niet te geloven dat ik drie stukken pizza heb gegeten,' kreunde Charlie, toen zij en Naomi aangeschoten op de metro zaten te wachten. 'Hoe heb ik dat kunnen doen?'
'Dat heb je niet gedaan,' antwoordde Naomi. 'Dat kwam door de wijn. En trouwens, het waren nette stukken.'
'Nette stukken? Wat zijn dat?'
'Je weet wel, het was een yuppietent. De stukken waren klein. Drie van die stukken zijn feitelijk maar de helft daarvan in de wereld van de echte pizza,' legde Naomi uit.
Charlie lachte. 'Leuk bedacht, Naomi. Maar er lagen wel bergen kaas op. En vergeet de caesarsalade en de calamaris niet.'
'Waarom probeer je de feestvreugde te bederven?' vroeg Naomi, terwijl ze Charlie speels wegduwde. 'Als je dronken bent, tellen calorieën niet.'
Ze wist niet zeker of het door de drank of het gezelschap kwam, maar ze voelde zich voor het eerst sinds weken erg goed – geestelijk en lichamelijk. Het was uitputtend, zo niet totaal deprimerend, om zo gespitst te zijn op alles wat er in je lichaam gebeurde; van de kleinste spierspanning tot de mysterieuze blauwe plek die ze op haar bovenbeen had aangetroffen. En dat dan ook nog allemaal voor jezelf houden... was een zware last. Ze vroeg zich af of het zou helpen als ze Charlie erover vertelde.
'Weer zo'n dieetjuweeltje! Oké, oké, ik hou op over calorieën. Zelfs als morgen mijn buik boven mijn broek uitpuilt tijdens mijn les van zeven uur, zal ik niets zeggen. Beloofd.'
'Afgesproken,' zei Naomi. De metro kwam het station binnenrijden. Zodra ze ingestapt waren, trok Naomi met een ruk haar muts van haar hoofd. Ze vroeg zich af of Charlie wel eens gehoord had van symptomen als die van haar; of ze zou lachen en zeggen: neem me niet kwalijk

hoor, maar dit is duidelijk een kwestie van conditiegebrek. Naomi hoopte op zo'n soort reactie, maar ze wist dat dat nogal naïef van haar was. Iemand als Charlie, die zo in harmonie met haar lichaam was, zou nooit zo geringschattend reageren. Ze wierp een nerveuze blik op haar. Ze zat met haar hoofd tegen de wand en met gesloten ogen te grijnzen. Ze leek een beetje dronken. Misschien was dit niet het juiste moment om haar problemen ter sprake te brengen. Over het bederven van de feestvreugde gesproken.

Charlie deed opeens haar ogen open en keek Naomi aan. 'Wanneer ben jij voor het laatst verliefd geweest?' vroeg ze.

'Goh, dat is nog eens een interessante vraag. Hoe kom je daar nou zo opeens bij?' Absoluut dronken, dacht Naomi. Ze had Charlie nog nooit zo onbevangen gezien.

'Je ontwijkt mijn vraag!' zei Charlie.

Naomi lachte. 'Ja, dat denk ik ook. Hmmm, de laatste keer dat ik verliefd was. Dat moet Noahs vader geweest zijn. Gene. We zijn zo'n beetje negen jaar geleden uit elkaar gegaan, dus… daar heb je je antwoord.'

Charlie knikte. 'Voor mij is het vier jaar geleden.' Ze slaakte een diepe zucht. 'Vier verdomde jaren.'

'Wie was het?' vroeg Naomi. 'Wat is er gebeurd?'

Charlie ging opeens rechtop zitten en schudde haar hoofd in een poging alles op een rijtje te krijgen. 'O god, moet je mij nou zien! Zatlapje! Neem me niet kwalijk, het komt door die verdomde wijn.' Ze lachte verlegen en onthulde daarmee paarsgetinte tanden.

'Jee, je tanden zijn paars! De mijne ook?' Naomi ontblootte haar tanden.

'Zeker weten!' kirde Charlie. 'Lekker stelletje zijn wij. Een dronken yogi en een dronken moeder die lyrisch zijn over verloren gegane liefde. Het lijkt wel zo'n zielig praatprogramma op televisie.'

'Weet je nog dat ze op college die programma's altijd uitzonden in het rokersgedeelte?' vroeg Naomi. 'De hele dag door niets anders dan *Jerry Springer, Geraldo* en slóffen Camel lights. Jezus. Je had bijna een zaklamp nodig om in die rookwolk iemand te vinden.'

'Nou!' zei Charlie. 'Omdat ik zo'n vlijtig liesje was, heb ik daar nooit gezeten, maar als ik naar de wc ging stak ik altijd even mijn hoofd om de deur om me te vergapen aan de mate van losbandigheid. Het leek daar wel een hormonendierentuin.'

Naomi lachte. Ze wilde dat Charlie haar wat meer vertelde over haar voormalige geliefde. Als zij zich wat meer blootgaf, zou het voor Naomi misschien wat makkelijker zijn om van haar hart geen moordkuil te maken.

Charlie, die zich maar half bewust was van de opgelatenheid die ze met haar dronken liefdesvraag had veroorzaakt, staarde in de verte en dacht na over haar vroegere leven. Altijd als ze dacht aan haar studietijd, hoe ze zich van en naar lessen en de bibliotheek haastte en continu studeerde, wilde ze terug in de tijd gaan om zichzelf een knuffel te geven. 'Rustig aan,' zou ze dan zeggen. 'Leer jezelf kennen. Je hebt alle tijd van de wereld om je te haasten.'

'Even nog over dat liefdesgebeuren,' zei Naomi, waarmee ze Charlies nostalgische reis terug in de tijd onderbrak. 'Wat is er gebeurd?'

Charlie kromp ineen bij die vraag, hoewel zij er zelf over begonnen was. Vanzelfsprekend hielp de wijn, maar ze voelde zich bij Naomi ook voldoende op haar gemak om een laagje of twee af te pellen. *Vooruit met de geit.*

'Eerlijk gezegd is mijn hart nog steeds een soort van gebroken. Ik heb moeite met loslaten.' Ze wierp haar handen in de lucht alsof ze wilde zeggen: klaag me maar aan.

Naomi knikte meelevend. 'Niets om je voor te schamen, liefje. Soms duurt het veel langer dan je zou willen. Jij kent jezelf het beste. Je moet doen wat je moet doen om voor jezelf te zorgen.'

'Jawel. Hij was mijn eerste grote liefde, snap je? En toen het kapotging, ging ik kapot. Ik vraag me soms af of ik me ooit weer open zal kunnen stellen. Ik heb op dat gebied de deur al zo lang dichtgehouden, dat het alternatief onmogelijk lijkt.'

'Nooit onmogelijk. Gewoon moeilijk.' Naomi klopte op Charlies hand. 'Ik weet alles van liefdesverdriet. Moet je je voorstellen dat je kapot bent, er vervolgens langzaam bovenop komt – om dan elke morgen een miniatuurversie van de hartenbreker aan je keukentafel te zien zitten. Echt te gek.'

'Wauw, ik heb daar nooit bij stilgestaan,' zei Charlie. 'Dat is bizar. Lijkt Noah heel erg op zijn vader?'

'Nee, niet helemaal. Maar genoeg. En het is waanzinnig, maar soms lijkt de intonatie van zijn stem als twee druppels water op die van Gene… Griezelig gewoon.'

'Heeft Noah contact met zijn vader?' vroeg Charlie.

'Jawel, elke zondag. Hij was lange tijd van de aardbodem verdwenen, maar ongeveer een jaar geleden stond hij opeens voor mijn deur, helemaal klaar voor koek en ei.'

'Dat moet ongelooflijk zwaar voor je geweest zijn.'

'Ja, dat was het ook,' bekende ze. 'Maar hij is goed voor Noah. En hij draagt bij in de kosten, wat enorm veel scheelt, snap je?'

'Vast. Voel je nog iets voor hem?'

'Godzijdank niet. Daar ben ik iedere dag dankbaar voor. We waren eigenlijk al uit elkaar voordat Noah werd verwekt, en toen hij ons de rug toekeerde, verdween alles wat in de verte ook maar aan aantrekkingskracht deed denken als sneeuw voor de zon.'

Charlie knikte. 'Je klinkt als iemand met overtuiging. Als iets voorbij is, is het voorbij.' Was zij maar zo resoluut. Misschien dat Naomi's invloed haar kon helpen om zich aan Neils greep te ontworstelen.

'O, alsjeblieft,' zei Naomi, terwijl ze het compliment wegwuifde. 'Ik ben een wrak.' Ze rechtte haar rug en keek Charlie recht in de ogen. Het was nu of nooit.

'Waarom, wat is er aan de hand?' vroeg Charlie.

'Ik voel me de laatste tijd lichamelijk niet zo goed,' bekende ze. 'Ik vroeg me af of jij iets zou kunnen zeggen over wat er allemaal gebeurd is. Je weet wel, aangezien jij zo in contact staat met je lichaam via yoga en zo.'

Charlie legde haar hand op die van Naomi; de angstige blik op haar gezicht werkte abrupt ontnuchterend. 'Hé, natuurlijk. Ik ben geen dokter, maar ik wil je op alle mogelijke manieren helpen.'

Naomi haalde diep adem en beschreef haar symptomen. 'Denk je dat dit gewoon een kwestie is van een slechte conditie?' vroeg ze, toen ze klaar was.

'Goh, Naomi. Ik denk helaas niet dat het zo eenvoudig is. Ik bedoel, als dat het geval was, hoe zou je dan die hoofdpijn verklaren?'

Naomi zuchtte. 'Ik weet het.' Zonder dat ze het wilde sprongen de tranen in haar ogen. *Shit.*

'Hé, hé,' zei Charlie troostend. Ze pakte Naomi vast. Ze had zo'n medelijden met haar. 'Maar dat hoeft niet per se te betekenen dat er iets verschrikkelijks is, Naomi. Misschien is het gewoon een virus. Of misschien is er een wervel in je rug verschoven.'

'Denk je dat dat het is?' vroeg Naomi. 'Ik hoop dat het zo simpel is. Alleen heb ik helemaal geen pijn aan mijn rug. Dat moet toch pijn doen?'

'Het zou zo diep vanbinnen kunnen zitten, dat je vanbuiten nog niets voelt,' antwoordde Charlie. 'Of het zou ook stress kunnen zijn. Stress kan zich op de vreemdste manieren manifesteren.'

Naomi knikte. 'Ja, daar heb ik ook aan gedacht. Ik ben de laatste tijd nogal gestrest.' Ze dacht aan dat stomme gedoe met mini-Noah dat haar, ondanks het feit dat ze zich echt had voorgenomen het te relativeren, nog steeds dwarszat.

'Yoga is geweldig tegen stress,' zei Charlie. 'Misschien moet je overwegen om doordeweeks ook eens te komen. Of, als dat vanwege Noah niet kan, zou ik je wat oefeningen voor thuis kunnen geven.'

'Echt? Zou je dat kunnen doen?'

'Natuurlijk. Maar ondertussen ga jij wel naar de dokter, hè?'

'Jawel, ik heb volgende week een afspraak. Met een neuroloog.'

'Goh, een specialist? Dat is waarschijnlijk ook het slimste wat je kunt doen, met die hoofdpijn en zo.'

'Ja, dat hoop ik.'

De metro reed Naomi's station binnen. 'Ik ben er!' zei ze, terwijl ze Charlie stevig omhelsde. 'Bedankt voor al je geweldige raad.' Ze liet haar los en keek haar aan. 'Ik vind je echt geweldig, Charlie.'

'Insgelijks,' zei Charlie. Ze lachte vriendelijk. 'En hou me alsjeblieft op de hoogte van alles. Ik meen het!'

Toen Naomi de metro uitstapte, dacht Charlie na over haar symptomen. Zeker, stress was zo geniepig als het maar kon, maar ze had nog nooit gehoord dat het zo'n invloed op de hersens kon hebben. Die hoofdpijn, dat wel, maar dat getintel? Ze slaakte een diepe zucht. Een van haar leerlingen had te maken gekregen met vergelijkbare verschijnselen en had zich, naast het volgen van een of twee yogalessen per week, helemaal op de acupunctuur gestort. Ze had een schijnbaar eindeloze zoektocht ondernomen, die uiteindelijk had geleid tot de diagnose MS en, kort daarna, medicijnen. Het ging nu goed met haar; een beetje vermoeid en met blauwe plekken door haar dagelijkse injecties, maar verder gewoon een normale vrouw van in de dertig. Normaal, behalve dan die ongeneeslijke ziekte.

Laat het alsjeblieft goed komen met Naomi. Een alleenstaande moeder heeft het al moeilijk genoeg. Jezus, en ik maar stressen over die stomme Neil. Terwijl er aan alle kanten om me heen pas échte shit is! Waarom blijft hij maar steeds rondspoken in mijn hoofd? Waarom blijf ik die ommezwaai in mijn leven aan hem toeschrijven? Was het makkelijker om hem de eer te gunnen dan zichzelf? Ergens vermoedde ze dat dat zo was, in de zin dat als haar carrière mislukte ze hem ook de schuld kon geven. Maar die mislukte duidelijk niet en haar liefde voor de uitoefening van haar vak schonk haar echt voldoening. *Ik had yoga ook vast wel in mijn eentje gevonden, zonder Neil.* Het werd tijd om de gedachte te omhelzen dat zij al die tijd al stilletjes naar iets op zoek was geweest. En dat Neil gewoon de poortwachter was geweest – de gemene centaur bij de poort naar haar onvermijdelijke toekomst.

Op straat verwonderde ze zich over dit nieuwe zelfinzicht. Het was alsof er een zware last van haar schouders viel. Ze hoopte met heel haar hart dat ze dit opgeruimde gevoel morgen, als ze weer nuchter was, ook nog zou hebben.

Ze sloeg haar armen om zich heen. Alleen al door over Neil te vertellen, was ze een heel stuk dichter bij het vergeten van hem gekomen. Ze had de oneerlijke grenzen die ze zichzelf opgelegd had vanavond getart en moest je zien wat er gebeurd was. Het was ongelooflijk bemoedigend.

Ze draaide de sleutel in het slot en stampte de trap op. Ze had vreselijk veel zin om haar jas uit te trekken en naar dromenland te vertrekken. Binnen maakte ze een kop kamillethee om haar oprispende pizzabuik te kalmeren.

Ze schakelde haar computer aan om Naomi een e-mail te sturen. Ze wilde haar laten weten dat ze er echt voor haar was, wat ze ook nodig had. En toen zag ze het. In haar inbox zat een e-mail van Facebook. **Neil Saunders heeft jou als vriend toegevoegd aan Facebook** las ze. Bij het zien van zijn naam in vette letters op het scherm zette haar hart een sprintje in.

Nu ze eindelijk besloten had hem los te laten, bracht het universum hem zomaar opeens terug in haar leven. Ze staarde naar de e-mail, maar kon zich er niet toe zetten op de link te klikken. Geschrokken en kwetsbaar deed ze de computer zo rustig mogelijk uit, bracht haar kop naar de gootsteen en kroop in bed.

Onder de dekens, waar niemand haar kon zien, huilde ze zichzelf in slaap.

25

Les drie

Licht stroomde door de studioramen en vulde de ruimte met een kalme vroegeochtendgloed. Het vloeide gloedvol de hoeken in, zette de muur met matjes in de schaduw en bespikkelde de balie.

Charlie zat met gesloten ogen in het midden van de open ruimte en luisterde naar het pure wonder van bijna absolute stilte. In de dakgoot hoorde ze een zacht geritsel. Ze deed een oog open en zag een roodborstje. Het piepklcine kopje schoot heen en weer; het opende zijn snaveltje om er een lokroep uit te gooien.

Het eerste lentegeluid. Ze wist dat het niet meer dan een flirt was, dat er nog minstens twee maanden stormachtig winterweer restte voordat het voorjaar zich in al zijn glorie zou ontpoppen, maar het was fijn om te zien dat het universum zich erop voorbereidde.

Ze haalde diep adem. Door haar lange huilbui na de Facebookshock was een jarenlang opgebouwde spanning vrijgekomen. Vrijdagmorgen was ze met rode en opgezwollen ogen wakker geworden, maar ook met een gevoel van rust. In vierentwintig uur had ze een goede vier jaar verdriet losgelaten. Ze was zich bewuster van haar ware ik dan ze, voor zover ze zich dat kon herinneren, ooit geweest was. Het was alsof ze ontwaakt was uit een lange, folterende slaap.

Ze had haar Facebookaccount opgezegd en daarmee Neil gewist. Niet uit haar verleden – hij zou altijd deel uit blijven maken van haar verleden – maar uit haar toekomst. Ze was in evenwicht.

'Halloooo,' zei een timide vrouwenstem in de hal. Het was Sabine. Charlie stond op om haar te begroeten.

'Hai, Sabine,' riep ze. Sabine stak haar hoofd om de hoek – haar ogen twinkelden onder haar bordeauxrode muts.

'Goedemorgen,' zei ze vrolijk.

Meer voetstappen op de trap kondigden de komst van Naomi en vervolgens, een minuut later, van Bess aan. Ze begroetten elkaar allemaal lachend – ietwat verlegen na het dronken avondje *bonden* afgelopen donderdag.

Sabine verbrak de lichte spanning. 'En, wie heeft er spijt van dat vijfde glas wijn van vrijdagochtend?' vroeg ze.

'O, man!' antwoordde Naomi. 'Mijn hoofd heeft de halve dag gevoeld alsof het in een halve nelson gevangenzat. Verschrikkelijk.'

'Het mijne ook,' zei Bess. 'Ik ben zelfs vroeg van mijn werk naar huis gegaan. Het zou jullie verbazen hoe betekenisloos de streken van beroemdheden kunnen zijn als je een piano op je hoofd draagt. Ik was waardeloos.'

De vrouwen lachten. Bess had een verschrikkelijke kater gehad, maar ze wist dat haar aanhoudende rotgevoel veel meer te maken had met haar schuldgevoel en bezorgdheid over het artikel dan met de tannines in de wijn. Bij het verlaten van het eetcafé die donderdagavond was ze vast van plan geweest haar artikel te schrappen, maar toen was ze vrijdags ietwat paniekerig wakker geworden vanwege haar gebrek aan doorzettingsvermogen. Als ze dit artikel niet schreef, zou ze de wereld van de roddelbladen echt nooit verlaten. Het was haar vrijbrief. Of niet? Ze had het gevoel dat ze worstelde met een tijger.

De vrouwen rolden hun matjes uit en gingen op hun plek met hun gezicht naar de voorzijde van de ruimte zitten. Charlie nam haar eigen plek in. Ze keek hen vriendelijk glimlachend aan, zowel als hun lerares als, nu officieel, hun vriendin.

'Voor we vanmorgen aan de slag gaan, leek het mij wel passend om iets te zeggen over het begrip openheid.' Ze keek naar Sabine, Bess en Naomi en refereerde aan afgelopen donderdagavond zonder dat met zo veel woorden te zeggen.

'Yoga draait natuurlijk om het jezelf fysiek openstellen. Je verlengt je spieren en opent jezelf zowel intern als extern om een volledig evenwicht te bereiken. Die verlenging bereik je niet zomaar – dat lukt alleen door oefening en herhaling. Ook in het dagelijks leven is openheid een wat vaag begrip, vooral als je alleen maar bezig bent de dag door te komen. Ik heb vaak het gevoel dat er geen tijd is voor een wezenlijke, onbaatzuchtige band met iemand. Je moet jezelf erin trainen niet zo te denken en vervolgens die gedachten om te zetten in daden. Het is echt moeilijk om jezelf open te stellen, en nog moeilijker als je volkomen nuchter bent.' Charlie hield haar hoofd schuin, alsof ze wilde toevoegen: zoals wij, dúh.

Ze ging verder. 'Het begrip is eng en vreemd. Maar ik denk ook dat het essentieel is voor een waarachtig gevoel van welzijn. Alleen door het risico te nemen en jezelf open te stellen in een wereld waar bijna iedereen gesloten is, kun je de grenzen van je bestaan overstijgen.

Ik wil graag dat jullie allemaal de openheid die jullie hier ervaren meenemen en buiten de les toepassen. Ik denk dat jullie verbaasd zullen zijn over de manier waarop jullie leven zal veranderen.' Charlie zweeg even. Ze hoopte dat haar verhaal niet supervroom of pretentieus over zou komen.

Ze begon de les met vajrasana. Terwijl Bess haar armen omhoog strekte, vroeg ze zich af of Charlie over speciale krachten beschikte. Zou ze het weten van het artikel? Waarschijnlijk niet. Maar merkte ze dat Bess loog? Bespeurde ze dat Bess de verraadster onder hen was? In een groepje mensen dat zich concentreerde op 'open zijn', had zij het gevoel in de gevangenis te zitten; opgesloten zonder hoop er ooit nog uit te komen. Met weerzin volgde ze de anderen en ging over naar tadasana.

Terwijl Sabine een houding aannam die Charlie betitelde als iets wat klonk als een kat die een haarbal uitspuwt (vrka-wat?) en die zij graag boomhouding noemde, dacht ze na over wat open zijn voor haar betekende. Meteen dacht ze aan Zach. Hij had gisteravond gebeld om hun afspraak af te zeggen. Het goede nieuws was dat hij gebeld had – niet niks als je bedacht hoe gemakkelijk het zou zijn om haar met een sms'je af te poeieren. Het slechte nieuws was dat hun afspraak niet doorging. Hij had de schuld gegeven aan zijn uitputtende zaak, die blijkbaar nog steeds al zijn aandacht opeiste, maar kom op. Hoe erg kon het zijn? En je moet toch eten. Hij had zich uitermate verontschuldigd en haar zelfs gevraagd de afspraak naar woensdag te verplaatsen, maar Sabine vertrouwde het toch niet helemaal. *Waarom kan ik me niet gewoon met de stroom laten meedrijven en hem geloven? Waarom begint de twijfel meteen toe te slaan bij het simpele verzetten van een afspraak?* Ze vroeg zich af of ze banger was voor het feit dat Zach een klootzak was die alles bij elkaar loog, dan voor het ondenkbare alternatief: dat hij aardig was en oprecht, en er net zo van baalde als zij dat hun afspraak uitgesteld moest worden. Haar moeder zei altijd dat Sabine bang was voor haar eigen macht over mannen en dat ze, in plaats van dat vermogen te omarmen, het volledig uit de weg ging. *Heeft dat gekke mens gelijk?* Ze dacht aan de eindeloze rits mannen van haar moeder. Misschien was ze iets op het spoor.

O, mam, dacht Sabine. Wijze oude heks die je er bent. Eigenlijk moest ze haar moeder bellen. Ze nam het zich voor; zette het telefoontje op haar mentale lijstje tussen 'kip leren braden' en 'steunondergoed kopen'. Aan die andere twee zou ze nooit toekomen, maar haar moeder ging ze vanmiddag bellen. Een op drie was niet slecht.

'Waar zit jij zo om te lachen?' vroeg Charlie, die plotseling naast haar stond.

'Ik oefen in het open zijn,' antwoordde Sabine.

'Het staat je goed.' Charlie plaatste haar hand even op Sabines onderrug en schonk haar een aanmoedigende grijns, voordat ze wegliep. Zonder dat ze het wilde bloosde Sabine.

Na een paar afmattende rondjes omlaagkijkende honden gingen de vrouwen dankbaar op hun matjes zitten, in afwachting van Charlies volgende instructies. 'Vandaag wilde ik graag met blokken en riemen gaan werken,' kondigde ze aan. 'Klinkt eng, maar eigenlijk maken ze moeilijke houdingen makkelijker en helpen ze echt bij het concentreren.'

Aan de achterkant van de zaal pakte Charlie drie paarse schuimblokken en groene katoenen riemen. Ze cirkelde door de ruimte met haar buit en overhandigde Bess, Sabine en Naomi elk een setje.

'Tijdens ons eerste uitstapje in de wonderlijke wereld van rekwisieten maken we gebruik van het blok voor setu bandha sarvangasana, oftewel de brughouding.' Sabine onderdrukte een lach. Echt hoor, hoe heette deze nou weer?! Dat waren wel heel veel lettergrepen voor iets wat gewoon als 'brug' vertaald kon worden.

'Oké, ga op je rug liggen,' droeg Charlie op. 'Buig je knieën en breng je voetzolen dicht bij je billen. En nu komt het: pak je blok en leg dat onder je heiligbeen als je je heupen omhoogbrengt.'

Bess verstijfde. Waar zat haar heiligbeen? Ze voelde zich idioot. Dat was toch haar staartbeentje? Of was het haar voorhoofdsbeen? De gedachte dat ze het blok op haar voorhoofd moest laten balanceren, leek zelfs voor yogabegrippen belachelijk, dus ze ging voor het staartbeen.

Naomi ademde dankbaar uit. Het blok voelde hemels tegen haar vermoeide onderrug. Ik moet een steviger matras kopen, dacht ze onmiddellijk, denkend aan haar hobbelige tweedehandsje. Dat hadden haar ouders haar gegeven toen ze was verhuisd naar de etage in Fort Greene.

Nadat ze hun rug grondig gestrekt hadden, introduceerde Charlie de riemen voor het rekken van hun benen. Ze liet zien hoe je die moest gebruiken: ze sloeg de riem in een lus om haar voet en duwde haar been de andere kant op. Vervolgens zei ze tegen de vrouwen dat zij hetzelfde moesten doen.

'Naomi,' fluisterde Charlie, die – opnieuw – als een of andere yogaprofeet uit de lucht scheen te vallen, 'doe het wat kalmer aan. Je valt niet van de Brooklyn Bridge.' Ze pakte Naomi's verkrampte hand, die de riem in tweeën dreigde te breken.

'O, wauw,' riep Naomi uit. 'Dat had ik niet eens in de gaten!'

'Alles in orde?' vroeg Charlie oprecht bezorgd.

'O, ja hoor. Ik heb gewoon mijn dag niet.'

'Nu al? Het is nog niet eens tien uur.' Charlie dempte haar stem. 'Hoe voel je je?'

'O, prima, hoor.' Naomi lachte nerveus. Ze hoopte maar dat Charlie haar nu niet tijdens de les voortdurend in de gaten zou gaan houden. Het laatste wat ze wilde, was als 'het zieke meisje' bestempeld worden. Onbewust was ze de hele les super gespitst op de reacties van haar lichaam. Ze dacht dat ze zich normaal voelde, maar wist ze eigenlijk nog wel wat normaal was? Ze kon zich niet ontspannen, vandaar dat verkrampte vasthouden van de riem.

Aan het eind van het lesuur complimenteerde Charlie hen met hun vooruitgang en gaf met 'namaste' te kennen dat de les voorbij was. Uitgeput hesen de vrouwen zich overeind.

Charlie verliet de lesruimte toen zij hun matjes oprolden en de hulpmiddelen verzamelden om die weg te leggen. Ze was echt blij met hun vooruitgang. Nu al, bij de derde les, was het duidelijk dat ze zich meer op hun gemak begonnen te voelen.

Charlie zag dat Mario bij de ontvangstbalie met Felicity stond te praten. Hij was heel erg niet haar type – gespierd, arbeidersklasse met een zwaar Porto Ricaans accent en een voorliefde voor strakke T-shirts – maar hij had iets waardoor Charlie elke keer dat ze hem zag warm werd vanbinnen. Misschien was het zijn niet-verontschuldigende mannelijkheid in een wereld van hippieachtige emojongens in skinny jeans en Keds. Of misschien was het wel zijn strakke kontje. Ze kon er haar vinger niet helemaal op leggen, maar het was wel duidelijk dat íéts haar beviel.

'Hallo, Charlie,' zei Mario. Zijn hele gezicht lichtte op toen ze aan kwam lopen. Felicity leunde achterover op haar stoel en bekeek hen geamuseerd. De wederzijdse aantrekkingskracht was voelbaar.

'Hé, Mario,' antwoordde Charlie. Door de manier waarop hij naar haar keek, kreeg ze het gevoel naakt te zijn. Niet op een vunzige manier, dat hij haar met zijn ogen uitkleedde of zo, maar meer op een zondagochtend-postcoïtale-prebrunch-achtige manier. 'Wauw, is dat een T-shirt van Manu Chao?' vroeg ze verbaasd.

'Ja, vind je hem leuk?'

'Ik ben dól op hem,' antwoordde Charlie. 'Heb je hem gezien tijdens dat openluchtconcert een paar jaar geleden? Hij was geweldig.'

'Jep, daar ben ik geweest. Misschien heb ik daar ook wel dit shirt vandaan. We hebben daar nog gepicknickt. Het was een perfecte zomeravond. De muziek, het eten, de sfeer... *muy bien.*'

Charlie verstarde zonder dat ze het wilde. *Wie was 'we'? Met wie had hij romantisch gepicknickt? Een of andere Spaanse schone met ravenzwart haar?*

'Hé, Charlie,' zei hij, haar paranoia onderbrekend. Ze zag hem een bruine zak uitsteken. 'Ik heb iets voor je meegebracht.'

'Wat?' antwoordde Charlie, zowel gegeneerd als vergenoegd. 'O, Mario, dat had je niet hoeven doen!' *Het ziet ernaar uit dat de Spaanse schone verleden tijd is. Bueno.*

'Ach, het is geen probleem. Graag gedaan. Ik moest vanmorgen aan je denken en toen heb ik mijn speciale latte met groene thee voor je gemaakt. Die Starbuckstroep is niets voor mij. Geloof me.'

'Wat lief van je, Mario. Sinds wanneer maak jij groenetheelattes?'

'Sinds ik jou al in geen weken meer gezien heb,' antwoordde Mario, terwijl hij haar recht in de ogen staarde. Charlie had het gevoel dat ze van top tot teen stond te blozen door zijn directheid. En het feit dat hij van dezelfde muziek hield als zij, zette de verwarming nog wat graadjes hoger.

'Ik mis je, dus ik heb een nieuw drankje voor je gemaakt,' legde hij uit. 'Ik heb er ook zo'n vegamuffin bij gedaan die je zo lekker vindt, uit die hippe tent verderop in de straat.'

Felicity bleef hun woordenwisseling verrukt gadeslaan. Dit was beter dan die troep waar haar dochter naar keek op MTV.

'Wauw, echt?' zei Charlie. 'Wat ontzettend lief van je.' Ze pakte de zak van Mario aan en gluurde erin. 'Dat ziet er verrukkelijk uit!' Ze haalde er voorzichtig de latte uit. 'Hij is nog warm!'

'Ja, ik heb hem net gemaakt.'

Ze staarden elkaar een minuut lang aan, terwijl zij een slokje nam. 'Wat lekkerrrr. Jeetje! Hoezo Starbucks?! Heb je dit recept net in elkaar geflanst?'

'Ahhh, nee. Ik ben er al een tijdje mee bezig, in de hoop dat jij langs zou komen om het te proeven. Maar je bent al zo lang niet meer geweest, dat ik het wel naar je toe moest komen brengen. Waar ben je al die tijd geweest?'

'Het spijt me, Mario. Ik heb het heel druk gehad. Ik drink nu 's morgens thuis thee. En het is zo koud buiten – ik wil alleen maar zo snel mogelijk in de studio zijn, waar het warm is, snap je? Ik heb geen tijd om langs te komen.'

'Er is altijd tijd om even gedag te zeggen,' zei Mario. 'Kom gewoon eventjes binnen – dan krijg je de Mario-latte van het huis. En misschien knalt Manu Chao dan ook wel uit de boxen. Afgesproken?'

'Lijkt mij een prima deal,' zei Naomi, die hun gesprek per ongeluk had opgevangen toen zij, Bess en Sabine zich klaarmaakten voor vertrek. Ze hadden tijdens hun ongegeneerde afluisterpraktijk onderling blikken van verstandhouding uitgewisseld. Mario had het zwaar te pakken, daar was geen twijfel over mogelijk.

Charlie giechelde. 'Ja, inderdaad. Afgesproken, Mario. Bedankt.'

Mario grijnsde. 'Graag gedaan. Ik moet terug. Tot gauw, Charlie,' riep hij over zijn schouder, terwijl hij in zijn werklaarzen de trap af stampte. Charlie keek hem na en draaide zich toen om naar vier stralende gezichten. Sabine, Bess, Felicity en Naomi stonden allemaal breed te grijnzen.

'Charlie heeft een vriendje,' zong Sabine plagend, terwijl de vrouwen prompt begonnen te giechelen.

'Hou op!' riep Charlie. Het leek wel of ze op de middelbare school zat. Ze keek op haar horloge.

'Shit, mijn volgende les begint al over vijf minuten!' Ze pulkte een stuk van haar muffin en propte dat in haar mond. 'Tot volgende week, dames!' zei ze ietwat onverstaanbaar en verdween toen abrupt in de ruimte erachter.

'Nou, we zijn blijkbaar uitgepraat,' merkte Naomi op. 'Ze is niet in de stemming voor plagerijtjes, hè?'

'Ja, ze doet een beetje raar over hem,' antwoordde Felicity. 'Het ligt er duimendik bovenop dat ze zich tot elkaar aangetrokken voelen, maar ze weigert dat te erkennen.'

'Ze zit in de ontkenningsfase,' beaamde Sabine. 'Oké, ik moet er als een speer vandoor. Tot volgende week, meiden!'

'Ik ga met je mee,' zei Bess. 'Dag!' Ze liepen de trap af.

'Hé, Naomi, heb jij nog kans gezien om na te denken over de website?'

vroeg Felicity. Naomi verstijfde. Eerlijk gezegd was ze haar belofte totaal vergeten. Ze had de hele week zitten worstelen met een enorm project. En met die voortdurende bezorgdheid over haar gezondheid had ze er gewoon geen tijd voor gehad.

'Ik heb wel een paar ideetjes in mijn hoofd,' antwoordde ze, terwijl ze Felicity's hoopvolle blik vermeed. 'Maar nog niets concreets.'

'Natuurlijk,' antwoordde Felicity. Haar teleurstelling was zichtbaar.

'Maar ik beloof je dat ik volgende week iets heb. Een paar ideeën minimaal.'

'O, super! Ik kan je niet vertellen hoe enthousiast ik hierover ben,' zei Felicity. 'En dankbaar.'

'Alsjeblieft! Zo veel stelt het nou ook weer niet voor, Felicity. Sorry dat ik er zo lang over doe.' Naomi zwoer dat ze volgende week zaterdag een ruw idee zou hebben over waar ze heen zou willen met de website. Dat zou niet makkelijk worden – ze had die week nog een ander (betaald) project dat ze af moest maken – maar het zou goed zijn om haar gedachten af te leiden van haar mysterieuze symptomen. Bovendien was dit echt een creatieve kans voor haar. Geen voorschriften qua stijl. De website voor Prana mocht ze helemaal zelf invullen.

Naomi zette haar muts op. 'Oké, tot volgende week, Felicity. En zeg tegen Charlie dat het me spijt als ik haar voor schut heb gezet met dat Mario-gedoe.'

'Doe ik. En maak je geen zorgen over Charlie. Ze kan best een plagerijtje gebruiken. Dat meisje neemt zichzelf meestal veel te serieus.'

Naomi grinnikte. 'Ze is niet de enige,' antwoordde ze. Met een laatste zwaai liep ze de trap af.

26

Naomi

Toen Naomi naar huis liep, dacht ze na over de website. In gedachten stelde ze de homepage als een puzzel samen: tekst hier, foto's daar, links daar... Haar gedachtestroom werd onderbroken door een vaag getril van haar mobiel in haar jaszak. Ze haalde hem eruit en zag een sms'je van Cecilia. **waar ben je?** Moederlijke paniek overviel haar als dichte mist. Haar hart ging tekeer terwijl ze haar voicemail belde. Drie berichten? *Shit.* Ze moest zich inhouden om de telefoon niet uit haar handen te laten vallen en een sprintje naar huis te trekken.

Bericht een: Noah heeft zijn arm gebroken op het klimrek. Cee was onderweg naar het Brooklyn Hospital. Kom daarnaartoe. Bericht twee: waar was ze? Noah is hysterisch. Moest Cee Gene bellen? Hij heeft een ouder nodig. Bericht drie: ze had Gene gebeld. Hij was onderweg. In een waas hield Naomi een taxi aan om naar het ziekenhuis te gaan. Haar kind was gewond en zij was nergens te bekennen. Erger nog, Gene was opgetrommeld om Noah te troosten. Naomi's bezorgdheid bereikte een kritische grens. *Adem.* Ze keek uit het raampje van de taxi naar het voorbij glijdende Brooklyn. *Adem.*

'Naomi!' gilde Cecilia, zodra ze voet zette op de eerste hulp.

'Hai,' antwoordde ze kortaf, terwijl ze Cee's poging tot een omhelzing ontweek. 'Alles goed met hem? Waar is hij? Wat is er gebeurd?'

'Het gaat goed met hem, Naomi,' antwoordde Gene, die schijnbaar uit het niets opdook. Naomi's bloed begon te koken. Het feit dat hij hier vóór haar was geweest en haar van de situatie op de hoogte bracht, bezorgde haar de neiging het uit te schreeuwen.

'Ontzettend bedankt voor je info,' snauwde ze. Gene keek verbaasd en deinsde toen enigszins achteruit. 'Vertel me wat er gebeurd is, Cee,' eiste Naomi.

'We waren gewoon in de speeltuin,' zei ze. 'Een doorsneezaterdag. Noah zat op het klimrek met zijn vriendin Sophie en tja... hij viel. Op zijn arm.'

'Waar was jij?' vroeg Naomi. Ze wist dat Cecilia dicht in de buurt was geweest, maar ze kon de behoefte om iemand de schuld van Noahs ongeluk te geven niet onderdrukken.

Cecilia sloeg defensief haar armen over elkaar. 'Ik stond ernaast, Naomi. Stel me niet zulke vragen. Kom op nou.'

'Het spijt me, Cee. Ik ben gewoon... Ik ben nu gewoon zo opgefokt. Je bent geweldig met Noah. Ik maak me gewoon ontzettend veel zorgen.'

'Dat weet ik, Naomi. Maar echt, hij is gewoon gevallen en zijn arm zat toevallig in de weg. Ik heb hem meteen hiernaartoe gebracht. Ze zijn het nu aan het zetten.'

'Ze heeft mij alleen gebeld omdat ze jou niet te pakken kon krijgen,' verklaarde Gene. 'Ik probeer je echt niet voor te zijn, Naomi. Ik ben blij dat ik kon komen.'

'Weet ik, Gene,' antwoordde ze, terwijl ze probeerde haar stem zo kalm mogelijk te laten klinken. *Opeens kent hij me zo goed dat hij me aan durft te spreken op mijn onzekerheden? Klojo.* 'Maar dit gaat niet over wie er wie voor is. Mijn zoon... onze zoon heeft zijn arm gebroken. Hij heeft veel pijn. Ik kon hier niet zo snel zijn als ik gewild had, dus ik ben een beetje opgefokt.' Ze ademde uit, probeerde iets van haar woede te ventileren. 'Maar al met al ben ik blij dat je hier kon komen.' *Echt waar?* Ergens wilde ze dat Gene niet op was komen dagen. Ergens had het feit dat hij als vader in gebreke bleef iets troostends voor haar. Toen ze dat besefte, voelde ze zich verschrikkelijk. Dat was erg egoïstisch als Noah degene was die eronder leed. 'Mag ik naar hem toe?' vroeg ze aan hen beide.

'Ik denk het wel,' antwoordde Cee. 'Kom, we gaan de verpleegkundige vertellen dat je hier bent.'

'Het gaat echt goed met hem,' zei Gene. 'Hij is een taaie. Ik moet er nu helaas vandoor. Ik stond op het punt naar het vliegveld te gaan om naar Parijs te vliegen toen Cee belde. Ik heb mijn vlucht uitgesteld, maar de volgende gaat al over een paar uur.'

'Echt?' vroeg Naomi verbaasd. 'Bedankt, Gene... voor het komen. Voor dat je hier was.'

'Geen probleem. Weet je, ik woon niet voor niets dichtbij. Als je handen tekort komt... ik ben beschikbaar.'

Naomi knikte. Het werd tijd dat ze dat ging accepteren. Maar waarom was dat zo moeilijk? 'Zeg maar tegen Noah dat mini-Noah en ik hem bellen uit Parijs. En dat ik trots op hem ben omdat hij vandaag zo stoer was.'

'Doe ik,' antwoordde Naomi.

'Dag, Cecilia.' Gene omhelsde haar onbeholpen en ging ervandoor.

'Sorry dat ik hem gebeld heb, Naomi,' zei Cecilia. 'Ik had gewoon het gevoel dat ik geen keuze had en de artsen hadden verzekeringspapieren nodig.' Naomi knikte instemmend. Ze streek over Cee's wang. 'Weet ik. Kom, dan gaan we naar mijn jochie.'

'Mama,' fluisterde Noah vanuit zijn bed. Hij zag er zo piepklein uit met zijn kleine armpje in al dat gips. Naomi's hart zwol toen ze zag dat hij inderdaad in orde was.

'Jochie van me! Ik heb gehoord dat je vandaag de dapperste jongen op de hele planeet bent geweest.' Ze ging op het bed zitten en pakte hem voorzichtig vast.

'Ja, hè?' zei hij ernstig. 'Het doet pijn.'

'O, dat weet ik. Was je bang?' Noah knikte, zijn ogen schoten vol tranen.

'Waar was je, mama?'

'O, liefje, het spijt me zo. Ik had yogales. Ik zag het bericht dat je gevallen was pas toen de les voorbij was. Zodra ik het hoorde, ben ik hier zo snel mogelijk naartoe gekomen. Ben je boos op me?'

'Eh, neu. Maar ik heb je wel gemist,' antwoordde Noah met een trillende onderlip.

'Weet ik, liefje. Ik vind het afschuwelijk. Maar was het wel fijn om je vader te zien?'

'Ja, dat was fijn.'

Naomi veegde zijn haar van zijn voorhoofd. 'Hij zei dat ik tegen je moest zeggen dat jij vandaag de stoerste soldaat was die hij ooit gezien heeft, Noah.'

Noah glimlachte. 'Is hij nog hier?'

'Nee, hij moest naar Parijs met mini-Noah. Hij zei dat hij je later zal bellen.' Naomi was trots dat ze Genes bericht zonder ook maar een greintje sarcasme had overgebracht.

'Oké. Mogen we nu weg?'

'Ja, laten we gaan. Lekker naar huis en in bed. Dan maak ik een tosti voor je. Goed?'

Noah glimlachte zwakjes. 'En aardappelkroketjes?' vroeg hij.

191

'En net zo veel aardappelkroketjes als je op kunt. Een aardappelkroketjesbuffet.'

Later, toen ze thuis waren, stopte Naomi Noah in bed en ging nog even met Cecilia in de woonkamer zitten. Ze stopte haar hoofd in haar handen. De fysieke en emotionele stress van de dag hadden hun tol geëist. 'Gaat het?' vroeg Cecilia. Naomi deed haar ogen open. In alle consternatie was ze bijna vergeten dat Cee er was. Ze glimlachte zwakjes. 'Ja hoor,' antwoordde ze. 'Ik heb het er denk ik nogal moeilijk mee, met dit alles.'

'Met Gene?' vroeg Cecilia.

'Ja, dat ook, denk ik. Ik had blijkbaar nooit verwacht dat Gene een fatsoenlijke vader kon zijn, snap je? Ik dacht dat hij zich door zijn wekelijkse afspraakjes met Noah heen zou klooien en uiteindelijk weer uit beeld zou verdwijnen. Het ziet ernaar uit dat hij serieus deel uit wil maken van zijn leven.'

'Maar dat is toch goed voor Noah?'

'Ja, natuurlijk!' Naomi ergerde zich aan Cecilia's toon. Soms deed Cecilia dat: gedroeg ze zich alsof Naomi een van haar patiënten was en niet haar vriendin. Ze vermoedde dat dat erbij hoorde als je bevriend was met een psychologe in de dop, maar ze vond het vervelend om zo overduidelijk geanalyseerd te worden. 'Jezus, Cee, ik ben geen monster.'

'Het was niet mijn bedoeling te suggereren dat je dat was,' antwoordde Cee, die gekwetst was door Naomi's interpretatie. 'Natuurlijk is dit moeilijk voor je. Alleen de complicaties al…'

'Sorry dat ik zo kribbig deed,' zei Naomi. 'Je hebt gelijk, het is erg gecompliceerd. De gebeurtenissen van vandaag komen nog eens boven op dat hele fiasco met mini-Noah. Ik was al een beetje gekwetst door het feit dat Noah Gene had gevraagd hem te helpen bij dat project en dat het niet eens bij hem opgekomen is om mij te vragen… En dan dit weer, mijn jochie breekt zijn verdomde arm en rarara, wie is daar om de reddende engel te spelen?' *Om nog maar te zwijgen over het feit dat mijn lichaam uit elkaar valt.* Ze wilde het Cee vertellen, maar niet nu. Er was veel te veel gaande en ze was opeens zo geïrriteerd – door alles.

Naomi masseerde haar bovenarmen in een poging wat frustratie kwijt te raken. Haar spieren deden pijn van de zonnegroet van die ochtend. Ze kon haar armen nauwelijks strekken.

'Mmmm,' zei Cecilia, waarmee ze Naomi's ergernis opnieuw aanwakkerde.

'Wat betekent "mmmm"?'

'Oké, ik zweer je dat dit geen geniepige psychotherapietrucjes zijn. Ik zeg dit gewoon als je vriendin, oké?'

'Oké,' antwoordde Naomi, vechtend tegen de verdedigende houding die haar als een schild dreigde te omhullen.

'Waarom zou Noah jou vragen mini-Noah mee te nemen, als hij weet dat de hele opdracht om het maken van foto's draait? Ik bedoel, foto's maken is Genes beroep, toch? Ik kan me niet herinneren wanneer ik jou voor het laatst met een camera heb gezien. Noah is tenslotte een pienter jochie. Alleen al vanuit dat oogpunt is het logisch dat Gene dat project op zich neemt.'

Naomi had het gevoel alsof Cecilia zojuist benzine over haar meest kwetsbare plekje had gegoten en daar nu een brandende lucifer boven liet bungelen. 'Waar heb je het over, Cecilia?' vroeg ze. Haar ergernis klonk door in haar stem. 'Ik ben ontwerper van beroep. Dat weet Noah. Hij weet hoe visueel ik ben ingesteld!'

'Hé, laat maar zitten,' antwoordde Cecilia, die opstond en haar spullen pakte. 'Ik heb het gewoon verkeerd ingeschat. Het is duidelijk dat je hier nu niet over wilt praten.'

'Waarover?' zei Naomi uitdagend. 'Alleen omdat er geen camera om mijn nek hangt, wil dat nog niet zeggen dat ik geen fotograaf ben!'

Cecilia ging weer zitten en keek Naomi recht in de ogen. 'Naomi, elke keer als fotografie ter sprake komt, schiet jij totaal in de stress. Je denkt misschien dat jouw verwarring daarover een geheim is, maar je houdt jezelf voor de gek. Ik zeg niet dat Noah het in de gaten heeft – ik heb geen idee wat er in dat koppie van hem omgaat – maar hij voelt meer aan dan je denkt.'

'Inderdaad!' siste Naomi. 'Je hebt GEEN IDEE. Jij bent geen moeder. Jij hebt niet te maken met een verloren gewaande vader die ineens weer op is komen dagen. JIJ HEBT GEEN IDEE.' Ze was verbaasd door de heftigheid van haar woede. Ze reageerde al haar stress op Cee af en hoewel ze wist dat dat verkeerd was, voelde het ongelooflijk lekker.

'Ik ga nu,' zei Cecilia, die zich zichtbaar opgelaten voelde. Ze stond op en pakte haar tas. 'Luister, het was niet mijn bedoeling om…'

'Alsjeblieft, ga nou maar,' zei Naomi. Weer stopte ze haar hoofd tussen haar handen. 'Ik weet dat ik nu overdreven reageer, maar ik kan er niets aan doen. Ga alsjeblieft.' Naomi sloot haar ogen en wreef gefrustreerd over haar slapen. Ze hoorde dat Cecilia de deur achter zich dichttrok. Het was opeens – heerlijk – stil in huis. Ze hoorde het geschuifel van Noahs sokken op de houten vloer. Hij kwam aarzelend naar haar toe.

'Mama?' vroeg hij.

Naomi haalde diep adem en ging rechtop zitten. 'Ja, liefje?'

'Waar is Cee naartoe?'

'Ze moest nog wat doen.' Naomi vroeg zich af wat hij gehoord had.

'O. Maar ze heeft mij geen gedag gezegd.'

'Weet ik, ze had haast. Ze zei dat ik je van haar gedag moest zeggen. En je er zo een moest geven.' Naomi trok hem naar zich toe en gaf een klapzoen op zijn omhooggehouden wang. Noah giechelde en wrong zich in bochten.

'Mag ik nu aardappelkroketjes, mama?' vroeg hij.

'Jazeker, vriend. Een aardappelkroketjesbuffet voor de dapperste jongen van de wereld! Ga maar weer in bed liggen, dan kom ik ze brengen.'

'Ook een tosti?'

'Ook een tosti.' Naomi wreef in haar ogen, terwijl Noah op een drafje naar zijn kamer liep. Ze stond op en merkte dat haar hamstrings pijn deden. Ze had een rotgevoel omdat ze zo lullig tegen Cee had gedaan, maar die had echt het verkeerde moment gekozen om zich ermee te bemoeien. Ik bied later wel mijn excuses aan, besloot Naomi, toen ze bedacht hoe ze bofte met iemand als Cee. Ze ging in de keuken op zoek naar de koekenpan en dacht na over haar fotografie en wat Cee had gezegd. Uiteraard klopte het als een bus.

Misschien werd het tijd dat Naomi haar camera weer uit de wilgen haalde. Zeker nu, nu ze zich zo kwetsbaar voelde. Ze maakte haar beste foto's als ze zich zo slecht voelde. Een paar foto's zouden haar goeddoen. Misschien wel heel erg goed.

DEEL IV

Bahya Kumbhaka

27

Bess zat aan haar keukentafel en staarde stuurs naar de kleine taperecorder die voor haar lag. Ze drukte op PLAY, waardoor opeens Sabines ietwat schelle stem door de kamer schalde. Bess legde haar kin op haar vuist en wierp haar hoofd naar achteren. Ze sloot haar ogen om naar hun gesprek te luisteren. Daar had je die lieve Sabine, die schuldbewust over het gebrek aan creatieve inspiratie in haar leven praatte, en daar was ze zelf: een speurhond die door het dolle was door geur van kwetsbaarheid. Ik klink als Linda Tripp, dacht Bess vol afschuw. Ze viel Sabine, Naomi en Charlie praktisch aan met haar vragen. Bess vroeg zich af of ze gewoon overgevoelig was voor het horen van haar eigen stem of dat ze echt zo'n piranha was. Ze vermoedde dat het een beetje van beide was. Subtiel zijn was niet haar sterke punt, dat moet gezegd worden, maar deze techniek was lachwekkend. Dat zou waarschijnlijk geen probleem zijn geweest als haar onderzoeksobjecten wisten dat ze geïnterviewd werden, maar undercoverwerk vereiste een wat fijnzinniger aanpak. Ze nam zich voor om haar pitbullmethode iets te temperen.

'Ik bedoel maar, wíl ik eigenlijk nog wel schrijven?' vroeg Sabine. Haar stem was amper te onderscheiden door het geroezemoes in het drukke eetcafé. 'Of denk ik gewoon dat ik dat wil?'

Bess slaakte een diepe zucht en drukte op STOP. *Waar ben ik mee bezig?* Toen ze thuiskwam van de yogales was ze vastbesloten geweest enige vooruitgang te boeken met het artikel, maar nadat ze er zich erop had gestort, was haar onzekerheid alleen maar toegenomen.

Het werd Bess nu wel duidelijk dat deze vrouwen niet de zwakke schakels waren waarvoor ze hen in eerste instantie had gehouden. Hun offers hadden niets te maken met de hoop een man aan de haak te slaan of het versimpelen van hun bestaan gewoon voor het gemak. Ze probeerden alleen maar hun hoofd boven water te houden: de kost te verdienen, hun rekeningen te betalen, hun gezonde verstand te behouden in een stad die altijd in beweging was. Dit waren inspanningen die Bess zelf maar al te goed kende. En Naomi probeerde verdomme zelfs nog een kind op te voeden! Die strijd was zo buitenproportioneel, dat Bess niet eens begrip kon veinzen.

Bess stond op en ging op de vloer van haar woonkamer zitten. In gedachten concentreerde ze zich op Charlie en rechtte haar rug. 'Wat ga je doen, Bess?' vroeg ze hardop. Dat was het mooie van alleen wonen: je kon net zo vaak tegen jezelf praten als je wilde.

Ze sloot haar ogen en dacht aan Sabine, Charlie en Naomi. Hoe kon ze een artikel schrijven over hun gebrek aan creatieve gedrevenheid als ze die zelf amper had? Dat was flagrante hypocrisie die het artikel ongetwijfeld zou bezoedelen. Ze deed haar ogen open en liep terug naar de tafel.

'Ik ga een lijstje maken,' onthulde Bess aan de lege woning. 'Wie deze vrouwen zijn, wat ze missen en wat ze daar al dan niet aan doen.' Bess was doorgaans dol op lijstjes. Als ze door iets overweldigd of geïrriteerd raakte, brachten die haar altijd tot rust en zorgden ervoor dat ze het doel niet uit het oog verloor. Ze pakte haar pen en staarde ingespannen naar het papier dat voor haar lag.

NAOMI, schreef ze in hoofdletters. Ze onderstreepte de naam met een krachtige haal. Onder de naam schreef ze 'fotografie'. Vervolgens schreef ze 'grafisch ontwerp'. Hoewel die twee dingen niet precies hetzelfde waren, waren het ook geen appels en peren. Vervolgens schreef Bess 'Noah' en de woorden 'schuldgevoel over haar verleden'. Bess legde haar pen neer en keek naar haar geïmproviseerde schema. Naomi's redenen om haar camera aan de wilgen te hangen, waren absoluut begrijpelijk en misschien zelfs wel een beetje nobel. Wie was Bess om te bepalen dat dit de passie was die Naomi in haar leven miste?

Bess pakte haar pen weer op en schreef CHARLIE. Dit was een lastige. Ze had nog steeds geen flauw idee wie Charlie werkelijk was. Ze schreef 'yoga' onder haar naam. Dit was een vrouw die tegen de hypothese van het artikel in ging. Charlie had haar leven een andere wending gegeven om haar droom te verwezenlijken – ze had alles achter zich gelaten en een gigantisch risico genomen. Bess dacht aan de Charlie uit haar studententijd, die ze vaag gekend had; het gedreven, een en al zakelijke meisje, dat al van meet af aan precies leek te weten wat ze met haar leven wilde.

Nu zinspeelde ze vagelijk op een openbaring waardoor ze van de financiële wereld naar een soort van spiritueel ontwaken was gebracht, maar ze moest nog steeds uitweiden over wat die openbaring nou precies inhield. Bess vermoedde dat het iets te maken had met een man, maar Charlie had daar nooit iets over gezegd en Bess betwijfelde ten zeerste of ze dat ooit zou doen. De voor de hand liggende keus was haar als het voorbeeld te stellen dat de andere vrouwen zouden moeten volgen, maar hoe kon Bess haar als zodanig bestempelen als ze niet over de benodigde feiten beschikte? Dat was wel erg armzalige journalistiek. En dan had je nog Sabine. SABINE, schreef ze. Onder haar naam krabbelde ze 'schrijver'. Sabine had zelf gezegd dat ze niet eens zeker wist of ze nog wel schrijver wilde worden. De stap van schrijven naar redigeren was natuurlijk ook totaal niet verdacht: als bijproduct van opgroeien en ontdekken wat je sterke punten waren, was het volkomen logisch. Zeker, Sabine was niet dol op haar baan, maar ze kon altijd overstappen naar een andere uitgeverij met een beetje – of heel veel – geestdodend werk. Wat in creatief opzicht een gebrek aan doorzettingsvermogen leek, kon simpelweg deel uitmaken van Sabines grote plan.

Jezus, dit artikel valt compleet in duigen, dacht Bess. Het had helemaal niets om het lijf.

Ze schreef haar eigen naam op, BESS, en wierp er een behoedzame blik op. Ze wachtte even voordat ze er 'journalist' onder schreef. Ze dacht aan haar verlangen om boven haar roddelbladenbestaan uit te stijgen. Aan de ene kant deed ze nu, met dit artikel, een verwoede poging om door het glazen plafond dat haar negen-tot-vijfbaan creëerde heen te breken. Aan de andere kant was deze poging – alleen al het idee voor dit artikel – nog steeds veilig. Haar hypothese had niets baanbrekends. In wezen was het niet meer dan iets wat in het verlengde lag van het sensatienieuws waardoor ze voortdurend werd omringd. Ze had zichzelf alleen maar dieper in de nesten gewerkt.

Bess slingerde haar pen door de kamer. 'Wat moet ik verdomme doen?' vroeg ze aan niemand. 'Waar ben ik mee BEZIG?! DIT ARTIKEL IS KLOTE!' schreeuwde ze, terwijl ze vocht tegen tranen van frustratie. 'IK HOU NIET EENS VAN YOGA!'

Ze stond op en ging vol zelfmedelijden in de foetushouding op de bank liggen. Ze deed haar ogen dicht en dacht aan Dan. Lieve Dan. Ze vond het niet fijn om hem op dit soort momenten haar zwakke plek te laten zien, maar als hij echt een blijvertje was, moest hij dit weten. Ze pakte de telefoon om hem te bellen, in de hoop dat haar frustratie hem geen 'ik zei het je toch!' zou ontlokken.

'Hallo, schoonheid,' zei hij.

'Oooo, wat belegen,' antwoordde Bess, die tegelijkertijd glimlachte en grijnsde.

'Ik ben dol op belegen. Ik zou het overal op doen als het kon. Heb jij trouwens wel eens belegen kaas met banaan gegeten?'

'Dan! Dat klinkt smerig!'

'Sta nou niet meteen klaar met je oordeel,' plaagde hij. 'Het is namelijk best lekker. En ik kan het weten, want ik heb het vanmiddag als tussendoortje gegeten. Dat waren de enige dingen die ik in de koelkast had liggen, afgezien van salsa.'

'Je moet nodig boodschappen gaan doen, jochie. Dit is echt treurig.'

'Weet ik! Ik heb hier een dametje nodig om voor me te zorgen. Iemand die voor me kookt en het zeil in mijn badkamer met een tandenborstel boent.'

'Wauw, wat klinkt dat romantisch. Ik neem het eerstvolgende vliegtuig.'

'Echt?! Jezus, het zou zo heerlijk zijn om je nu te zien, Bess. Ik mis je gezicht.'

Bess werd opgewonden bij de gedachte naast Dan te liggen. De laatste tijd was dat haar lievelingsgevoel. Wat haar weer deed denken aan het artikel. Het schrijven van artikelen was vroeger altijd haar lievelingsgevoel. Zou dat het ooit weer worden?

'Waarom ben je zo stil? Gaat het wel goed met je?'

'Ja hoor. Ik zit alleen helemaal vast met dat verdomde artikel.'

'Wat is er aan de hand?' vroeg hij.

'Ik denk gewoon…' Bess aarzelde. Het was nooit makkelijk voor haar om toe te geven dat ze het bij het verkeerde eind had gehad, en dit artikel vormde daarop geen uitzondering. Ze haalde diep adem en ging verder: 'Ik denk gewoon niet dat het wat wordt. En Dan, ga alsjeblieft, alsjeblieft niet zeggen: "Dat zei ik je toch." Ik smeek het je.'

'Kom op, Bess, dat zou ik nooit doen.' Hij klonk gekwetst. 'Waarom zit je vast? Misschien kun je het over een andere boeg gooien.'

Bess was opgelucht hem dat te horen zeggen. Verkering hebben met een collega-schrijver had zo veel voordelen, en het brainstormen over ideeën stond boven aan haar lijstje. 'Denk je?' vroeg ze.

'Jawel, tuurlijk. Vertel me waarom je vastzit.'

Bess legde haar dilemma uit aan Dan. 'Hoe kan ik deze vrouwen als leeglopers zonder creatieve gedrevenheid neerzetten als dat simpelweg niet het geval is?'

'Hoe bedoel je?'

'Naomi en Sabine zijn zich niet alleen nog steeds bewust van hun opgeschorte dromen, maar ook hun dagelijkse leven en de keuzes die ze maken staan niet zo ver af van hun oorspronkelijke aspiraties. Ze zwemmen nog steeds in hetzelfde zwembad, alleen in een andere baan.'

'Ooo, mooie vergelijking.'

Bess lachte. 'Oké, oké, ik weet dat dat een beetje vergezocht was. Maar denk nou even mee!'

'Dat doe ik! En deze wending bevalt me wel. Maar Charlie dan?'

'Tja, dat is een lastige. Zij vormt de uitzondering op de regel. Haar dromen zijn zo ingrijpend veranderd… Door het openen van haar eigen studio heeft ze zich echt tegen het systeem verzet in plaats van het spelletje mee te spelen. Ze heeft een gigantisch risico genomen.'

'Dus waarom kan zij niet het voorbeeld zijn dat Naomi en Sabine idealiseren?' vroeg Dan.

'Omdat er meer achter zit dan ze laat merken,' verklaarde Bess. 'Ik bedoel, ik denk dat Sabine en Naomi – en god ja, ook ik – haar tot op bepaalde hoogte idoliseren. Maar er klopt iets niet aan haar verhaal. Op de een of andere manier lijkt het niet helemaal haar beslissing. Ze is er helemaal niet trots op of zo.'

Bess zweeg en dacht na over wat ze zojuist gezegd had. Het had haar zo veel moeite gekost om precies aan te wijzen wat er niet helemaal klopte aan Charlies houding, en nu had ze opeens de vinger op de zere plek gelegd. Tuurlijk, opscheppen over haar moed zou nou niet bepaald een innemende karaktertrek zijn, maar het zou leuk zijn als Charlie iets van vertrouwen in haar overtuigingen uitstraalde. Dat merkte Bess nooit bij haar. Ze maakte een aantekening op haar papier.

'Hmm,' zei Dan. 'Ik vraag me af hoe dat zit. Zou dat niet gewoon liggen aan het feit dat vrouwen het lastiger vinden om zichzelf op te hemelen dan mannen?'

'Misschien. Maar volgens mij zit er meer achter.'

'Misschien kun je er een positief artikel van maken,' opperde Dan. 'Je zou je kunnen focussen op de zwembadvergelijking; dat deze vrouwen bij wijze van spreken elk in een andere baan proberen hun droom te verwezenlijken.'

'Moet je jou nou horen; je bent echt gecharmeerd van die zwembad-vergelijking, hè? Eigenlijk is het helemaal geen slecht idee. Misschien kan ik schrijven over hoe divers de wegen zijn die vrouwen tegenwoordig bewandelen... Me richten op het feit dat Sabine, Naomi en Charlie allemaal hun eigen lot bepalen... Proberen de wensen van hun vroegere, naïeve zelf in balans te brengen met wat hun verstandige, ervaren, dertigplus-zelf als realiteit erkent: rekeningen die betaald moeten worden, in Naomi's geval een kind opvoeden, stress binnen de perken houden...'

'Ja, je zou het artikel "Evenwichtsoefening" of zoiets kunnen noemen.'

'Hmmm, dat ligt er een beetje te dik bovenop. Maar ik snap wat je bedoelt. Het enige probleem is, wie gaat het publiceren? In godsnaam geen vrouwenblad, hè! Daar wilde ik nou juist zo graag ver van blijven.'

'Niet zo negatief!' berispte Dan. 'Volgens mij is er genoeg ruimte in de *Times* voor een positief artikel over de anti-Carrie-Bradshawbende in New York. Als je bedenkt hoe triest het momenteel met de wereld gesteld is, vermoed ik dat de krant openstaat voor een aantal inspirerende en opbeurende artikelen. Ze kunnen het vast wel tussen de recentste dodelijke slachtoffers in Irak en een aangekondigde verhoging van de benzineprijzen in proppen.'

Bess lachte. 'Goh, ja, benzine. Hoe gaat het daar met rijden?'

'Simpel, in plaats van te eten, rij ik. Ik ga een nieuw dieetboek schrijven om mijn baanbrekende techniek met de rest van de wereld te delen.'

'Je kunt maar beter gaan eten!' zei Bess met haar beste 'bezorgde vriendin'-stemmetje. 'Weet je, daar zit echt wat in, dat vandaag de dag een positief artikel evenveel kans heeft om gepubliceerd te worden. Bedankt, Dan, je hebt me echt van mening doen veranderen.'

'Geen probleem, liefje. Ik vind deze versie echt beter. Op deze manier wordt er niemand gekwetst en wek jij niet de indruk een stiekeme, egoïstische gluiperd te zijn. Bovendien denk ik dat jouw hypothese op deze manier meer steun krijgt. Hiervoor was je een soort van aan het watertrappelen.'

'Vertel me nou eens wat je écht vindt,' zei Bess plagerig. Dan was vanaf het begin tegen het artikel geweest, maar op de een of andere manier had Bess zichzelf ervan overtuigd dat dat kwam omdat hij haar probeerde te dwarsbomen en haar carrière de das om wilde doen. Nu bleek dat het precies het omgekeerde was. Haar hart schoot helemaal vol voor deze man, die opeens negen triljoen kilometer weg voelde.

'Ik mis je,' zei Bess. 'Heel erg.'

'Jezus, dat weet ik. Ik mis jou ook. Alles is gewoon beter als jij erbij bent.'

'Ik heb precies hetzelfde met jou, D.' Bess zweeg, verbaasd door de gedachte die als een lampje in een striptekening bij haar opkwam. *Vlieg ernaartoe. Dit weekend.* 'Hé... wat doe je dit weekend?'

'Bedoel je aanstaand weekend? Geen concrete plannen nog, denk ik. Het is zondag, mop. Ik weet niet eens wat ik morgen ga doen.'

'En als ik nou kom? Op bezoek?' vroeg Bess, terwijl ze amper kon geloven dat die woorden over haar lippen kwamen. Spontaniteit was niet haar specialiteit. En de rationele implicaties – ze zou haar yogales moeten overslaan – deden niets om haar behoefte om Dan te zien weg te redeneren. Zo snel als menselijkerwijs maar mogelijk was. *Hier draait het toch om in de liefde? Risico's nemen... alle voorzichtigheid overboord gooien?*

'Meen je dat? Echt?!' vroeg Dan met een stemvolume dat door zijn opwinding een decibel gestegen was.

'Jawel. Ik meen het echt.'

'Je maakt geen geintje, hè? Ik zou het heerlijk vinden. Je weet dat ik ontzettend graag wil dat je een keer hierheen komt.'

'Dat weet ik niet!' zei Bess. 'Ik neem vrijdag vrij en kom dan naar je toe. Ga ik zondag weer terug.'

'Maar wacht even, mis je dan niet je les op zaterdag?'

'Ja, maar dat geeft niet. Ik wil gewoon... Ik wil je gewoon heel graag zien.' En dat was zo. Dat gemis woog zwaarder dan wat dan ook. Het artikel, haar werk, haar les, haar bedenkingen over het zichzelf wegcijferen voor hem – haar verstand werd weggespoeld door haar emotionele binding met Dan. En hij was zo goed voor haar, echt een steunpilaar als het ging om haar artikel en haar werk. Misschien zou ze het echt allemaal kunnen hebben. De creatieve voldoening, liefde, geluk... een eigen huis, een plek onder de zon. Ze was het zichzelf en hun samen absoluut verschuldigd het een echte kans te geven.

'Dit is geweldig nieuws, Bess. Boek een ticket en kom maar naar papa. Ik sta te popelen je overal mee naartoe te nemen... je mijn leven hier te laten zien.'

Zodat ik kan zien of ik daar misschien in pas, dacht Bess. De gedachte om daarnaartoe te verhuizen, schoot door haar hoofd zonder de gebruikelijke weerspannige reactie. In plaats van dat haar hele lichaam verkrampte bij die gedachte, voelde ze zich plooibaar en kalm; ze kon de mogelijkheid in ieder geval onderzoeken. *Yoga heeft me tot rust gebracht. Sabine, Charlie en Naomi hebben me tot rust gebracht. Liefde heeft me tot rust gebracht.* Ze glimlachte toen ze zich dit realiseerde. 'Ik wil je zo graag zien, Dan. Ik boek een ticket en laat je nog wel weten hoe laat ik aankom.' Ze dacht aan haar vader. 'Misschien kom ik een beetje eerder, zodat ik mijn ouders kan bezoeken. Ik zou donderdag meteen na mijn werk kunnen vertrekken.'

'Goed idee! Ik wil hen ontzettend graag ontmoeten. Gaan we dan naar foto's uit jouw pijnlijke puberteit kijken? Ik zie veel haarlak en misschien een beugel voor me.'

Bess lachte. 'Niet helemaal. Ik had wel een beugel, maar geen haarlak. Alleen een bizar permanentje.' Haar ouders waren beslist niet van het type dat bereidwillig oude fotoalbums tevoorschijn haalde, dus ze was in ieder geval veilig. Maar ze kon maar beter open kaart spelen over haar puberteit, voordat er onverwacht een foto boven water kwam.

'Echt waar?! O, wauw, ik popel om ze te zien. Er gaat niets boven de levensangst van tieners om een stel dichter bij elkaar te brengen. Trouwens, ik had puistjes en een adamsappel van het formaat basketbal. Een echte charmeur. Hoe gaat het met je vader?'

'Goed. Maar dat is lastig te bepalen, weet je, als je zo ver weg zit, dus ik wil het met eigen ogen zien.' Alleen al het praten over de kwetsbaarheid van haar vader maakte haar zenuwachtig. 'Hoor eens, ik ga ze bellen om zeker te weten dat ze er komend weekend zijn. Ik bel je morgen terug om je te vertellen hoe het ervoor staat.'

'Oké, B. Was je maar vast hier. Wacht even, hoe heten je ouders ook alweer? Ik wil meteen gaan oefenen om van een handdruk, via een knuffel naar nu toeslaan te gaan.'

'O jezus. Kalm aan. Mijn ouders zijn nou niet bepaald knuffelig.' Ze lachte toen ze voor zich zag hoe ze tegen hun wil verzwolgen werden door Dans geestdrift. 'Ze heten Michael en Anne.'

'O, prima, ik ga meteen aan de slag met persoonlijke gedichten voor hen,' plaagde Dan.

'Ik hou van je, ik moet haaaangen,' jammerde Bess.

'Ja, ja, ja, weet ik. Ga dat ticket nu maar boeken. Ik hou ook van jou. Tot snel.' Ietwat verdwaasd door het plan dat ze zojuist in beweging had gezet, hing Bess op.

Ze dacht aan haar ouders. Ze vroeg zich af of ze Dan zouden mogen. Ze pakte de telefoon weer op.

'Hallo?'

'Hai, pap!'

'Hé hai, Bessie! Wat een verrassing!'
'Ach, pap.' Bess grijnsde onvrijwillig. 'Hoe voel je je?'
'O, prima, prima. Een beetje vermoeid de laatste tijd, maar over het algemeen gewoon prima.' Bess vroeg zich altijd af of hij haar de waarheid vertelde. Als ze soms met haar moeder praatte, bespeurde ze een ander verhaal dan de versie waar hij zich in vastbeet. Haar stem had iets bedachtzaams dat riekte naar bezorgdheid. Ze zei het nooit met zo veel woorden – Bess' ouders waren niet bepaald mededeelzaam – maar Bess vóélde het gewoon. Als ze aandrong en haar moeder vroeg of het écht goed ging, wimpelde ze haar gewoon af en begon over iets onbenulligs als het weer. Bess vroeg zich vaak af wat voor relatie ze zouden hebben als ze dichter bij elkaar woonden. Misschien iets wezenlijker, maar voor hetzelfde geld ook niet. Haar ouders waren meestermaskeerders.

'Luister, pap, ik denk dat ik dit weekend naar jullie toe kom.'
'Ga weg! Echt? Dat zou geweldig zijn. Wacht even, ik roep je moeder even. Aaaaaaaaaaaaan!'
'Wat is er, Michael? Je lijkt wel een stervend dier met dat gekrijs van je.'
'Bessie is aan de telefoon!'
'O! Bess!' Bess glimlachte door de opwinding in haar moeders stem.
'Bess?' vroeg ze aarzelend, toen ze de andere telefoon had opgepakt.
'Hoi, mam!'
'O, hoi liefje, je klinkt goed.'
'Luister, mam, ik denk dat ik dit weekend naar LA kom.'
'Nee! Echt? O, Bessie, we zouden het heerlijk vinden om je te zien! Wil je dat we je komen ophalen op het vliegveld?'
'Nou, eigenlijk, weet je nog die man met wie ik ben? Dan?'
'O, ja, natuurlijk,' antwoordde haar moeder – de hoop in haar stem was voelbaar.
'Volgens mij heb ik jullie verteld dat hij naar LA is verhuisd voor zijn studie, toch? Dat hij wil afstuderen als scenarioschrijver op de universiteit van Zuid-Californië?'
'Volgens mij wel, Bess,' antwoordde haar vader. 'En, hoe vindt hij de westkust? Is het tempo een beetje te laag voor een stadsjongen als hij?' Bess' vader had de aantrekkingskracht van New York nooit helemaal begrepen. 'Al dat geloop,' zei hij altijd als hij op bezoek was.
'Hij heeft het erg naar zijn zin. Maar hij vindt dat er te veel auto's op de weg zijn.'
Haar vader lachte. 'O, hij moet zich gewoon wat meer op zijn gemak gaan voelen achter het stuur.'

'Ik kan het hem niet kwalijk nemen,' zei haar moeder. 'Ik zei pas nog tegen je vader dat het verkeer hier helemaal uit de hand loopt. Ik denk erover een fiets te nemen. Met een mandje, natuurlijk.'

'Oké, dan komen we vrijdag misschien wel eten,' zei Bess, voordat haar vader en moeder in een eindeloos gesprek over de voor- en nadelen van een fiets zouden verzeilen.

'Nou, dat zou heerlijk zijn,' zei haar moeder. 'Blijven jullie dan slapen?'

'Nee, we slapen wel bij hem.'

Haar vader schraapte zijn keel en Bess voelde dat hij gekwetst was. 'We zouden het fijn vinden als je langer bleef, Bess, maar we begrijpen het best. Misschien dat je er nog eens over na wilt denken.' Bess kromp ineen. Het oude schuldgevoeltrucje.

'Ik weet het niet. We zien het wel, oké?'

'Oké, Bessie. We willen je ontzettend graag zien en kennismaken met die jongeman. Ik laat je nu even met je moeder praten. Tot gauw.'

'Dag, pap, ik hou van je.' Hij hing op.

'Bess,' fluisterde haar moeder. 'Je weet dat jullie samen op de logeerkamer kunnen slapen.'

Bess lachte. 'Jezus, mam, dat mag ik hopen. We zijn samen honderd jaar oud!'

'Bess, ik vind het vervelend als je op die manier "jezus" zegt. Het klinkt onbehouwen. En ik weet best dat jullie allebei volwassen zijn, maar je vader is ouderwets. Maar ik zal wel met hem praten. En als jullie blijven overnachten, maak ik kaneelbroodjes voor het ontbijt.'

'Mam, je probeert me om te kopen!'

'Misschien. We missen je gewoon, Bessie. Denk er alsjeblieft nog even over na. Je vader zou het heerlijk vinden.'

'Hoe gaat het trouwens met hem?'

'Oké... een beetje vermoeid. Hij doet nu zonder heisa zijn middagdutjes, dus dat is goed.'

'Hoezo, is hij een klein kind?' vroeg Bess. 'Middagdutjes?'

'Hij moet het nu met een veel kleinere motor doen, Bess. Als hij overdag zijn rust niet krijgt, vergt dat te veel van zijn hart.' Zo open was haar moeder nog nooit geweest over haar vaders gezondheid. Het feit dat zij zei dat hij een middagdutje nodig had, betekende dat hij nog wel wat meer rust kon gebruiken.

'Natuurlijk, mam. Sorry. Vergeet dat ik dat gezegd heb. Dat was dom. We blijven logeren. Wie kan nou nee zeggen tegen jouw kaneelbroodjes?'

'O, fijn! Wat zal je vader blij zijn. En ik vind het zo fijn om je weer te zien, Bess. Dus we zien je vrijdagavond! En Don!'

'Hij heet Dan, mam.'

'Ja! Dan! O, eet hij vlees?'

'Jep, hij is een carnivoor.'

'Goed, ik hou van je, Bessie. Tot gauw!'

Bess hing op en verwonderde zich over het feit dat Dan over minder dan een week bij haar ouders op de bank een biertje zou drinken. Of een mixdrankje, als haar moeder zich als barkeeper zou opwerpen. De laatste keer dat haar ouders een vriendje van haar hadden ontmoet, was ze nog niet eens oud genoeg geweest om legaal alcohol te drinken.

Hoe heette die gozer ook alweer? Alex? Aaron? Nee, Alex. Hij was haar komen halen om naar de film te gaan. *Sleepless in Seattle*. Ongeveer halverwege had de jonge Alex geprobeerd zijn hand in haar broek te steken. Doodsbang had ze hem een klap in zijn gezicht gegeven, gewoon midden in de bioscoop.

Bess lachte bij die herinnering en liep toen naar haar computer. Ze moest een vlucht boeken.

28

Charlie

Charlie sloeg haar handen om haar hoofd. Haar voorhoofd drukte hard tegen het matje; het rubberen oppervlak dreigde sporen achter te laten op haar huid. Ze ademde langzaam.

Vijf tellen inademen en dan, bij de vijfde tel, uitademen en met haar voeten naar haar ellebogen lopen. Haar heupen vormden een hoek van negentig graden, recht boven haar schouders. Met een volgende diepe in- en uitademing trok ze haar knieën naar haar borst, terwijl ze beide voeten van de grond tilde.

Even zocht ze naar haar evenwicht toen ze haar benen strekte, maar toen... heerlijke ontspanning. Met haar lange benen gestrekt naar het plafond genoot ze van het aangename gevoel van bloed dat naar haar hoofd stroomde. De warmte circuleerde door haar schedel. Ze bleef zo ongeveer drie minuten staan om vervolgens, met haar rechterbeen als eerste, haar hoofdstand te ontmantelen.

Ze ging in de lotushouding op haar mat zitten en het bloed verspreidde zich weer door haar hele lichaam. Haar hoofd had in maanden niet zo helder gevoeld en die sufheid, waar ze de hele weg naar de studio tegen gevochten had, was nu een vage herinnering. Ze sloot haar ogen om het zeldzame moment van vredige, voldane helderheid in zich op te nemen.

Ze hoorde het vage geplof van voeten op de houten vloer en opende licht gealarmeerd haar ogen. Het was vroeg in de morgen. Was ze vergeten de deur achter zich op slot te doen toen ze binnenkwam?

Toen zag ze aan de andere kant van de ruimte een vertrouwde achterkant, die op handen en knieën genoot van zijn eigen post-ondersteboven helderheid. Charlie glimlachte en wachtte even voordat ze hem begroette. Iemand uit zo'n toestand rukken met een opgewekt 'hallo' was gewoon wreed.

Hij ging met zijn gezicht naar haar toe, maar met gesloten ogen op zijn mat zitten.

'Hallo, Julian,' zei Charlie. Hij opende één oog en kreeg een sluwe grijns op zijn gezicht.

'Goedemorgen,' antwoordde hij. 'Ik had besloten je na te doen.'

'Waarom?' vroeg Charlie, terwijl ze de duifhouding aannam om haar quadriceps te strekken.

'Ik zag jouw hoofdstand en het zag er gewoon zo geweldig uit! Ik moest er meteen zelf een doen.'

'Hoe voelde het?' vroeg Charlie, die genoot van het strekken.

'Hemels.'

Charlie ging over in balasana. 'Ja, hè?' zei ze enthousiast. 'Ik bedacht me net dat de hoofdstand gewoon de natuurversie van koffie is.'

'Als de hoofdstand een pr-persoon nodig heeft, krijg jij die baan meteen.'

Charlie lachte terwijl ze opnieuw de lotushouding aannam. 'Hoest met je, Julian? Nog opwindend nieuws?'

'O, niets bijzonders.' Hij lachte quasiverlegen. 'Alleen dat ik verloofd ben!'

'Wat?!' krijste Charlie, terwijl ze abrupt opgetogen overeind kwam. 'Waar heb je het over? Waaaaat?' Ze rende naar zijn mat en omhelsde hem; ze ramde hem bijna achterover met haar enthousiasme.

'Alsjeblieft, Charlie! Ik stik!' plaagde Julian, die zichtbaar blij was met haar reactie.

Charlie liet hem los en bekeek zijn stralende gezicht. 'Ga weg! Ik kan het niet geloven! Verbijsterend! Waar is je zeskaraats roze J.Lo-ring?' Ze pakte zijn linkerhand om ernaar te zoeken.

Julian lachte. 'Geen blingbling. Maar we hebben wel bij elkaar passende tatoeages.' Hij stak zijn linkerpols naar voren om haar de kleine, zwarte initialen te laten zien: SC. 'Scott heeft de mijne op zijn pols,' legde hij uit. 'We zijn net als Mariah en Nick, maar dan niet gestoord.'

Charlie klapte verrukt in haar handen. 'Ik ben zo blij voor je, Julian! Vertel me alles: waar was je, hoe heeft hij het gedaan, enzovoort enzovoort enzovoort.'

'We zaten te eten. Gewoon een doorsneezaterdagavond, weet je wel. We zijn al een tijdje aan het proberen vaker te koken en nu was Scott aan de beurt. Hij had verbijsterend lekkere tonijnsteaks gemaakt. Echt hoor, je hebt geen idee. Ze waren zo vers...'

'Genoeg over die tonijn! Vertel de leuke dingen.'

Julian lachte. 'Oké, oké. Nou, na het eten haalt Scott een fles champagne tevoorschijn en een schaaltje met in chocolade gedoopte aardb...'

'Hij had de ring in een aardbei verstopt!'

'Nee, tut! Halloooo, oubol-lig! Absoluut niet. En trouwens, er is geen ring. Beheers je, vrouw!'

'O, sorry, sorry,' zei Charlie. 'Vergeef me, mijn oestrogeen gaat met me aan de haal. Ga verder.'

'Dus, hij schenkt de champagne in en gaat naast me zitten,' vervolgde Julian. 'Ik dacht dat hij gewoon lief was, weet je? Ik had echt geen idee dat hij op het punt stond een aanzoek te doen. Ik bedoel, we hebben wel tegen elkaar gezegd dat we de rest van ons leven bij elkaar willen blijven, maar nooit dat we dat officieel gingen doen of zoiets.'

'En wat gebeurde er toen?'

'Hij pakte mijn hand en begon opeens een hele toespraak te houden over dat hij zo van me houdt en zich een leven zonder mij niet voor kan stellen blablabla. Tegen die tijd begon ik een beetje hysterisch te worden,' legde Julian uit. 'Dit ging blijkbaar niet alleen over aardbeien.'

'En toen?'

'Toen vroeg hij me ten huwelijk!' gilde Julian.

'Wauw! Je was zeker met stomheid geslagen?'

'Nee, joh! Ik gilde als een klein meisje! Ik zei al ja voordat hij was uitgesproken.'

Charlie kon er niets aan doen: ze werd overspoeld door vreugde. Ze pakte Julian weer vast en trok hem tegen zich aan.

'Nou en toen, na al dat zoetsappige gedoe, vertelde hij me dat er een auto buiten stond,' ging Julian verder, terwijl hij Charlie ook vastpakte. 'We liepen naar beneden, sprongen erin en reden naar de East Village. Scotts vriendin Margot heeft daar een tattoostudio en zij was speciaal opengebleven om ons te tatoeëren!'

'Wat supercool. Wauw.'

'Ja, hè? Mijn fiancé pakt het grondig aan. Fiancé,' herhaalde Julian.

'Wat een pretentieus woord. Fiancé. Ik denk dat ik beyoncé beter vind. En dit is mijn beyoncé, Scott.'

Charlie lachte. 'Wat een geweldig nieuws! Ik ben in de wolken voor jullie! We moeten een feestje bouwen!'

'Lijkt me prima. Laat me alleen eerst even een paar kilootjes afvallen. Foto's zijn genadeloos!'

'O, alsjeblieft! Je ziet er geweldig uit. Ik kan ham in plakjes snijden met jouw kaaklijn,' voegde ze eraan toe, een van Julians kreten stelend.

Julian straalde. 'Oké, oké. Jij je zin, er komt een feest!'

'Weten jullie al wanneer jullie gaan trouwen?'

'Waarschijnlijk volgend voorjaar. We gaan naar Vermont en doen het in stijl. Misschien als alle bloemen net gaan bloeien... blaadjes aan de bomen. De hele mikmak.'

'Prachtig. Je wordt een schitterend bruidje.'

'Een bruidje-roer-me-niet! "Ik zei dat ik lelies wilde!!! Lelies!!! Geen gladiolen!!!"' speelde Julian.

Charlie lachte. 'Dat zou nog eens wat zijn. Hé, wat vinden George en Michael hier eigenlijk allemaal van?'

'Ze zijn ontzettend gelukkig. Maar ze weigeren bruidsmeisjesjurken te dragen. George wil geen tweehonderdvijftig dollar uitgeven aan een niemendalletje dat hij verder nooit meer zal dragen. Hij heeft me nu al krachtdadig tot kalmte gemaand.'

Charlie bulderde toen ze de mollige mopshondjes in bij elkaar passende strapless jurkjes voor zich zag. 'Hoe dúrft hij! Weet hij dan niet dat het allemaal om jou draait?'

'Precies. Geen zorgen, daar komt hij snel genoeg achter.'

Hij zweeg en werd even ernstig. 'Bedankt voor al je lievigheid, Charlie. Ik ben echt nog nooit zo gelukkig geweest. Ik hou ontzettend veel van hem.' Hij keek omlaag, leek overweldigd door zijn emoties. 'Ik ben gewoon zo'n bofkont, weet je?'

'O, liefie, jij verdient al het geluk op de wereld!' antwoordde Charlie, terwijl ze hem weer knuffelde. 'Ik ben zo blij voor jullie. Jullie geven de wereld hoop! Ware liefde bestaat!'

Julian pakte haar ook stevig vast. 'Bedankt, Charlie. Nu we het daar toch over hebben, hoe is het met jou de laatste tijd?'

'Nul. Niks. Nada. Deze stad is voor mij dezer dagen droger dan de Sahara.'

'Dat komt doordat jij niet op zoek gaat naar water, Charlie. De desinteresse voor mannen druipt er werkelijk van af.'

'Waar heb je het over?' vroeg Charlie, enigszins geïrriteerd door Julians opmerking. 'Ik heb mijn ogen open!'

'Jawel, misschien wel, maar de zaak is gesloten. Het is verdomd duidelijk dat je niet op zoek bent naar liefde. Of seks, wat dat aangaat.'

Charlie sloeg haar ogen ten hemel.

'Neem Mario bijvoorbeeld,' zei Julian. 'De man wil jou soppen met een kaakje. Alleen al bij het horen van jouw naam gaat hij stralen.'
Ze bloosde zonder dat ze het wilde.
'Zie je wel, je bloost! Ik weet dat jij ook wat voor hem voelt! Maar' – Julian dempte zijn stem en sloeg een meer serieuze toon aan – 'daar zal hij absoluut nooit achter komen. Je geeft hem de kans niet.'
'Wel waar!' wierp Charlie tegen. 'Toen hij pas langskwam met thee en een muffin was ik uiterst dankbaar!'
'Heeft die schat jou een ontbijtje gebracht?! Snap je nou wat ik bedoel? Hij staat in vuur en vlam voor jou. Ik durf te wedden dat jij gewoon dank je wel hebt gezegd en die muffin in je gezicht hebt gestopt.'
'Wat had ik anders moeten doen? Op mijn knieën vallen en hem pijpen?'
'Ga je mond spoelen!' zei Julian geveinsd walgend. 'Het is nergens voor nodig de hoer te spelen voor bakproducten. Maar je had wel je ogen een beetje kunnen deppen of je hand op zijn arm kunnen leggen. Je weet wel, beetje kneden.'
'Hoor eens, ik wil best toegeven dat het misschien waardeloos is wat ik doe, maar het zou een vergissing zijn om iets met Mario te beginnen. Ik moet hem elke dag zien. En trouwens, hij is niet bepaald...'
'Degene met wie jij jezelf ziet?' maakte Julian haar zin af. 'Dat snap ik, maar gedraag je dan niet zo kleingeestig. Hij is echt een goeie gozer en een kei van een zakenman.'
'Echt?' Charlie had geen idee dat Mario zo'n ondernemer was. Ongewild was ze enigszins geprikkeld.
'Ja, dat is zo, juf Wall Street. Je kunt het meisje wel uit Wall Street halen, maar je kunt...'
'Wall Street niet uit het meisje halen,' maakte Charlie af. 'Luister, Julian, ga me nou niet het gevoel geven dat ik een trut ben, alleen omdat ik opgewonden raak van zijn handeltjes. Laten we niet vergeten dat mijn vorige verkering geen baan had. Dat was afschuwelijk. Van een proactieve man raak ik opgewonden en in de war.'
'Ja, halloooo, dat snap ik ook wel! Luister, we zijn een beetje afgedwaald. We hebben dit gesprek alleen maar om te achterhalen waarom jij in de buurt van mannen zo onbenaderbaar bent.'
'Ik denk dat ik gewoon bang ben. Na Neil... Nou ja, ik vind het gewoon moeilijk om mezelf weer aan de man te brengen. Ik ben niet zo goed in mezelf kwetsbaar opstellen.'

'Weet ik toch, moppie,' zei Julian, terwijl hij zijn armen om haar heen sloeg. 'Maar soms moet je de sprong gewoon wagen. Neil heeft jouw hart in duizend stukjes gebroken, ja. Dat is een feit. Maar jij bent een taaie en nu – bijna vier jaar later – wordt het tijd om verder te gaan. Als dat betekent dat je moet flirten met een lekkere *delidude* die een muurtje kan metselen, dan moet dat maar.'

'Kan hij een muurtje metselen?'

'Jep. Ik deed net of ik wilde weten hoe dat moest, alleen maar om hem dat te horen vertellen met dat sexy accent van hem.'

'Slet! En Scott dan?'

'Liefje, alsjeblieft. Ik ben dan wel op dieet, maar dat betekent nog niet dat ik niet af en toe op de menukaart mag kijken. Dat is gezond,' zei hij.

'Wat is gezond?' vroeg Felicity, die haar hoofd om de hoek stak. Haar capuchon omlijstte haar mooie gezicht.

'Felicity!' gilde Charlie. 'Julian moet je iets vertellen!' Ze keek met stralende ogen van opwinding naar Julian.

'Holy shit, wat is er?' vroeg Felicity. 'Ben je zwanger?'

'Veel beter!' antwoordde Julian. 'Ik ben verloofd!'

'Ga weg!!!" schreeuwde Felicity, die naar hem toe rende om hem te omhelzen. 'Gefeliciteerd!'

Charlie stond breeduit te stralen, terwijl Julian het hele verhaal nog eens dunnetjes overdeed. Ze bofte echt enorm met deze twee zakenpartners. Het was op zijn zachtst gezegd een zegen.

En wat betreft Julians uitspraak over haar afstandelijkheid – dat was niet bepaald nieuws voor haar. Charlie had zich al zo lang bij elke stap die ze zette laten leiden door het verdriet om de breuk met Neil. En nu, nu ze eindelijk de duivel had uitgedreven, had ze geen idee hoe ze de wereld van daten, seks, lust, liefde – wat dan ook – weer moest betreden.

Maar toen ze stond te kijken naar Julian, die met stralende ogen liefdevol stond te vertellen over zijn zielsverwant, besloot Charlie dat ze bereid was het te leren.

29

Naomi

Naomi lag op bed en was doodsbang. *Wat gebeurt er met me?* Ze streek haar handen over haar romp heen en weer. Ze was verlamd. Niet écht verlamd – ze kon ergens in de verte haar handen wel voelen, maar haar huid zelf voelde als die van een etalagepop: geen warmte en spiegelglad. Ze verplaatste haar handen naar haar borsten en greep die vast alsof ze van speelgoedklei waren gemaakt. Hoewel ze daar meestal erg gevoelig was, kon ze de druk van haar greep amper voelen. Van het omcirkelen van haar tepel met haar vingertop was nauwelijks iets te merken. Ze bewoog haar rechterhand over haar linkeronderarm. *O, goed. Normaal.* Ze schoof haar hand verder omhoog, kneedde haar arm alsof het deeg was en genoot van het gevoel. Omhoog naar haar sleutelbeen en over haar gezicht ging haar hand. *Allemaal normaal.* Ze volgde het spoor terug naar haar lies. Ook gevoelloos. *Shit.* Ze streek over haar schaamlippen en voelde niets. Shit. *Wat is er met me aan de hand? Zou het universum me straffen voor het verwaarlozen van mijn vrouwelijke delen? Gebruik ze, anders ben je ze kwijt?* Ondanks haar paniek grijnsde Naomi om die wrede les. Ze ging verder, liet haar hand over haar linkerbeen glijden. *Een beetje gevoel, maar op de een of andere manier absoluut beneden de maat. Alsof hij slaapt. Linkervoet? Oké. Rechtervoet, check. Rechterbeen — weer die etalagepop.* Ze slaakte een diepe zucht en vocht tegen de opwellende tranen.

'Maaaaaaaaaam!' gilde Noah uit de andere kamer. Hij kwam naar binnen huppelen; zijn gebroken arm hing als een vogelvleugeltje in zijn mitella.

'Voorzichtig, Noah! Denk aan je arm, lieverd. Je kunt niet meer zo bewegen als eerst, weet je.' *Oké: een, twee, drie. Zitten.* Naomi hees zichzelf overeind. *Oké, goed. Dat was makkelijk.*

'Weet ik, mam, maak je geen zorgen. Het doet maar een beetje pijn.'
'Echt waar, liefje?' Ze trok hem tegen zich aan en lette op dat ze zijn vleugel niet plette. Hij nestelde zich tegen haar aan.

'Jawel,' antwoordde hij. 'Maak je alsjeblieft pannenkoeken voor me?' Noah bleef een dagje thuis van school. Hoewel zijn armdrama al twee dagen geleden had plaatsgehad, vond Naomi dat hij gewoon een dagje ziek zijn verdiende. Bovendien kreeg ze het benauwd bij het idee haar gebroken vleugeltje helemaal alleen de boze buitenwereld in te sturen. Ze hadden afgesproken om vandaag een beetje te gaan oefenen – om Noah te laten zien hoe hij het allemaal met één arm in plaats van twee moest doen.

'Noah, ik… ik voel me niet zo goed,' antwoordde ze. Door het hardop te zeggen, werd het weer reëel. Ze kon die gevoelloosheid niet negeren: die was te alarmerend. Maar wáár het voor waarschuwde? Ze had geen idee. Noah keek haar vragend aan.

'Heb je weer hoofdpijn?' vroeg hij.

'Nee, dat is het niet. Mijn lichaam voelt een beetje raar. Ik denk dat ik beter even naar de dokter kan gaan.'

'Gaat het wel?'

'Ik denk het wel, liefje. Ik wil het gewoon zeker weten.' Ze slingerde haar benen over de rand van het bed. Noah keek haar behoedzaam aan. *Oké, alles werkt.* Voorzichtig zette ze haar voeten op de hardhouten vloer en ging staan. Dat ging ook. 'We gaan zo ontbijten, oké? Ik moet eerst de dokter even bellen.'

Noah kwam naast haar staan. 'Oké, mam. Mag ik televisiekijken?'

'Ja, ga je gang.' Hij ging er op een drafje vandoor en Naomi liep voorzichtig naar de woonkamer. Ze pakte haar tas en ging erin op zoek naar het nummer van de neuroloog. Ze had pas woensdag een afspraak, maar dit was een noodgeval. Hopelijk had hij nog een plekje voor haar.

'Met de praktijk van dokter Dipietro, goedemorgen.'

'Eh, hallo, u spreekt met Naomi Shepard. Ik heb een afspraak met dokter Dipietro voor aanstaande woensdag. Maar… maar ik denk dat er iets mis is en ik vroeg me af of ik vandaag misschien even kon komen.'

'Wat is er mis?'

'Ik werd wakker en was… nou ja, ik ben verlamd. Mijn romp, mijn onderlichaam, mijn benen… als een etalagepop. Gevoelloos.' Naomi werd overspoeld door angst en er begonnen tranen over haar wangen te druppelen.

'Oké, ik zet u even in de wacht en dan kijk ik wat ik voor u kan doen.'

'Fij…' Opeens werd Naomi ondergedompeld in minzame jazz. Had de assistente paniekerig geklonken? Nee. Niets in haar toon wees erop dat Naomi's verklaring ongewoon was. Was dat een goed of een slecht teken? Ze vroeg zich af of ze die verwijzing naar een etalagepop wel eens eerder had gehoord. 'Oké, mevrouw Shepard? Hij heeft vandaag om twee uur tijd voor u.' 'O, fijn. Geweldig. Ik zal er zijn. Dank u wel.' Naomi hing op; haar dankbaarheid mengde zich met pure doodsangst. *Dit is echt en het overkomt me. Deze dokter gaat me iets vertellen waarvan ik me misschien kapot schrik.* Ze raakte haar buik aan. Geen verandering. *Wacht even, wat moet ik met Noah? Cee?* Cee werkte op maandag en bovendien had ze het grondig verpest bij haar en moest ze zich daar nog voor verontschuldigen. *Gene? Nee, die zit in Parijs. Mijn ouders?* De praktijk van de dokter was in de Upper East Side. Ze kon Noah daar brengen en dan de bus nemen. Ze keek op haar telefoon om te zien hoe laat het was. Half negen. Geen punt. Ze wilde hen liever niet alarmeren met haar vervroegde afspraak, maar ze had in feite geen keuze. Ze zat in de knel.

'Hallo?'

'Mam?' Naomi's stem trilde.

'Naomi! Wat is er?'

'Eh, er gebeurt iets heel raars met me. Ik… eh… ik was verlamd toen ik vanmorgen wakker werd.'

'Wat?! Verlamd? Hoezo verlamd?'

'De huid van mijn romp en mijn benen is gevoelloos.' De tranen rolden uit Naomi's ogen toen ze het uitlegde. 'Ik weet niet wat er met me aan de hand is, maar ik heb mijn afspraak met de neuroloog naar vanmiddag verplaatst.'

'O, liefje.' Haar moeder zweeg om Naomi niet nog bezorgder te maken. 'Oké, prima. Hoe laat?'

'Twee uur. Denk je dat je op Noah kunt passen als ik daar ben? Hij is vandaag ziek thuis, vanwege zijn arm.'

'Zijn arm? Wat is daarmee?'

'Die heeft hij afgelopen zaterdag gebroken in de speeltuin.' Naomi voelde zich opeens volkomen overweldigd. Haar zoon functioneerde met één arm en zij was een etalagepop.

'Kom zo snel mogelijk naar ons toe, Naomi. Dan lunchen we samen en kun je Noah hier laten als jij naar de dokter gaat.'

'Oké, mama.' Ze kon zich niet meer herinneren wanneer ze haar voor het laatst zo genoemd had, maar ze voelde zich opeens zo klein en kwetsbaar. 'Bedankt. Ik hou van je.'

'Ik ook van jou, lieverd. Luister, neem een taxi. Ik betaal wel. Ik wil niet dat je nu met de metro gaat.'

'Oké,' stemde Naomi dankbaar in. Ondergronds reizen in deze toestand zou inderdaad een nachtmerrie zijn.

Nu ze door de bekrachtiging van de plannen van vandaag op gang was gebracht, schakelde ze over op een zakelijke houding. Ze maakte een schaaltje cornflakes voor Noah – 'Geen pannenkoeken vandaag, jochie, het spijt me' – en ging onder de douche. Tijdens het scheren van haar benen voelde ze het scheermes niet op haar huid. Ze hield haar tranen tegen en maakte het karwei af. Na het douchen nam ze een paar slokken koffie en trok een spijkerbroek aan. Noah met zijn gipsen arm aankleden bleek een kunst op zich. Nadat haar pogingen om hem in zijn eigen sweatshirt te sjorren mislukt waren, greep ze een oude sweater van zichzelf en trok die over zijn hoofd. Perfect.

'Maar mam, dit is een meisjessweater,' klaagde Noah.

'Daar zie je niets van,' snauwde Naomi. *Verdomme. Hoe krijg ik hem in godsnaam in zijn jas?* Ze wierp een blik op de kapstok bij de voordeur. *Moet ik de mouw er afknippen?* Ze dacht aan haar eigen jassen. Ze had nog een oude North Face uit haar studententijd die misschien van pas kwam. Tien minuten later stond Noah voor haar – van onderen was hij een kleine jongen en van boven een vrouwelijke eerstejaars uit het eind van de jaren negentig. Hij keek haar kwaad aan.

'Kijk niet zo, Noah. Wat moeten we anders?'

Een taxirit, een boterham met pindakaas en jam bij haar moeder, en een busrit later, zat Naomi zenuwachtig in de spreekkamer bij de dokter. Haar handen waren tot vuisten gebald toen ze nerveus verslag deed van de symptomen van de afgelopen maand. Hij knikte en maakte aantekeningen terwijl zij sprak. Naomi zou graag willen zien wat hij opschreef.

'En tja, dan zijn we bij vandaag aangekomen. Nu heb ik weer last van die vreemde gevoelloosheid.' Ze keek hem verwachtingsvol aan.

'Ik wil een paar testjes met je doen,' zei hij nuchter. Hij liep naar haar toe en raakte haar romp aan, waarmee hij het etalagepopgevoel bevestigde. Hij controleerde haar vingers en haar tenen, haar reflexen en haar ogen. Hij pakte een klein ijzeren instrumentje, tikte ertegen en controleerde haar vibratiezin. Hij klopte op haar voeten, haar armen en ging

217

vervolgens een voor een de wervels op haar rug af. Goed, goed en toen
– niets.

'Voel je dat niet?' vroeg hij. Lag het gewoon aan Naomi's hypergevoeligheid of bespeurde ze enige spanning in zijn stem?

'Nee, nee, ik voel het niet,' antwoordde ze. Toen kwamen de tranen weer. Hij schraapte zijn keel. 'Ben ik in orde?'

'Dat weet ik nog niet, daar probeer ik nu achter te komen. Wil je even met me naar de gang komen, alsjeblieft?' Gehoorzaam liep ze achter hem aan.

'Ik wil dat je de gang in loopt en dan stopt.'

'Als een mannequin?'

Er brak een glimlach door op zijn gezicht. *Eindelijk, een menselijke reactie.* 'Precies.'

'Dat kan ik wel.' Naomi schreed de hele gang door in de hoop dat haar pas normaal was. Zo voelde het wel.

'Oké, goed. Kom terug.'

Ze liep terug en dokter Dipietro legde zijn hand op haar onderrug om haar zijn spreekkamer weer in te loodsen. 'Kom binnen.'

Hij ging zitten. 'Tja, we kunnen niet met zekerheid zeggen wat er aan de hand is,' zei hij. Naomi kauwde op haar onderlip alsof het kauwgom was. 'Het zou een virusinfectie kunnen zijn. Het zou ook een auto-immuunziekte als lyme kunnen zijn.'

'Kan er niet gewoon een ruggenwervel scheef zitten?' vroeg Naomi. 'Misschien van de yoga?'

'Dat zou kunnen, maar ik acht die kans niet waarschijnlijk. Je hoofdpijn wijst ergens anders op. Ik wil dat je een MRI-scan laat maken van je schedel en twee van je ruggenmerg, zodat we aan de binnenkant kunnen kijken. En ik wil ook dat je vandaag een paar bloedtestjes laat doen.'

'Wat zou het nog meer kunnen zijn?' vroeg ze. Ze wilde het niet hardop zeggen. Het woord dat ze had vermeden sinds ze haar symptomen helemaal in het begin had ingetoetst. Ze had zelfs die letters niet hardop gezegd, uit angst dat het alleen daardoor werkelijkheid was.

'Het zou MS kunnen zijn,' antwoordde hij. De tranen sprongen haar in de ogen. 'Luister, MS is niet zo afschuwelijk als jij denkt.' Hij keek haar serieus aan. 'Het is een beheersbare ziekte en de medicatie van tegenwoordig heeft het verloop ervan volledig gewijzigd.' Hij zweeg even om Naomi de kans te geven iets te zeggen, maar ze kreeg geen woord over haar lippen.

'Ik zeg niet dat je het hebt. Uit het bloedonderzoek van vandaag zal blijken of het iets anders is. Ik wil alleen dat jij weet dat de kans bestaat dat het dat is. Jouw symptomen zijn niet volgens het boekje, maar dat is nou juist het punt bij MS: niets gaat volgens het boekje. Iedereen heeft een andere ervaring.'

'Is dat zo?' vroeg Naomi. Ze had zichzelf eindelijk weer genoeg onder controle gekregen om te praten. 'Ik dacht dat MS... Ik bedoel, zit niet iedereen die het heeft in een rolstoel?' Het was opeens moeilijk om adem te halen.

'Nee, nee, nee. Voor sommigen geldt dat inderdaad, maar dat is maar een klein percentage van de MS-patiënten. Sommige mensen hebben slechts een paar uitbarstingen in hun hele leven. Bij anderen begint het met een verslechtering als de jouwe, waarna het progressief erger wordt. Weer anderen hebben op bepaalde momenten in hun leven last van enige gevoelloosheid, die ofwel vanzelf weer weggaat ofwel te onderdrukken is met een simpele injectie. En de medicatie die nu verkrijgbaar is, is echt pas van de laatste tijd. Die heeft de levens van mensen met MS op verbazingwekkende manieren veranderd; de kans dat wij nog meemaken dat de ziekte genezen kan worden, is meer dan waarschijnlijk.'

'MS is toch een ongeneeslijke ziekte?'

'Jawel. Maar beheersbaar. Niet fataal.' *Ongeneeslijke. Ziekte. Hoe kan ik nou een ongeneeslijke ziekte hebben? Mijn hele leven is mijn lichaam met relatief gemak ellende te boven gekomen. En nu dit? Word ik gestraft?*

'Luister naar me, Naomi. We weten niet wat er met jou aan de hand is, maar we gaan ons best doen om daarachter te komen. Ik wil niet dat jij je vastbijt in MS als we helemaal niet zeker weten wat er gaande is.'

'Blijf ik voor altijd gevoelloos?' vroeg Naomi met een piepstemmetje. De dokter glimlachte. 'Nee. Dit gaat vanzelf weer over, maar het kan wel een paar weken duren. Ik wil graag dat je een dagboek bijhoudt van je symptomen. Denk je dat je dat kunt? Dat kunnen we straks goed gebruiken.'

Naomi knikte. 'Als het MS is, kan ik dan nog wel kinderen krijgen?'

'Jazeker. Sterker nog, zwangerschap werkt geweldig tegen MS-symptomen. Joost mag weten waarom. Het spijt me, Naomi, maar ik heb een andere afspraak. Ik had graag meer tijd voor je genomen, maar omdat we jou er op het laatste moment tussen gestopt hebben, is onze tijd beperkt. Neem mijn kaartje mee en e-mail me als je vragen hebt. Of bel.' *Ho even, wat is dit? Hoe kan hij me nu zomaar wegsturen?* Hij pakte zijn receptenblocnote. 'Ik wil graag dat je drie MRI's laat maken. Bel dit nummer en maak een afspraak. Ze zullen je vertellen dat ze daar voorlopig geen tijd voor hebben, maar dan moet je zeggen dat dokter Dipietro jou zo snel mogelijk in de buis wil.' *De buis?* Daar had ze allemaal griezelverhalen over gehoord.

'En loop nu maar even met me mee naar Lauren. Zij zal bloed bij je afnemen, zodat we hier wat testjes kunnen doen.' Naomi stond op; ze was nu zowel emotioneel als fysiek verlamd. Een paar minuten later zag ze de verpleegkundige een naald in haar ader steken. Ze had het gevoel alsof ze dit – dit alles – vanaf een afstandje gadesloeg. *Dit overkomt mij niet. Wel dus.* Nadat ze voldoende geprikt was, verliet ze de praktijk en liep de koude buitenlucht in. De bus kwam brommend op haar af rijden. *Ik wil niet met de bus. Ik wil lopen.* Ze kuierde in de richting van het park en bleef om de zoveel passen staan om de tranen af te vegen die maar over haar gezicht bleven stromen. Ze had zich nog nooit zo eenzaam gevoeld.

Al lopend prevelde ze een bedankje aan het universum voor dit simpele genot. Beweging – daadwerkelijke, eenvoudige beweging – was iets wat ze altijd als vanzelfsprekend had beschouwd. *Kan ik nog wel naar de yogales? Shit, kom ik in een rolstoel terecht? Wat moet Noah dan doen?* Haar tranen begonnen nog sneller te stromen en ze moest blijven staan om op adem te komen. *Niet te geloven dat ik me twee weken geleden zo druk maakte over Gene, die die stomme kartonnen versie van Noah mee naar Parijs zou nemen. Nu krijgt hij misschien de levensechte versie, omdat ik zelf niet meer voor Noah kan zorgen.*

Ze veegde haar tranen af met haar handschoenen en liep toen met gebogen hoofd verder door het park. De groene knoppen aan de bomen en de bloemen die hun kopjes boven de ontdooiende grond uitstaken, ontgingen haar volledig.

30

Sabine

Jezus, rustig aan! Sabine besefte dat ze had lopen rennen naar haar afspraak met Zach. Ze was met de beste wil van de wereld niet laat, dus zelfs
een stevig tempo sloeg nergens op. Ze kon gewoon niet wachten tot ze
hem weer zou zien. Ze groef in haar tas op zoek naar een pepermuntje.
Over zo'n drie minuten was ze bij de kroeg. Ze keek op haar horloge. Ze
zou precies op tijd komen. Ze was nu eenmaal behept met obstipate neigingen. Ze kón niet te laat komen, zelfs al deed ze daar haar uiterste best
voor. Ze kon ook nooit een vuil bord in de gootsteen laten staan als ze van
huis ging. Ooit had ze er alles aan gedaan om de ontbijtboel niet af te was-
sen. Ze had zichzelf gedwongen het huis te verlaten, maar was één straat
verder alweer teruggekeerd. *Als een afwasneurose mijn ergste tekortkoming
is, doe ik het best goed.* Ze keek op. Ze was nog net op tijd bij de kroeg om
het laatste stukje pepermunt door te slikken.

Ze liep naar binnen. Daar zat hij, op een kruk bij de deur een biertje te
drinken. Hij was zo... volmaakt. Donker, warrig haar, een grijze sweater
met een wit T-shirt eronder dat de verlokkende boodschap 'ik overdrijf
niet, ik heb toevallig gewoon een goede smaak' overbracht, een ietwat versleten spijkerbroek en het pièce de résistance: chocoladebruine Rod Lavers. Sabine had een vreemd, ongeëvenaard zwak voor bruine gymschoenen. Na een bijzonder verhitte ontmoeting met bruine Adidas Gazelles
aan een zeer onaantrekkelijke man bij de supermarkt, had ze geprobeerd
de reden daarvan te achterhalen. De man zelf deed haar totaal niets, maar
die schoenen. De schoenen! Ze was erin geslaagd haar obsessie te herlei-
den tot de voetballer Tyler Sellers uit de eerste klas van de middelbare
school. Hij was Sabines eerste grote 'krabbel zijn naam in je schrift en dan
meteen weer doorstrepen'-liefde geweest en hij had bruine Nike Air Force
Ones gedragen. Sabine wist niet meer zeker wat er het eerst geweest was,

de verliefdheid of de schoen, maar nu waren dat onlosmakelijke entiteiten geworden. Vandaar dus dat ze was gaan blozen, zodra ze Zach met zijn Lavers in de metro had gezien. En nu stond ze hier, op haar tweede date met hem. *Eindigen die schoenen vanavond op mijn vloer?* In gedachten zag ze die in haar woonkamer slingeren. *Of misschien trekt hij ze wel voor de deur uit, net als de vriend van mijn buurvrouw.*

Zach keek op van zijn biertje. Er verscheen een gigantische glimlach op zijn gezicht toen hij Sabine in de deuropening zag staan. Haar hart klotste rond in haar borst toen ze dat zag. 'Hai!' riep hij uit.

Ze liep naar hem toe. 'Hallo,' antwoordde ze, in de hoop dat haar stem neutraal klonk. Hij stond op om haar te omhelzen.

'Hoe is het?' vroeg ze, terwijl ze haar jas los ritste en over de barkruk hing.

'Nu geweldig. Je ziet er mooi uit.'

'Bedankt, Zach. Jij ziet er ook niet slecht uit. Wat drink je?'

'Blue Moon. Het is heerlijk. Zal ik er een voor je bestellen?'

'Ik denk dat ik een glas wijn neem. Een droge witte misschien?' Zach bestelde het voor haar, terwijl zij ging zitten. 'Bedankt,' zei ze. Ze hield haar glas omhoog om te proosten en hij deed hetzelfde. 'Op...'

'Op de langste anderhalve week ooit,' vulde hij in. 'Ik ben echt blij dat ik je weer zie.'

Sabine nam een slokje en knikte. 'Ik ook. En op de afronding van je zaak. Toch?'

'Ja. Onze cliënt heeft ook nog gewonnen en dat is een enorme opluchting.'

'Gefeliciteerd!'

Ze glimlachten een beetje schaapachtig naar elkaar.

'Hoe bevalt de yoga je?' vroeg Zach. Op hun eerste date had Sabine geprobeerd haar spierpijn te maskeren, maar uiteindelijk had ze het moeten afleggen tegen haar pijnlijke buikspieren. Telkens als ze lachte, had haar buik het uitgeschreeuwd van de pijn.

'Nou, ik zal je vertellen dat ik de smaak te pakken krijg! De afgelopen les was lang niet zo zwaar.'

'Dat is geweldig. Ik heb altijd yogalessen willen nemen, maar ik ben bang dat ik nogal stijf ben. Ik doe wel aan hardlopen en zo op de sportschool, maar ik kan amper mijn tenen aanraken.'

'Nee hè, dat was bij mij ook zo! Ik had nooit gedacht dat ik het echt leuk zou gaan vinden. Maar mijn lerares is super en ik heb echt het gevoel

dat ik er op mijn gemak ben, weet je? Zodra ik ophield me zorgen te maken over of ik er goed in was of niet, begon ik ervan te genieten.'
'O, je had dus nooit eerder aan yoga gedaan?' vroeg Zach. 'Ik dacht dat je het al jaren deed.'
'Ga weg! Waarom?'
'Je hebt een prachtige houding,' legde hij uit. 'Je loopt mooi rechtop. Het is bijna... koninklijk.' In het zwakke licht van de kroeg zag Sabine dat hij bloosde.
Ze lachte. 'Echt? Bedankt. Ik heb nooit stilgestaan bij mijn houding.' Ze wierp een zenuwachtige blik op haar wijnglas. Zach streek het haar uit haar gezicht. Ze keek op en zag dat hij haar liefdevol aan zat te staren.
'Ik ben niet zo'n type dat in het openbaar gaat zitten vrijen. Maar ik wil nu wel met je zoenen.'
'Oké,' stemde Sabine in. Ze werd slap vanbinnen. Hij deed het. Zacht doch dwingend, agressief maar niet aanmatigend, nat maar niet lebberig. Perfect. Sabine legde haar hand op zijn bovenbeen. Ze trok zich terug en liet haar voorhoofd tegen het zijne rusten. Ze staarde recht in zijn rozijn-juwelen. 'Mooie wimpers heb je,' fluisterde ze.
Hij lachte zacht. 'Bedankt. Jij ook.' Een paar minuten bleven ze zo, met hun voorhoofd tegen elkaar, zitten. Toen kwam Zach overeind en glimlachte. 'Zullen we iets gaan eten?'
Nee, ik wil je mee naar huis nemen en je de kleren van het lijf rukken.
'Oké,' stemde Sabine in. Ze had nog nooit in haar leven zo geen trek gehad, behalve dan misschien die ene keer, toen ze na het tot zich nemen van een salade die dreef in de ranchdressing acute buikgriep had gekregen. Sinds die keer had ze nooit meer op dezelfde manier naar dat product kunnen kijken.
Zach rekende af en ze wandelden hand in hand naar een klein Italiaans tentje verderop in de straat. Een fles wijn en een paar gedeelde hapjes later was Sabine aangeschoten en onomstotelijk geil. Elke keer dat zijn knie onder de tafel langs de hare streek, had ze het gevoel een elektrische schok te krijgen.
'Wil je een toetje?' vroeg hij, toen de ober hun borden weghaalde.
'Nee,' antwoordde Sabine. 'Ik wil jou mee naar huis nemen.' Ze was verbaasd over haar vrijpostigheid, maar ze kon het niet helpen. Ze wilde hem. Nu.
'Mag ik de rekening, alstublieft!' riep Zach naar de ober. Hij streek over

haar kaak en lachte. Sabine vroeg zich af hoe zijn borst tegen de hare zou voelen. *Warm.*

In haar huis gluurde Lassie haar nieuwsgierig van achter het aanrecht aan. Zijn kleine kattenogen zagen Sabine niet vaak in zo'n compromitterende houding. Zij en Zach waren shirtloos en klauwden als kleine tijgertjes naar elkaar.

'Wat voel jij lekker,' mompelde Zach. 'Jezus.'

'Mrmrmrm, mrmrmrm,' mompelde Sabine terug. Hij voelde beter dan ze zich ooit had kunnen voorstellen. Al die maanden metrosmachten; nooit gedacht dat haar verbeelding zo de spijker op de kop had kunnen slaan. Ze knoopte haar broek los.

Bij het geluid van haar naar beneden glijdende rits ging Zach plotseling rechtop zitten. 'Wat is er?' vroeg ze. Ze wist dat ze het erover gehad hadden het rustig aan te doen en in principe was ze het daarmee eens, maar dit voelde gewoon zo goed. Nu stoppen, zou een misdaad tegen de mensheid zijn!

'Sabine, ik… ik kan het niet. Geloof me, ik wil het wel, maar ik denk gewoon dat het niet zo'n goed idee is. Ik vind het te snel.'

Sabine ging ook rechtop zitten en verlangde opeens naar haar shirt.

'Zach, ik… ik begrijp wat je bedoelt, maar kom op! Vind je dit niet fijn?'

'Sabine, ik vind het heerlijk. Jij bent verbijsterend. Je bent prachtig, geloof me. Mijn gevoelens voor jou hebben niets te maken met het nu niet willen vrijen. Geloof me.'

'Wat is het dan?' Sabine was gegeneerd en geïrriteerd tegelijk.

'Nee, dat was niet wat ik wilde zeggen. Mijn gevoelens voor jou hebben er alles mee te maken. Ik vind je leuk. Ik wil het rustig aan doen.'

Krijg nou wat! Ze vroeg zich af of hij een klein piemeltje had. Toen ze op de bank hadden liggen stoeien, had ze niet echt een soort van veelbetekenende bobbel gevoeld. *Straks heeft hij het formaat van een koffieboon! Ik wist dat er een addertje onder het gras zat!*

Ze deed een poging haar zelfbeheersing te herstellen. Het was niet verstandig om nu tegen Zach te gaan schreeuwen over de rechtsgeldigheid van zijn mannelijkheid. Dat wist ze. 'Oké. Ik bedoel, ik denk wel dat ik begrijp wat je bedoelt.' Maar dat deed ze niet. Er was hier iets niet in de haak. Welke kerel gunde zichzelf nou geen seks? 'Wil je erover praten?'

'Er valt eigenlijk niet zo veel te praten,' antwoordde Zach. 'Ik heb de fout gemaakt om te snel de koffer in te duiken, snap je? Ik denk gewoon dat we even moeten wachten. Ik bedoel, we hebben de tijd. Ik ga nergens heen... Jij?'

Alleen maar in mijn eentje naar bed, klojo, dacht Sabine. Ze was verbaasd over de intensiteit van haar woede. Natuurlijk vond zij Zach ook erg leuk. Ze vond alleen dat dat wachten gelul was. Ze kon het niet helpen: ze vermoedde dat er meer achter zat dan Zach losliet. Walgde hij van de vetrol op haar buik?

'Nee, ik ga nergens heen,' antwoordde ze ten slotte. Ze raapte haar shirt van de vloer en trok dat over haar hoofd. 'Behalve dan naar bed,' voegde ze eraan toe, toen ze het aanhad.

'Vind je het goed dat ik blijf slapen?' vroeg Zach. 'Ik wil echt graag samen met jou in één bed slapen. Jou voelen.' Hij lachte. 'Ik klink nu zeker als een watje, hè?'

Sabine lachte. 'Soort van.'

'Ja, hè? Geen seks, maar wel knuffelen? Welke vent zegt nou zoiets? Je hebt het vast helemaal met me gehad nu. Sorry dat ik me zo bizar gedraag. Ik wil gewoon... Ik wil gewoon proberen het deze keer anders te doen,' legde hij opnieuw uit, hoewel het nog steeds klonk alsof hij iets achterhield.

'Het geeft niet,' antwoordde Sabine, die iets milder werd. Zijn onderdanigheid was ontwapenend, ook al snapte ze het nog steeds niet. 'Je kunt blijven slapen als je wilt.'

Ze verzamelde haar kleren en gooide die in de wasmand, terwijl ze in het voorbijgaan Lassie een aai gaf. Ze waste haar gezicht en poetste haar tanden, nog steeds versuft door wat er zojuist gebeurd was. Toen ze terugkwam, zag ze Zach in zijn onderbroek op haar bed liggen. Lang en lekker. Oké, hij is dus niet helemaal van de pot gerukt, dacht ze. Ze wierp een blik op zijn kruis. *Hoe kan iemand die zo groot is een koffieboonpiemeltje hebben?* 'Je mag mijn tandenborstel gebruiken als je wilt,' bood ze aan.

'Bedankt.' Hij stond op en liep naar de badkamer. In het voorbijgaan gaf hij een tikje op haar billen. Sabine deed haar kleren uit en trok een hemdje over haar hoofd. Ze ging in bed liggen en deed het licht uit. Haar hersens maakten overuren. Haar libido, nog geen uur geleden een ziedend inferno, was nu gereduceerd tot een uitgeblazen verjaardagstaartkaarsje met een miezerig rookkringeltje. Ze draaide zich op haar zij. *Zou hij echt tegen me aan gaan liggen?* Ze wilde gewoon dat hij naar huis ging.

Zach stapte naast haar in het bed en beantwoordde ogenblikkelijk haar vraag. Met zijn arm over haar heen en zijn borst tegen haar rug voelde ze zich inderdaad gekoesterd en beschermd. Maar ze voelde zich ook opgelaten. Hoe speelde hij het in hemelsnaam klaar om naast haar in slaap te vallen, terwijl haar bh-loze borsten voor het grijpen lagen? 'Welterusten, Sabine.' 'Trusten,' antwoordde ze. *Dombo.* Een paar tellen later was Zach in slaap gevallen en ademde zwaar in haar oor. Zijn arm leek opeens loodzwaar. Ze wilde niet knuffelen, verdomme! Voorzichtig haalde ze de irritante arm weg en in reactie daarop rolde hij op zijn rug. *Ahhh, vrij.* Ze staarde naar het plafond en zag de gebeurtenissen van die avond opnieuw aan haar geestesoog voorbijtrekken. Had ze onbedoeld haar vinger gebruikt om eten op haar vork te schuiven in plaats van haar mes? Was haar zwembandje wel heel erg aanstootgevend in haar spijkerbroek? Die was een beetje aan de krappe kant. Had hij de noodsigaret geroken die ze die middag van de zenuwen gerookt had? Was er spaghettisaus in haar haar gekomen? Ze slaakte een diepe zucht. Het had geen zin zichzelf nog langer te kwellen. Ze vroeg zich af of het daten dit eigenlijk wel waard was. Al dat gedoe en waarvoor? In haar eentje kon ze tenminste doen wat ze wilde. Ze hoefde zich niet te scheren, ze sliep als een os, ze kon zonder verwijten 's avonds cornflakes eten...

In de duisternis luisterde ze naar Zachs ademhaling en ze voelde zijn lichaamswarmte vlakbij. Ondanks haar boosheid voelde het fijn om hem in haar bed te hebben; een gevoel dat cornflakes op welke dag van de week dan ook overtrof. Ze sloot haar ogen en doezelde weg; de slaap legde haar twijfels tijdelijk het zwijgen op.

31

Bess

Bess kneep haar ogen samen toen ze door het kleine raampje naar het asfalt keek. In de nabije verte doemde het zonbespikkelde LAX op. Ze was er. Zelfs door het plastic raampje verwarmde de zon haar gezicht. Ze had het land van natte sneeuw en min zes verlaten en stond nu, nog geen zes uur later, op het punt haar teenslippers tevoorschijn te halen. Ze ging zo recht mogelijk in haar krappe stoel zitten en strekte haar armen boven haar hoofd. Ondanks de rode ogen en de benauwde zitruimte voelde haar lichaam goed. De yoga had effect. En in meer dan één opzicht – toen ze aan het inpakken was, had ze een hemdje gevonden dat al jaren het daglicht niet meer had gezien vanwege de gevreesde bh-bobbels. Ze had het aangetrokken – gewoon, voor je weet maar nooit – en was geschrokken en verbaasd door het resultaat. De bobbels waren geen bobbels meer. Het waren meer minieme glooiinkjes. Vanzelfsprekend had ze het sindsdien niet meer uitgetrokken.

Terwijl het vliegtuig naar de gate taxiede, ging Bess' hart sneller slaan. Ze popelde om Dan te zien. Ze was nog nooit van haar leven van het vliegveld afgehaald door een vriendje, maar had daar altijd stiekem van gedroomd. Zoals in de film: dat ze vol overgave naar elkaar toe renden, terwijl haar haar achteruit werd geblazen door een windmachine en hij een boeket wilde bloemen omhooghield… Bess' innerlijke meisjesmeisje kwijnde altijd weg als ze dat zag. Niet dat ze dat ooit toe zou geven. *Ik heb een reputatie hoog te houden*, dacht ze, toen ze opstond om haar tas uit het bagagekluisje boven haar hoofd te halen.

Toen ze het vliegtuig verliet, oefende ze met diep ademhalen. *Beheers je, Bess! Jezus, je hebt hem minder dan een maand geleden nog gezien. Kalm nou maar.* Ze vroeg zich af waarom ze eigenlijk zo waanzinnig opgetogen was. Waarschijnlijk lag het aan het feit dat dit een enorm belangrijke reis voor haar was – een enorm belangrijke reis voor hen. Of ze het nu openlijk toegaf of niet, deze reis draaide om het uitproberen van LA als mogelijke nieuwe woonplaats, om nog maar te zwijgen over het feit dat hij haar ouders ging ontmoeten. Alleen al het feit dat ze op het vliegtuig was gestapt, terwijl ze zich bewust was van haar ware intenties, was iets gigantisch. Twee maanden geleden had het idee om te verhuizen haar nog bespottelijk in de oren geklonken. Het was de combinatie van liefde, yoga, het artikel en de vrouwen zelf geweest, die haar geest had opengesteld voor de mogelijkheid dat ze haar hart achterna kon reizen en tegelijkertijd haar doelen kon verwezenlijken.

Bij de bagageband zocht ze zo onopvallend mogelijk naar Dan. *Waar is hij? Is hij vergeten dat het vandaag was? Shit.* Ze scande de ontvangsthal en draaide zich om, om aan de andere kant hetzelfde te doen.

Toen ze door de deur liep, stond hij daar met zijn schuine schaapachtige grijns en een enkele ballon in zijn hand. 'Hai, liefje.'

Bess moest zich inhouden om niet in tranen uit te barsten. Het anticiperen op het weerzien en het daadwerkelijke weerzien nu, waren het equivalent van een emotionele stomp in haar maag. 'Dan!' piepte ze, en ze pakte hem stevig vast. 'Hai,' fluisterde ze in zijn nek.

'Hallo, liefje van me. Wat heerlijk om je te zien. Verdomme.' Dan maakt zich los uit haar greep. 'Om je híér te zien. In LA!'

'Weet ik. Het is nogal een trip, hè?'

'Letterlijk en figuurlijk,' voegde Dan eraan toe.

'Er-rug leuk, meneertje Adrem!'

Dan trok haar weer naar zich toe. 'Je ruikt lekker. Naar vliegtuigpinda's en hyacint.'

'Mmmm, heerlijk. Kom, wegwezen hier!' Ze wees naar haar rolkoffertje. 'Ik ben klaar om te rollebollen.'

'Komt voor elkaar,' antwoordde Dan, terwijl hij de handgreep pakte. 'Maar pak verdomme je ballon aan!'

Bess greep het touwtje vast. 'Dank je wel. Erg attent van je.' Ze gooide haar hoofd in haar nek om naar de roze ballon te kijken. 'Wat staat erop?' Ze gaf er een ruk aan om de ballon op ooghoogte te brengen. HET IS EEN MEISJE! was veranderd in HET IS ~~EEN~~ MIJN MEISJE! Bess lachte. 'Je bent belachelijk pienter en schattig.' Ze drukte een stevige kus op zijn mond.

'Nou, dank je,' antwoordde Dan met een voldane grijns. 'Ik dacht dat dit stukken beter was dan dat hele tweedehandse roderoosgedoe.' Hij pakte haar tas. 'Laten we nu als de wiedeweerga wegwezen hier, voordat de paparazzi opduiken.'

Toen ze over Sunset Boulevard reden, staarde Bess uit het raampje en genoot van de zon die haar bleke, doorgewinterde New Yorkse arm nu al een kleurtje gaf. Door in LA te zijn, kwamen zo veel herinneringen aan haar tienertijd boven. *Kan ik hier echt een nieuwe start maken?* De tiener Bess verschilde eigenlijk niet zo veel van de volwassen Bess. Jawel, ze was opgegroeid in LA, maar ze had zich er nooit helemaal door laten meeslepen. Geen nepidentiteitsbewijs, bodyglitter, beachbingo of beerbongmomenten voor haar. Het had alleen om school gedraaid. En journalistiek. Misschien een of twee aan jongens gerelateerde uitglijders, maar die hadden nooit lang geduurd.

'Weet je, Dan, het is echt bizar. Ik zit hier uit het raampje te staren en te bedenken dat ik hier opgegroeid ben, en ik besef dat er helemaal niets Californisch aan was – in ieder geval niet in de algemene zin.'

'Hoe bedoel je? Omdat je zo'n nerd was?' zei Dan glimlachend.

Bess lachte. 'Ja, waarschijnlijk wel. Ik bedoel, de enige keer dat ik naar Sunset ben gegaan, was om cd's te kopen.'

'Nooit een overdosis genomen in de Viper Room? Of een van die helse clubs binnengeglipt?'

'Nee, nooit. Ik ging amper naar het strand.'

'Heb je daar spijt van? Had je ergens niet graag jouw innerlijke Paris Hilton willen omarmen?'

'Totaal niet. Dat denk ik in ieder geval niet. Ik bedoel, ik kan me echt niet herinneren dat ik ooit aan die surfmeisjesachtige zonnige Californiëshit mee heb willen doen. Het sprak me gewoon niet aan.'

'Was jij het buitenbeentje van de klas?'

Bess peinsde even over die vraag. 'Nee, dat denk ik niet. Mijn uiterlijk heeft me dat superlatief bespaard.'

'Ja, je mag dan misschien geen greintje Californië in je gehad hebben, maar je had er absoluut wel wat van weg. Mijn knappe blonde wentelteefje.'

God, ik ben pas een uur hier en ik heb nu al flashbacks. Zou ik ondergedompeld worden in het verleden als ik hier weer ging wonen? Of zou ik daardoor de kans krijgen om te genieten van de dingen in LA die ik vroeger feitelijk genegeerd heb?

'Gaat het?' vroeg Dan. 'Je hebt zo'n gekreukt voorhoofd. Alsof je diep in gedachten verzonken bent.'

Bess ontspande haar gezicht en dacht meteen aan Charlie. Ze vond het heerlijk als die haar gezicht masseerde na de les. Dan lag ze op haar rug met haar ogen dicht – absoluut ontspannen – en begon Charlie zachtjes haar voorhoofd en kaken te kneden. Bess had nooit geweten dat daar zo veel spanning zat. 'Het gaat prima, Dan. Sorry hoor, hier zijn roept gewoon allemaal vragen en herinneringen op. Het is nogal heftig.'

'Vast. Hoor eens, we gaan nu naar mijn huis, dan ga jij lekker onder de douche en dan...'

'Bespring ik je,' vulde Bess in.

Dan bulderde van het lachen. 'Bespringen? In welk jaar leven we, 1989?' Bess schonk hem haar meest krengerige glimlach en ging in haar tas op zoek naar haar zonnebril. Waarom had ze die niet eerder opgezet? Het hoorde bij het uniform van LA. Een paar minuten later parkeerden ze de auto in de straat voor zijn huis. 'Hier is het,' zei Dan. 'Oost west, thuis best.'

'Ik ben zo benieuwd!' zei Bess dweperig. 'Is je huisgenoot thuis?'

'Helaas, nee. De goede man heeft zich vrijwillig opgeofferd en is het hele weekend ergens anders. Het paleisje is helemaal van ons.'

'Je maakt een geintje! Dat had hij echt niet hoeven doen. Ik voel me een trut, omdat ik hem eruit heb geschopt.'

'Maar je bent ook wel een soort van opgewonden, toch?' vroeg Dan, toen hij de auto uitstapte. 'Kom op, zeg nou eerlijk.' Hij grijnsde naar haar. 'We kunnen nu net zo veel herrie maken als we willen.'

'Rondlopen in ons blootje,' voegde Bess eraan toe, terwijl ze haar bagage uit de kofferbak pakte.

'Zijn seksschommel gebruiken,' deed Dan er nog een schepje bovenop. Hij pakte haar koffer uit haar handen.

'Ga weg! Heeft hij een seksschommel?'

'Viespeukje! Nee, ik plaag je maar. Kom, we gaan naar binnen. Volg me.'

In bed lag Bess op Dans borst met volle teugen te genieten. 'Leuk huis heb je,' zei ze. Vergeleken met de drie slaapkamers, een woonkamer, anderhalve badkamer en een keuken met een kookeiland, leek haar etage in New York een pashokje van een warenhuis.

'Ja, die derde slaapkamer is een perfecte werkplek, hè? Toen ik hier net kwam wonen, had ik het idee dat ik met geen mogelijkheid al die ruimte zou kunnen vullen! Maar toen keek Jesse me aan alsof ik gestoord was. Hij heeft nooit dat hele New Yorkgebeuren gedaan, nooit gewoond in een kamer ter grootte van een toilet.'

'Bofkont,' zei Bess.

'Ja, hè? Volgens mij zou iedereen minstens één keer in zijn leven de misstanden van het onroerend goed in New York moeten ondergaan. Daar krijg je ballen van.'

'Als je daarmee wilt zeggen dat New Yorkse mannen bijzonder mannelijk zijn, ben je gestoord.'

Dan lachte. 'Die zit. Misschien krijgen alleen vrouwen er ballen van, dan.'

Bess kneep in zijn bovenbeen.

'Au!' piepte hij. Ze barstten uit in een tevreden lachen. 'Weet je, als jij hier kwam wonen, zouden we naar net zo'n huis als dit kunnen verhuizen voor zo'n beetje de helft van wat jij nu aan huur betaalt.'

'Dat weet ik, meneer Trump. Bedankt voor het verkooppraatje.'

'Ik zeg het alleen maar,' zei Dan. 'Dan zouden we bij, maar niet op elkaar wonen, zoals in New York.'

'Weet ik, weet ik. En dan zouden we elke morgen gaan joggen en elke avond gaan zwemmen in zee. Het regent nooit in zonnig Californië, bla blabla bla.'

'Je klinkt nu zó cliché New Yorks,' zei Dan, die zichtbaar geërgerd was door haar kat.

'Sorry, Dan. Ik vind LA echt mooi, echt waar. En het idee om hiernaartoe te verhuizen, roept geen walging op.'

'Echt?!'

'Ho ho, kalm aan, jochie. Van het kleinste beetje overmatig enthousiasme van jouw kant kan ik zó in een anti-LA-spiraal schieten. Ik neem hier peuterpasjes.'

'Oké. Ik zal zo onenthousiast mogelijk zijn. Een stapje omhoog voor een amoebe.'

Bess lachte. 'Ik verga van de honger, Dan! Brunchen mensen hier wel?'

'Tuurlijk. Maar alleen eiwitten, niemand uitgezonderd. Koolhydraten kosten drie dollar per ons extra.'

'Serieus, heb je een favoriete plek? Ik sta op het punt je dekbed op te eten.'

'Jawel, mijn kleine liefdesmokkeltje. Iets verderop in de straat. Trek wat kleren aan en dan kunnen we er over maximaal een half uur zijn.'

'O, fijn.' Bess boog zich voorover en gaf Dan een kus. 'Magische woorden. Kom, we gaan.' Ze rolde het bed uit en raapte verschillende kledingstukken van de vloer. Die trok ze aan en ze waste haar gezicht. Jakkes, dacht ze, toen ze zichzelf in de spiegel bekeek. Een lange vlucht was altijd meedogenloos. Je ging als de reisklare versie van jezelf aan boord, maar kwam eruit als Keith Richards. Ze klopte wat oogcrème op, in een ontzwelpoging.

'Ben je klaar, Bess?' schreeuwde Dan in de woonkamer. Bess deed het licht uit en liep met een hevig knorrende maag naar hem toe.

'Jep. We kunnen het lopen, toch?'

'Lopen?' vroeg Dan. Hij keek haar aan alsof ze zojuist tegen hem gezegd had dat hij de pot op kon. 'Nee, Bess. Lopen is uitgesloten.'

'Maar je zei toch dat het verderop in de straat was?'

'Ja, en? Zo doen we dat hier niet.'

'Vandaag wel,' wierp Bess tegen. 'Kom op, we gaan lopen. Lekker even een frisse neus halen.'

Dan keek haar vol afschuw aan. 'Echt?'

'Echt. Kom op!' Ze trok Dan de voordeur door, het warme zonlicht in. Een licht briesje liet de bladen van de palmboom in de voortuin ritselen. 'Niet te geloven,' zei Bess tegen een pruilende en dralende Dan, terwijl ze in de richting van het restaurant liepen. 'Toen ik gisteravond uit New York vertrok, was het ijskoud en vochtig en gewoon vervelend winters. Nu heb ik teenslippers aan en loop te verbranden.' Ze schudde verbaasd haar hoofd. 'Ik was vergeten hoe belangrijk het weer kan zijn. Ik ben dus gewoon aan het lachen! Buiten aan het lachen, in maart!'

Ze keek naar Dan, die zijn wandellot had aanvaard. Hij lachte terug en pakte haar hand. 'Dat zie ik, Bess. Het staat je goed.'

'En, vind je het spannend om vanavond mijn ouders te ontmoeten?' vroeg Bess met haar patatje onderweg naar haar lippen.

'Nou en of. Volgens mij ben ik zelfs een beetje zenuwachtig.' Dan nam een hap van zijn omelet en slikte die door, terwijl hij keek hoe Bess reageerde. 'Stel dat ze me niet goed genoeg voor hun dierbare dochtertje vinden?'

'O, god, alsjeblieft. Mijn ouders houden van me, maar daar is niets "dierbare dochtertjes" aan. Ik weet zeker dat ze je mogen, als je je als een heer gedraagt.' Maar zou dat zo zijn? En als dat niet zo was, zouden ze het haar dan überhaupt vertellen? Ze waren zo gesloten over alles. Of op zijn ergst passief-agressief gesloten, wat een reactie zou betekenen in de trant van: 'Hij is aardig', gevolgd door een stilzwijgen.

'Ik ben altijd een heer! Zal ik voor je moeder bloemen kopen of een fles wijn?'

'Hmmm. Wijn, denk ik. Mijn moeder is een fan van wijnspritzers, dus misschien een witte.'

'Begrepen.' Dan staarde haar aan. 'Lijk jij op je ouders?'

'Ja. Vooral op mijn moeder. We zijn allebei blondines.'

'Ooo, een MILF.'

'Gatver! Dan, ze is… shit, hoe oud is ze ook alweer? O ja, vierenzestig.' Vierenzestig klonk best oud. Vanaf volgend jaar kreeg ze overal bejaardenkorting. En haar vader was drie jaar ouder. Zevenenzestig. Wanneer was dat gebeurd?

'Wat zou jij vanavond doen als je geen wijnspritzers met mijn ouders ging drinken?' vroeg ze, omdat ze erg graag van onderwerp wilde veranderen. 'Ergens in een kroeg lonken naar vrouwen met nepborsten?'

'Echt niet,' zei Dan. 'De meeste kroegen hier zijn nogal shit. Als ik met anderen afspreek, gebeurt dat meestal bij iemand thuis.'

Bess peinsde hier even over. *Wat deprimerend. De mensen hier zijn zo waardeloos dat de kroegen niet leuk zijn?* Ze peinsde daar even over. *Maar wacht even, wanneer ben ik voor het laatst naar een kroeg in New York geweest en heb een topavond gehad?* Ze had pas ontzettend veel lol gehad met Charlie, Naomi en Sabine, maar dat was het nou juist: ze was met hén. Ze was niet op zoek geweest naar andere mensen, ze was er al met een eigen groepje gekomen. 'Zijn wij nu officieel oud, Dan?' vroeg ze.

'Waarom, omdat we een hekel hebben aan kroegen?' Hij grijnsde. 'Ja, dat zal wel. Maar op de een of andere manier vind ik dat niet zo erg, weet je? Ik bedoel, misschien zou het vervelender zijn als ik single was, maar ik heb de verbazingwekkendste vrouw van de wereld. Ik heb gewoon geen behoefte aan die hele kroegscene.'

'Waarom zeg jij toch altijd precies het goede?' vroeg Bess. 'Je hebt geluk dat ik je als beloning niet onmiddellijk bespring.'

'Wat houdt je tegen?' Dan schonk haar zijn meest sexy blik.

'Ooooo, sexy.' *Ik hou echt van hem. Hij maakt me buitensporig gelukkig. Waarom woon ik zo mijlenver weg?*

Bess nam een slokje van haar drankje en liet haar blik over het kleine groepje mensen dwalen. In New York betekende een brunch altijd minimaal een uur wachten. Dan stond je te snakken naar alleen maar een druppel cafeïne, alleen maar een brokje bacon, alleen een stoel om je vermoeide, katerige kont op te laten zakken en… niets. Hoe eerlijk het systeem zogenaamd ook was, er was altijd iemand die na jou was aangekomen en die vóór je een plaats kreeg. Je zag het met eigen ogen gebeuren, maar had de kracht niet om tegen dat onrecht te protesteren. Ooit was Bess een echte fanatiekeling qua brunchen geweest, maar New York had die passie na ongeveer twee jaar het zwijgen opgelegd. Het was het gewoon niet waard. Hier kon ze echter naar hartenlust brunchen – een enorm pluspunt.

'Zullen we gaan?' vroeg Dan. Hij legde wat geld op de tafel en ze liepen naar buiten.

'O, shit,' zei Bess, terwijl ze over haar buik wreef. 'Hadden we de auto maar.'

'Zie je nou wel! Ik zei het toch!' riep Dan. 'Komisch. Jammer, moppie, we lopen naar huis. Trek je gympen maar aan.'

'Oerrrrmfff,' jammerde Bess. 'Ik zit te vol om te lopen.'

Dan lachte. 'Je bent me er eentje. Kom, we gaan. Zodra we bij mijn huis zijn, springen we in de auto en dan geef ik je een rondleiding door LA. We hebben nog wel tijd, toch? Hoe laat moeten we bij je ouders zijn?'

'Rond zeven uur. We hebben meer dan genoeg tijd voor een rondleiding.' Ze pakte zijn hand en ze kuierden naar huis. De zon zaaide sproeten op Bess' schouders.

De dag was behoorlijk betoverend geweest: een strakblauwe lucht, een graadje of tweeëntwintig, relatief weinig verkeer langs de kust en op de slingerende wegen in de heuvels, over Rodeo Drive kuieren en geintjes maken over de facelifts en z-cups van vrouwen, en zelfs een of twee beroemdheden spotten.

Vóór Bess er erg in had, waren ze in een supermarkt om wijn te kopen. Binnen huilde ze bijna van verrukking. De gangpaden waren zo breed! De producten waren zo vers! En de rijen… welke rijen?! LA kreeg steeds meer vat op haar, daar was geen twijfel over mogelijk.

Toen ze weer in de auto zaten, begon Bess zenuwachtig te worden. 'Weet je zeker dat je het niet erg vindt om te blijven slapen?'

'Voor de honderdste keer, Bess, het is prima. Echt. Zolang we maar in hetzelfde bed kunnen slapen en je moeder een stevig ontbijt maakt, hoor je mij niet klagen. Hou alsjeblieft op met piekeren.'

'Oké, sorry. Ik heb een half valiumpje of zoiets nodig.' Ze stak haar hand in haar tas. 'Ik heb er een bij me, die neem ik in, oké?'

Dan wierp haar een zijdelingse blik toe. 'Shit, echt? Ben je echt zo zenuwachtig? Oké, Bess, als je denkt dat je er je beter door gaat voelen. Ga alleen niet meteen na je eerste spritzer onderuit, oké?'

Bess lachte. 'Geen zorgen, dit is een superlage dosering. Het is waarschijnlijk gewoon een suikerpil, maar ik neem ze als ik over de rooie dreig te gaan. Het werkt perfect.'

'Ben je echt vaak zo gespannen?' vroeg Dan verbaasd.

'Tuurlijk, jij niet dan?'

'Nee, niet echt.' Hij zweeg even.

Ik hoop dat hij niet denkt dat ik een of andere pilslikkende neuroot ben.

'Het stelt niets voor, Dan! Het is maar een pil.'

'Die pil zal me een worst wezen, Bess. Ik kan gewoon niet geloven dat ik niet weet dat mijn vriendin last heeft van spanningen. Waarom heb je me dat niet eerder verteld?'

'Weet ik veel. Ik bedoel, het is nou niet iets wat ter sprake komt in een alledaags gesprek.' Ze keek uit het raampje en herkende haar eigen straat. 'Hier moet je rechtsaf.'

Dan was stil. 'Kom op, Dan, wat is er? Ik vertel je niet alles over mezelf, zo zit ik gewoon niet in elkaar.'

'Maar dat wil ik wel, Bess.' Hij ging langzamer rijden. 'Is het hier?'

Bess glimlachte toen ze het zag. Daar stond het: het huis waarin ze was opgegroeid. Het verschilde eigenlijk nauwelijks van de andere huizen hier in de buurt. Alleen als je heel goed keek, kon je zien dat zij hier gewoond had. Ongeveer halverwege het pad door de voortuin stonden aan de linkerkant haar initialen. En in de meest rechtse pilaar van de veranda waren streepjes gekerfd; die stamden uit de tijd dat Bess in haar onbewoonde-eilandfase zat. Elke ochtend kerfde ze met een scherp mes een streepje in de pilaar. Dat had echter nog geen week geduurd – er stonden maar zes streepjes.

Ze draaide zich naar Dan en vroeg zich af hoe het er in zijn ogen uitzag. Hij fronste. 'Natuurlijk wil ik niet dat jij het gevoel hebt dat je me alles moet vertellen, Bess, maar hoe moet het ooit echt iets worden tussen ons als jij de belangrijke dingen achterhoudt?'

'Het spijt me, Dan. Ik hou van je en het spijt me. Het stelt echt niet zo veel voor. Maar kijk nu even naar buiten! Hier ben ik opgegroeid! Niet te geloven, hè?'

Zonder dat hij het wilde, moest Dan glimlachen. 'Kleine Bess speelde vroeger in deze tuin!'

'Jep.' Ze boog zich naar hem toe om hem te zoenen. 'Kom, laten we naar binnen gaan.'

Ze stapten de auto uit en liepen met de wijn en bloemen in hun handen het tuinpad op. De deur ging open. 'Bess!' juichte haar moeder. 'Mam!' Bess rende naar haar toe; ze werd opeens overvallen door de behoefte haar te knuffelen. Ze zag er nog hetzelfde uit, alleen iets kleiner op de een of andere manier, alsof ze met de jaren was gekrompen. 'O, Bess, wat zie je er prachtig uit.' Ze pakte Bess' gezicht tussen haar handen. 'Mijn mooie meisje.'

'Bess!' galmde haar vader, die de rij sloot. Meteen maakte Bess' hart een sprongetje bij de gedachte dat hij er veel ouder en breekbaarder uit zou kunnen zien dan ze zich voorgesteld had. Hij trok haar tegen zich aan voordat ze echt kans had gezien hem aan te kijken. Na een tijdje maakte ze zich los uit zijn omhelzing en nam hem in zich op. Een beetje kleiner, een beetje minder haar, maar dezelfde pa. Ze vocht tegen tranen van opluchting.

'Mam, pap – dit is Dan.' Ze draaide zich om, om hem in de kring te trekken.

Na de maaltijd van gegrilde kip, biefstuk en salade op de veranda aan de achterkant, ging Bess met haar vader op de bank binnen zitten, terwijl Dan zijn droom verwezenlijkte en met haar moeder door haar oude fotoalbums bladerde.

'Voel je je goed, pap?'

'Ik voel me prima, Bess. Ik word tegenwoordig wat sneller moe, maar ik weet niet of dat komt doordat ik gewoon oud ben of dat het aan mijn hart ligt.' Hij lachte. 'De operatie viel best mee, weet je. Het is best heftig om zo'n ding te hebben dat uit je borst steekt.' Hij friemelde aan de pacemaker net boven zijn hart.

'Beetje lastig om blote hemdjes te dragen, hè?'

'Ha! Grappig, Bess. Precies. Mijn blotehemdjesdagen zijn voorbij, ben ik bang.'

Ze lieten zich voldaan op de bank achteruitzakken.

'Die Dan is een aardige vent, Bess.'

'Echt, pap? Vind je hem leuk?' Het voelde zo goed hem dat te horen zeggen. Veel beter dan ze gedacht had.

'Jazeker. Hij lijkt helemaal weg van je te zijn en dat is eigenlijk het enige wat ertoe doet. Nou ja, niet het enige. Ik zou het fijn vinden als hij een baan had.'

'Hij had een baan, pap. Maar nu studeert hij om zijn droom te verwezenlijken. Ik ben liever bij iemand die doet wat hij echt wil, dan bij een man die gevangenzit in een baan waar hij een hekel aan heeft.'

'Tja, dat lijkt me niet onredelijk. Maar dat doet een vader nou eenmaal, weet je. Zich zorgen maken over wie er voor zijn meisje gaat zorgen. Wie en hoe.'

'Ik heb geen man nodig om voor me te zorgen, pap! Kom op! We leven niet in 1952. Ik kan heel goed mijn eigen geld verdienen.'

'Hoe is het trouwens met je baan?' Hij keek haar met een verstrooide uitdrukking op zijn gezicht aan. 'Probeer je nog steeds daar weg te komen?'

'Elke dag. Ik ben nu met iets bezig dat misschien wat wordt. Het zou wel eens mijn kans kunnen zijn om aan de roddelbladenhel te kunnen ontsnappen.'

'O ja? Wil je erover vertellen?'

Om de een of andere reden wilde ze dat niet. Ze had behoefte aan een pauze. 'Nog niet, pap.'

'Oké, Bessie. Prima. Je weet waar je mee bezig bent.'

'Meestal wel.' Ze glimlachte naar hem en pakte zijn hand.

'Ben jij hier voor het eerst ongesteld geworden?' vroeg Dan, toen ze onder de bloemetjessprei in haar oude slaapkamer lagen.

'Daar vraag je me wat. Dat weet ik niet eens.' Ze dacht na. 'Volgens mij was het op een verjaardagsfeestje van een vriendin. Op de Sunshine Skate Club. Het was afschuwelijk. Ik moest rolschaatsen met een prop wc-papier in mijn onderbroek.'

'Ieoe,' zei Dan plagerig. 'Ik vind je ouders echt heel aardig. Ze zijn erg aandoenlijk. En god, wat houden ze van je.'

Bess glimlachte. 'Ja, dat is zo, hè?' Ze zweeg even. 'Weet je, Dan, nog even over wat je eerder vandaag zei. Over dat ik jou bepaalde dingen niet vertel?'

'Mmm hmmmm.'

'Ik ga beter mijn best doen om jou toe te laten. Helemaal. Het is lastig voor mij om me zo open te stellen, snap je? Ik denk dat ik bang ben om zwak over te komen of zo.'

'Bess, ik zou je no...'

'Nee, Dan, dat weet ik. Echt. Dus ik ga het proberen. Je moet gewoon geduld met me hebben, oké?'

'Oké. Ik zal geduldig zijn. Niet om van onderwerp te veranderen hoor, maar vonden je ouders me leuk of niet?'

'Ja, zeker. Ze vinden je erg leuk.' Voordat ze naar bed waren gegaan, had Bess' moeder haar even apart genomen. 'Ik vind hem erg leuk, Bessie. Hij is goed voor jou.' Bess was tot haar verbazing ontroerd geweest door haar moeders openheid. De ouderdom leek haar, en haar vader, op een mooie manier milder te maken.

'Yes!' Hij maakte een zegevierend gebaar met zijn vuist in de lucht. 'Poe-hee.'

'Ik moet je iets vertellen, Dan, maar ik wil niet dat je dolenthousiast wordt en je als een debiel gaat gedragen.'

'Ik zweer je, geen debielerigheid. Ik zal mijn innerlijke Jack Nicholson onderdrukken. Wat is er?'

'Ik vind LA leuk,' bekende ze. Dan bleef stoïcijns. 'Veel leuker dan ik gedacht had,' vervolgde ze. Nog steeds geen reactie bij Dan. 'En ik vind het fijn om mijn ouders te kunnen zien. Ik denk dat ik misschien wel bereid ben hiernaartoe te verhuizen als ik een baan kan vinden.' Niets. 'Hallo? Dan?! Ben je daar?'

'Je zei dat ik me niet als een debiel mocht gedragen!' protesteerde hij. 'Ik doe mijn best om onder deze omstandigheden cool te blijven.'

'Oké, ik neem het terug, gedraag je als een debiel.'

'Joehoeoeoeoeoeoeoeoeoeoe!' juichte Dan, terwijl hij haar naar zich toe trok. 'Oewè oewè!' Hij maakte met gebogen armen een paar sneue draaibewegingen voor zijn lichaam.

'Oké, genoeg!' lachte Bess. 'Meer dan genoeg.' Ze pakte hem stevig vast. 'Ik vond gewoon dat je het moest weten, oké? Wat ik dacht.'

'Ik ben blij dat je het me verteld hebt, Bess. Als jij hiernaartoe verhuist, is dat uiteraard het beste wat me kan overkomen. Maar ik verwacht nu geen definitieve beslissing van je, ik hoop dat je dat weet.' Hij liet haar los en keek haar aan. 'Ik ben alleen ontzettend blij dat je het overweegt.'

'Peuterpasjes,' fluisterde Bess. Ze boog haar nek om hem te zoenen.

'Peuterpasjes,' fluisterde hij terug, terwijl hij haar stevig tegen zich aan drukte.

32

Les vier

Op zaterdagmorgen keek Noah naar zijn favoriete tekenfilm, terwijl Naomi op haar bank zat te hopen dat Cecilia zou komen. Ze hadden elkaar niet meer gesproken sinds haar ongepaste uitbarsting van de afgelopen week en er was zo veel gebeurd. Hun ruzie over Gene leek nu zo dom – laat staan lang geleden – dat Naomi niet goed wist hoe ze zich moest verontschuldigen zonder haar recentere problemen aan te kaarten. Ze had er met niemand over gepraat, behalve dan met haar ouders en, heel kort, met Charlie. Ze wist niet zeker of ze zich nog verder bloot wilde geven. Ze wist dat Cee een geweldige bondgenote zou zijn, vooral omdat ze haar ongetwijfeld vaker nodig zou hebben als ze echt MS had, maar voorlopig was het vertoeven in deze zeepbel van ontkenning ergens makkelijker. Na het bezoek aan de dokter had ze een afspraak gemaakt voor de MRI's voor de maandag erop en vervolgens de draad gewoon weer opgepakt: zorgen voor Noah en zijn gebroken vleugeltje en werken aan haar projecten. Alleen 's nachts, in bed, kon ze niet ontsnappen aan haar angst.

Een timide klopje op de deur ontlokte Naomi een zucht van opluchting. O, godzijdank, dacht ze. Ze had al voor zich gezien hoe Noah zichzelf in de studio bezig moest houden terwijl zij de les volgde en dat was geen prettig beeld geweest. Ze stond op om de deur open te doen.

'Hai, Cee,' zei ze, toen ze haar binnenliet. Cecilia leek met opzet haar blik te vermijden.

'Hai, Naomi,' antwoordde ze kortaf. 'Hoi, Noah,' voegde ze eraan toe, toen ze langs Naomi de woning binnenliep.

'Cee,' zei Naomi, terwijl ze haar arm aanraakte. 'Sorry voor mijn gedrag van vorige week. Ik ben te ver gegaan.'

Cecilia's gezicht werd minder strak. 'Bedankt voor je excuses. Dat waardeer ik.'

'Ik reageerde veel te overdreven,' legde Naomi uit.

'Je reageerde echt al je frustraties op mij af,' zei Cecilia.

'Geloof me, dat weet ik. Ik heb me de hele week ontzettend klote gevoeld.'

Noah keek geschrokken op. 'Mam!' riep hij. 'Dat woord mag je niet zeggen.'

'Weet ik, liefje,' antwoordde ze. 'Het spijt me. Doe maar of je het niet gehoord hebt, oké?'

Noah stond hoofdschuddend op en kondigde aan dat hij naar de wc moest.

'Wat is hij toch streng,' zei Cecilia lachend toen hij weg sprintte.

'Zeg dat wel. Hij is mijn eigen taalpolitiemannetje. Hoe dan ook, ik voel me er echt ontzettend rot over. Sorry dat ik niet eerder naar je toe ben gekomen om mijn excuses aan te bieden.' *Ik werd een beetje in beslag genomen door het idee dat ik misschien wel een ongeneeslijke ziekte heb.*

'Geeft niet,' zei Cecilia. 'Ik maak me alleen zorgen over je, weet je? Al die emoties die je onderdrukt... Dat vreet aan je. Onderken ze dan tenminste.' Cecilia liep naar de bank om te gaan zitten en Naomi volgde haar.

'Je hebt volkomen gelijk,' beaamde Naomi. 'En alles wat jij zei over mijn fotografie klopt. Ik... Nou ja, het is ingewikkeld.' *Vooral nu.*

'Weet ik. Misschien moet je eens overwegen om naar iemand toe te gaan. Alleen om je hart te luchten, weet je? Je hoeft dit niet allemaal in je eentje op te knappen.'

'Je hebt gelijk. Daar heb ik ook aan gedacht.' Naomi zuchtte. 'Maar ik heb de laatste tijd ook nog veel andere dingen aan mijn hoofd.'

'Hé, gaat het wel?'

Als op commando schoot Naomi vol.

'Shit, Naomi!' Cecilia schoof naar haar toe op de bank en pakte haar hand.

'Eh, ik denk dat ik, nou ja... Er is wat gedoe met mijn gezondheid.'

Cecilia keek haar ernstig aan, de bezorgdheid was in haar donkere ogen te zien. 'Wat dan?'

'Nou, om een lang verhaal kort te maken: ik heb misschien MS?' Het kwam er meer uit als een vraag dan als een vaststelling.

'Wat? MS? O mijn god. Naomi, wat is er allemaal gebeurd?'

Door haar tranen heen bracht Naomi het verhaal zo rationeel mogelijk onder woorden. Erover praten reduceerde haar tot een miezerig hoopje ellende. Toen ze klaar was, keek ze de kamer rond en was blij dat Noah niet naar binnen was geslenterd. Ze had hem niets verteld – alleen dat ze zich niet zo goed voelde. Als ms voor een tweeëndertigjarige onbegrijpelijk was, hoe zou het dan in hemelsnaam een achtjarige iets zeggen?

'O, liefje,' mompelde Cecilia. Ze wreef in haar eigen ogen. 'Ik vind het zo verschrikkelijk voor je. Wat een nachtmerrie. Hoe voel je je lichamelijk?'

'Nog steeds gevoelloos rond mijn buik, maar het lijkt een beetje minder geworden te zijn. Mijn vingers voelen nu het raarst. De topjes zijn gevoelloos.'

'Kun je wel overal komen?'

'O, godzijdank wel. Ik word op geen enkele fysieke manier belemmerd door deze symptomen. Maar mentaal is het een heel ander verhaal. Ik kan mijn neus niet snuiten zonder bang te zijn dat mijn hersens ontploffen.'

'Ik kan me er geen voorstelling van maken. Weet Noah het?'

'Nee, ik heb hem nog helemaal niets specifieks verteld.'

'Natuurlijk. Wat zou hij ook met die informatie aan moeten?'

'Precies. Hé luister, sorry dat het er allemaal zo snotterend uit kwam. Ik heb de kunst van het hierover praten nog niet helemaal onder de knie, zoals je ongetwijfeld hebt gemerkt.'

'Naomi, alsjeblieft. Als je nog één keer je excuses maakt voor je emoties, ga ik je slaan. Hoe kan ik je helpen? Wat kan ik doen?'

'Bedankt, Cee. Nu niets, denk ik. Noah zit op school als ik maandag mijn mri's krijg, dus dat is geregeld. Maar misschien heb ik over een tijdje wel je hulp nodig. Die van jou en van Gene.'

'Heb je het hem verteld?' vroeg Cecilia.

'Nee, hij zit in Parijs. Maar ik doe het als hij terugkomt. Afhankelijk van de situatie. Over hem toelaten gesproken, hè? God, twee weken geleden werd ik nog hysterisch over een kartonnen pop en nu... Nou ja, het kan allemaal nogal raar lopen, hè?'

'Zeker weten. Laat het me weten als ik iets voor je kan doen. Ik hou van je en ik ben voor honderd procent hier voor jou en Noah. En weet je, als je besluit dat je wilt praten met iemand die ms heeft, kan ik je mijn vriendin Susan van harte aanbevelen.'

'O ja? Heeft ze verstand van ms?'

'Ze heeft ms. Sinds 2001 dacht ik.'

'Dat meen je niet! Ik had geen idee! Ze is volkomen normaal. Wat dat ook betekent. Wauw, dat geeft me echt hoop.'

'Ja, ze is geweldig. Ze neemt haar medicijnen en doet gewoon haar ding. Maakt er absoluut geen drama van.'

'O jee, ik moet gaan!' Na een blik op de klok besefte Naomi dat ze nog maar tien minuten had om bij de yogastudio te komen. 'Dank je, Cee, voor alles. Ik voel me een stuk beter, alleen al omdat ik er met jou over gepraat heb.' Ze pakte haar jas en haar camera. 'Heb ik je al verteld dat ik foto's ga maken voor de website van Prana?'

'Ga weg! Dat vind ik een geweldig idee. Weet je zeker dat je er klaar voor bent?'

'Jawel. Ik ontwerp een website voor hen, dus ik kan net zo goed een paar foto's van de ruimte en de mensen maken, snap je? Er gewoon een persoonlijk tintje aan geven.'

'Ik vind het super, Naomi,' zei Cecilia bemoedigend. 'Echt waar.'

Naomi omhelsde haar en werd plotseling overweldigd door dankbaarheid voor haar vriendschap. 'Wacht even – halloooo!? Ik weet nog helemaal niets over die mysterieuze man in jouw huis! Hoe zit dat, stiekemerd?'

Cecilia bloosde. 'Hij is best geweldig, Naomi. Ik heb hem hier in de buurt ontmoet.' Ze stopte halverwege haar verhaal en keek naar de klok. 'Maar je moet nu echt weg! Anders kom je te laat voor de les.'

'Oké, maar vertel je me dan wel later over hem?! Alsjeblieft?' smeekte Naomi. 'Ik wil alles weten.'

'Doe ik.'

Toen Naomi bij de studio aankwam, voelde ze zich lichter dan de hele afgelopen week. Ze had het gevoel dat ze tien kilo kwijtgeraakt was door haar hart uit te storten bij Cee.

'Hai, Felicity,' zei Naomi, toen ze zo snel mogelijk haar jas uittrok. Ze hoorde Charlies stem uit de studio komen. 'Is de les al begonnen?' vroeg ze fluisterend.

Felicity knikte. 'Schiet maar op,' zei ze glimlachend.

Naomi sloop zo onopvallend mogelijk naar binnen. Ze maakte oogcontact met Charlie en probeerde zwijgend haar excuses te maken.

'Hai, Naomi,' zei Charlie. Sabine draaide zich om en glimlachte ter verwelkoming. *Waar was Bess? Vreemd.* 'Ik had het net over die momenten in je leven waarop je opeens het licht ziet. Je doet gewoon je ding, bent best tevreden met je situatie, en dan opeens: flits! Je ontdekt opeens iets nieuws over jezelf, of je perceptie verandert noodgedwongen zo abrupt, dat het voelt of alle lucht uit je is geslagen. Feitelijk is het een vorm van opnieuw ontwaken. Marcel Proust heeft ooit gezegd: "De ware ontdekking is niet het vinden van nieuwe landen, maar het die met nieuwe ogen zien."' Charlie zweeg even. 'Volgens mij is dat best wel een toepasselijke metafoor voor zelfverwezenlijking – dat hele idee van nieuwe ogen. Ik wil graag dat jullie vandaag tijdens de les denken aan opnieuw ontwaken. Sta stil bij de zelf opgelegde beperkingen die je tegenhouden – bij yoga en daarbuiten.'

Terwijl Sabine net als Charlie de tadasana aannam, dacht ze na over die verfrissende perceptie. Onopzettelijk of niet, zij hield zich heel vaak in. Neem Zach bijvoorbeeld. Woensdagavond had haar echt van haar stuk gebracht. Ze wilde graag geloven dat hij haar echt leuk vond, maar dacht toch dat het niet zo was; dat kon ze niet helpen. Als een man je leuk vond, wilde hij met je naar bed. Toch? Of niet? Sindsdien had ze de gebeurtenissen van die avond in gedachten steeds weer de revue laten passeren, zó obsessief dat ze op haar werk nauwelijks functioneerde. Het was belachelijk. Zach had haar donderdags gebeld om haar mee uit te vragen in het weekend, maar ze had een of ander smoesje verzonnen waarom ze niet kon. *Waarom heb ik dat gedaan? Ik vind hem leuk.* Ze had gedacht dat ze stelling nam door te doen of ze onbereikbaar was, maar in feite speelde ze gewoon een stom spelletje in plaats van haar gevoelens onder ogen te zien. Zach was begripvol geweest en was zelfs zo ver gegaan een afspraak voor de week erna te plannen, dus hij moest haar wel leuk vinden... *Waarom doe ik zo truttig? Nee, ik weet het al, ik moet even een weekje tot rust komen. Echt. Die wetenschap is qua perspectief wellicht verfrissend genoeg, voorlopig althans.* Ze ademde diep in.

Charlie duwde Naomi's schouders in de juiste houding. Ze hoopte dat ze niet te zweverig had geklonken met dat gepraat over opnieuw ontwaken. Tot nu toe had ze eigenlijk pas één keer meegemaakt dat alles wat ze onvervreemdbaar 'Charlie' achtte door elkaar geschud was. Nu ze de herinnering aan Neil als een oude slangenhuid van zich afschudde, ervoer ze het weer. Het voelde goed, maar dat wilde niet zeggen dat het niet eng was. Opnieuw bepalen wie je nu eigenlijk was, kostte geduld. Ze hoopte dat Bess, Naomi en Sabine dat met behulp van de yoga op een vergelijkbare manier zouden kunnen doen. Ze hadden zichzelf op die avond van de reünie wel heel snel als 'niet-yogamensen' bestempeld. Vooral Bess had moeite gehad zich ervoor open te stellen. Charlie miste haar vandaag. Ze vroeg zich af of ze in LA iets aan yoga zou doen. Waarschijnlijk niet. Niettemin was het duidelijk dat Bess enige vooruitgang had geboekt. Charlie hoopte dat ze zichzelf nu allemaal op een andere manier bekeken – én yoga ook, trouwens.

Ze loodste hen door de zonnegroet en constateerde tot haar vreugde dat ze steeds meer vertrouwen kregen. Sabine liet zich bijna elegant op de vloer vallen. Naomi's voorhoofd was glad in plaats van geplooid als een accordeon. Vorige week zaterdag had Charlie dat nog glad moeten strijken toen ze een houding aannam. Vanmorgen was er geen rimpeltje te zien. Hoe zou ze zich voelen? Naomi's armen trilden toen ze zich op haar polsen omhoog drukte naar de omhoogkijkende hond. Haar rugspieren brandden een beetje als gevolg van de aanhoudende buighouding waarin ze op aanwijzen van Charlie had gestaan, maar dat voelde niet eens zo heel onaangenaam. Ze was al blij dat ze iets voelde. Haar waardering voor haar spieren – voor een lichaam dat werkte – was nog nooit zo groot geweest.

'Probeer terwijl je inademt je benen van de vloer te tillen,' zei Charlie. 'Heel goed. Vandaag gaan we de urdhva dhanurasana of wielhouding proberen. Feitelijk is dat een achterwaartse buiging.' Ze loodste hen door de voorbereidende houdingen. 'Druk nu de binnenkant van je voeten in de grond,' vervolgde ze. 'Duw als je uitademt je staartbeen omhoog. Span je billen aan en til ze van de vloer. Hou je bovenbenen en voeten in één lijn. Erg goed, dames.

Haal nu drie keer diep adem. Drie keer in en drie keer uit.' Naomi telde in gedachten mee en merkte dat ze zich beter ontspande als ze zich meer op haar ademhaling concentreerde.

Al Sabines bloed stroomde naar haar hoofd. Ze kon zich niet herinneren wanneer ze voor het laatst zo achterovergebogen had gestaan, maar ze vermoedde dat dat tijdens een slaapfeestje rond 1987 geweest moest zijn.

'Uitstekend!' zei Charlie. 'Ga nu op je rug liggen en kom even tot jezelf.' Sabine ademde diep in. Haar schouderspieren schreeuwden het uit.

'Oké, we gaan de wielhouding drie keer herhalen,' ging Charlie verder. Sabine sloot haar ogen en mimede 'godskolere', voordat ze weer in beweging kwam.

Een kwartier later, toen ze afgekoeld waren en hun vereiste namastes hadden gepreveld, voelde Sabine zich anders. Haar spieren leken nog steeds van drilpudding gemaakt, absoluut, maar ze voelde zich niettemin krachtig. Haar hoofd was helder en haar lichaam lichter. Ze zag dezelfde verdwaasd tevreden uitdrukking op Naomi's gezicht. Als ze niet beter wist, zou Sabine denken dat ze in een postcoïtale roes verkeerden.

Niet postcoïtaal, dacht ze, toen ze zich van haar mat ophees. Postyoï-taal, misschien? Ze glimlachte bij die gedachte. Yoïtaal. Klonk als een nieuw merk yoghurt.

'Weet jij waar Bess is?' vroeg Sabine aan Charlie, toen ze hun matjes opborgen.

'O ja, ze mailde me om te vertellen dat ze vandaag niet kon komen. Ze zit in LA.'

'Echt?' vroeg Naomi. 'Wat heerlijk voor haar. Ze is naar haar vriendje toe, hè? Ik vraag me af of ze misschien toch nog eens nadenkt over dat verhuizen.'

'Dat lijkt me wel,' zei Charlie. 'Ik hoop dat ze het zichzelf wat makkelijker maakt. Daarheen verhuizen betekent nog niet dat ze haar identiteit opgeeft, toch? Ze neemt alleen een risico.'

'Klopt,' beaamde Sabine. 'Maar ik denk dat onze Bess niet iemand is die makkelijk risico's neemt.'

'Zeg dat!' zei Naomi. 'Ze is erg gespannen, zeker weten.'

'Hoewel ze toen Dan er was uitermate soepel was,' zei Charlie. 'Ik heb haar tijdens de les nog nooit zo relaxed gezien.'

'Het moppie was gepiknotiseerd!' riep Sabine uit.

'Ho even, wat?'

'Excuses voor mijn onbeschoftheid, ik heb gewoon zó lang moeten wachten tot ik dat woord in de juiste context kon gebruiken! Volgens mij heeft die gast van die roddelwebsite waaraan ik verslaafd ben dat woord bedacht.'

'Welke website?' vroeg Naomi grinnikend. 'Het is een geweldig woord.'

'Dlisted? Ken je het?'

'Ik wel!' zei Julian, die achter de balie hun gesprek had opgevangen. 'Die gozer is supergeestig.'

Sabine knikte instemmend.

'Over websites gesproken, ik heb wat ideeën voor Prana,' zei Naomi, opeens fluisterend.

'O, cool!' zei Sabine. 'Wat bijvoorbeeld? En waarom fluister je?'

'Geen idee. Dat zullen de zenuwen wel zijn. Ik ga nu met Charlie, Felicity en Julian praten,' antwoordde Naomi. Het was vreemd: dit was wat ze voor de kost deed en bij haar andere klanten was ze zelden of nooit nerveus. Deze opdracht had echter iets waardoor Naomi een beetje behoedzaam werd, en dat had niets te maken met haar kwetsbare emotionele toestand. Ze vermoedde dat het iets te maken had met het feit dat ze nu helemaal zelf verantwoordelijk was voor de artistieke richting. Charlie en Felicity lieten het aan haar over, zonder vragen te stellen, zonder verzoeken die artistiek gezien vervelend waren. Het was bevrijdend, maar een beetje eng. Ze haalde diep adem en liep naar de balie om een praatje te maken met Felicity. Sabine drentelde achter haar aan.

'Ha, dame,' begroette Felicity. 'Hoe is het met je?'

'Prima,' antwoordde Naomi. 'Maar wel een beetje uitgeteld. Charlie heeft ons vandaag flink laten zweten.'

'Weet ik, ik heb even naar binnen gekeken,' zei Felicity. 'Jullie zijn echt enorm vooruitgegaan sinds de eerste les. Het is eigenlijk verbijsterend.'

'Echt, kon je dat zien?'

'Absoluut. Ik ben onder de indruk.'

'Nou, bedankt,' zei Naomi. 'Charlie is een geweldige lerares. Maar luister,' vervolgde ze, 'ik heb een paar ideeën voor de website.'

'Oooo, jippie!' riep Felicity uit, terwijl ze haar handen verrukt in elkaar sloeg. 'Vertel, vertel!'

'Wat moet ze vertellen?' vroeg Charlie, die opeens achter hen stond.

'Ik heb nagedacht over de website,' herhaalde Naomi. 'Volgens mij moet die het midden houden tussen persoonlijk en professioneel. Je weet wel, een echt gestroomlijnde, open vormgeving die weergeeft wat jullie met de studio gedaan hebben, gecombineerd met een paar mooie foto's van jullie en de ruimte. Een mengeling van kleur en zwart-wit.'

'Perfect!' zei Felicity. 'Dit klinkt me goed in de oren. Niet té.'

Julian knikte goedkeurend.

'Ja, ik ben ook blij dat je je ver houdt van dat geitenwollensokkengedoe,' zei Charlie. 'Ik heb al heel veel yogawebsites gezien die een soort psychedelische flashback lijken.'

'Of sites die véél te cool zijn,' zei Sabine. 'Je weet wel, die strakke SoHo, Gwynnie-en-Madonna-tenten? Argh. Die zijn zo afstotelijk.'

'Wie gaat de foto's maken?' vroeg Julian.

'Nou, ik dacht dat ik dat misschien wel kon doen,' antwoordde Naomi. Ze staarde naar de grond, geïrriteerd door haar eigen nervositeit. Ze dwong zichzelf op te kijken.

'Dat lijkt me een uitstekend idee, Naomi,' zei Felicity. 'Geweldig.'

'En het leek mij ook wel leuk om er een link op te zetten die mensen verwijst naar een pagina met jouw haarproducten,' voegde Naomi eraan toe. 'Die heeft dan dezelfde uitstraling, maar gaat alleen maar over haar.'

'Gaat het eigenlijk wel eens niet alleen maar over haar!?' kirde Julian, terwijl Felicity stond te stralen. 'Super, super, super!' 'Vind ik ook,' beaamde Charlie. 'Het klinkt perfect. Kunnen we je ergens mee helpen?' 'Nou, ik wilde vandaag wat langer blijven om alvast wat ongedwongen foto's te maken,' antwoordde Naomi. 'Gewoon om te kijken hoe het met het licht hier gaat.' Ze bukte om de camera uit haar tas te halen. Ze was nog steeds zenuwachtig over het fotograferen, maar op de een of andere manier voelde dit goed. De reacties op haar suggesties hadden haar zelfvertrouwen gegeven: ze voelde zich capabel, een vrouw die de touwtjes in handen had. Een vrouw die niet verteerd werd door zorgen over haar gezondheid.

Ze stond op en hing de camera om haar nek. Dat voelde vertrouwd, maar ook totaal anders. 'Oké, doe gewoon wat je altijd doet,' instrueerde ze Felicity, Charlie en Julian. Ze tuurde door de lens.

'Julian!' riep ze uit. 'Doe normaal!' De vrouwen begonnen te giechelen toen ze zagen hoe Julian zijn armspieren spande, terwijl hij tegen de balie leunde.

'Sorry, sorry!' zei hij. 'Ik kan er niets aan doen! Zo ben ik nu eenmaal. Je hebt nog geluk dat ik mijn shirt niet uittrek. Het kost me ongelooflijk veel zelfbeheersing om niet uit de kleren te gaan.'

'Bedankt, Julian,' zei Felicity. 'Geweldig dat je je zo opoffert.'

Julian reageerde hierop door haar over haar wang te aaien. *Klik*, deed Naomi's camera. Dit was precies zo'n moment waar ze naar zocht. Ze hield de camera bij haar wang en genoot van het gevoel er weer één mee te worden.

33

Charlie

Charlie liep nerveus naar de kassa. Het was officieel: ze was verliefd op Mario. Ze vermoedde dat ze zich daar altijd al bewust van was geweest, maar het gesprek met Julian had het echt aan het oppervlak gebracht; als een of andere drijvende schatkist die jarenlang op de bodem van de zee had gelegen. Ze had Mario niet meer gezien na het accepteren van haar verliefdheid, maar zo gingen die dingen nou eenmaal. Op het moment dat je een man wilde zien, verdween hij, maar als je niets met hem had, zag je hem overal.

Ze sloeg de hoek aan het eind van het gangpad om en gluurde naar hem. Hij stond bestudeerd geconcentreerd de koffiemachine schoon te maken. Zelfs zo zag hij er prachtig uit. Ze haalde diep adem. *Het is gewoon Mario, hoor. Je kent hem. Het is nergens voor nodig om nu opeens zo debiel te gaan doen.* Hij legde zijn doekje neer en keek op. Toen hij haar zag, brak er een enorme glimlach door op zijn gezicht.

Oké, ik ben debiel. Dwaas zelfs. Ze glimlachte terug.

'Goedemorgen, Charlie!' riep Mario, terwijl hij praktisch over de toonbank heen sprong om haar te omhelzen.

'Hai,' antwoordde ze. Ze had opeens het gevoel dat ze een scène uit *Grease* opvoerden: zij als de kuise Sandy en Mario als de gevaarlijke Danny Zuko. Ze onderdrukte een lach. 'Hoe gaat het?'

'Goed, ik mag niet klagen. Ik probeer alleen de rotzooi van de koffiemachine af te krijgen; hem een beetje op te kalefateren. Je ziet er weer prachtig uit vanmorgen, zoals altijd.'

Charlies gezicht werd warm. 'Bedankt, Mario.' Ze voelde zich opgelaten. Vroeger, toen ze gewoon voortkabbelde op haar aseksuele post-Neilstroom, had Mario haar nooit echt van streek gemaakt. Maar nu, nu ze zeg maar weer meedeed, werd ze louter door zijn nabijheid murw geslagen. Ze wist zeker dat de haren op haar armen rechtop stonden onder haar jas. Wat moest ze nu zeggen?

Mario redde haar. 'En jij? Hoe gaat het met de studio?'

'Met de studio gaat het goed,' antwoordde Charlie. 'Het lijkt een beetje aan te trekken.' Ze frummelde aan de pakjes kauwgum onder de kassa. 'Een van mijn leerlingen maakt een website voor ons.'

'Leuk! Dat zal echt veel verschil maken. Het is cruciaal om op internet te zitten. Dat is het eerste wat ik bij mijn andere zaak heb gedaan.'

'Heb jij nog een andere zaak?' vroeg Charlie. Ze herinnerde zich dat Julian haar verteld had over Mario's ondernemersimperium, maar ze wist niet meer precies wat dat inhield. Of had Felicity haar dat verteld? Grappig, nu ze erop terugkeek, was het zo duidelijk hoe graag die twee wilden dat Charlie toegaf aan haar gevoelens voor Mario – door altijd over hem te beginnen en haar te vragen iets voor hen in zijn zaak te halen.

'Ja, mijn broer en ik hebben een cateringbedrijf,' antwoordde hij trots. 'Voor het grootste deel Porto Ricaanse kwaliteitsproducten.'

'Ongelooflijk! Ik had geen idee dat je chef-kok was.'

'Nou ja, mijn broer kan veel beter koken dan ik. Ik ben er in eerste instantie gewoon vanuit zakelijk oogpunt ingestapt. Ik dacht dat hij het heel goed kon. En dat is ook zo. Het is heel leuk om eraan mee te doen.'

'Dat is geweldig, Mario. Werken jullie elke avond?'

'O, nee, we hebben allebei een andere baan. Ik hier en mijn broer heeft een klein restaurant in de Bronx. We doen het meestal alleen in het weekend. En dan heb ik ook nog mijn band. Het wordt de laatste tijd steeds moeilijker om het allemaal te blijven doen, weet je?'

'Speel je in een band?' Hoe was het mogelijk dat ze deze man al zo lang kende en in feite helemaal niets van hem wist?

'Ja,' antwoordde Mario, ietwat verlegen. 'Gewoon een stelletje kerels van middelbare leeftijd die een beetje klooien op wat instrumenten. Maar we hebben veel lol. Je moet eigenlijk eens een keertje naar ons komen kijken.'

'Welk instrument speel je?'

'Gitaar.'

'Wauw, ik ben echt onder de indruk.'

Nu was het Mario's beurt om te blozen. 'Dank je. Weet je, volgende maand hebben we een gig hier in de buurt.'

'Ik kom zeker,' zei Charlie.

'Echt? Misschien kunnen we daarna een hapje gaan eten of zo,' voegde hij eraan toe. De intensiteit waarmee hij haar aankeek, bracht haar knieën aan het bibberen. Ze greep zich vast aan de hoek van de toonbank.

'Ja, dat zou leuk zijn.'

Mario keek over haar schouder. 'O, hallo, kan ik u ergens mee helpen?' vroeg hij aan de klant achter haar.

Charlie draaide zich om, zodat de klant kon betalen. Haar hart maakte een reuzensmak in haar schoenen toen ze besefte wie er achter haar stond. Neil. Met een blik koffie en een rol keukenpapier.

Hij keek haar stomverbaasd aan. 'Holy shit!' riep hij. 'Charlie! Hai!'

Charlie slikte hevig en probeerde wanhopig haar Sahara-achtige mond te bevochtigen. 'Hai,' piepte ze toen terug. Hij zag er nog hetzelfde uit – een soort van. Hij had zijn haar laten knippen en het baardje afgeschoren dat zijn gezicht altijd als een borstelige nevel omhulde. Hij had ook een andere bril. Vroeger had hij zo'n 'moet je mij zien, ik ben een intellectuele hippie'-bril met een dik montuur gehad, maar nu droeg hij een veel conservatiever exemplaar. Zijn hele uitstraling was feitelijk dat van een veel conservatievere man. Neil, de voormalige schakende, tarwesapgrasdrinkende, *bhagavad gita*-lezende atheïst, leek nu officieel op iemand die in het weekend naar de Hamptons ging en een abonnement op Netflix had. Hij was een onvervalste yuppie. Die verandering was alarmerend.

'Je ziet er goed uit,' zei hij, terwijl hij Charlie in zich opnam. Ze vroeg zich af wat hij zou denken van haar make-uploze gezicht, haar woeste haar en haar dikke jas. Ze had zo vaak gefantaseerd over dit weerzien. In die fantasie was zij uiteraard de verpersoonlijking van spirituele voldoening en moeiteloze elegantie, en geen uitgeputte, dik ingepakte Bushwicker, die genadeloos stond te flirten met de winkeleigenaar.

'Eh, bedankt.' Charlie voelde Mario's ogen in haar achterhoofd boren. 'Neil, dit is Mario. Mario, Neil.'

'Hé, man,' zei Neil, terwijl hij zijn hand uitstak.

Mario verstrakte toen hij die vastpakte om te schudden. 'Hallo,' antwoordde hij ijzig.

'Zo, Charlie, hoe is het met je?' vroeg Neil. 'God, ik kan me niet meer herinneren wanneer ik je voor het laatst gezien heb.'

Charlie wist dat nog maar al te goed. Ze hadden het uitgemaakt en Neil had bij een vriend op de bank geslapen. Op een middag was hij zijn spullen komen halen in de veronderstelling dat Charlie op haar werk zou zijn. In plaats daarvan trof hij haar min of meer aan op de plek waar hij haar achtergelaten had: opgekruld in een foetushouding op haar bank, strak gewikkeld in een deken. Ze hadden weer ruziegemaakt en toen was hij er, met een vuilniszak vol spullen, vandoor gegaan.

'Ik ook niet,' antwoordde Charlie. Als hij stommetje wilde spelen, begreep zij dat best. Ze bestudeerde zijn gezicht. Ze vertoonde geen enkele seksuele reactie op zijn aanwezigheid. Nul. Dat was een verbijsterend besef. 'Wat doe je in Bushwick?' vroeg ze.

'Ik woon hier nu. Iets verderop in de straat zelfs.' Hij keek omlaag en vermeed haar blik. 'Ik eh, ik ben verloofd,' legde hij uit. 'We zijn hier ongeveer een maand geleden komen wonen.' Ondanks haar vreugdevolle moment van daarnet, toen ze besefte dat Neil haar niets meer deed, stak dit. Meer dan zou moeten.

'O!' antwoordde ze, zo overtuigend mogelijk. 'Dat is geweldig! Gefeliciteerd!'

'Bedankt,' antwoordde Neil, zichtbaar opgelucht door haar hartelijkheid. Zijn reactie irriteerde Charlie. Waarom zou hij denken dat zij niet blij voor hem zou zijn? Hij mocht dan zijn uiterlijk veranderd hebben, zijn ego was nog steeds hetzelfde: monsterlijk.

'En wat brengt jou hier?' vroeg hij. Hij zette een afschuwelijk zuidelijk stemmetje op, in een mislukte poging leuk te zijn.

'Zij woont hier ook,' kwam Mario tussenbeide. 'Zij is de eigenaar van de yogastudio hierboven.' Charlie keek Mario aan en probeerde haar dankbaarheid met haar ogen over te brengen.

'Ga weg!' zei Neil. 'Fantastisch! En wat een verandering voor jou.' Hij keek naar Mario. 'Vroeger runde Charlie Wall Street met haar ogen dicht.' Charlie moest zich verschrikkelijk inhouden om Neils ogen er niet uit te krabben. Ook al wilde hij alleen Mario bij het gesprek betrekken, zijn stem had dat neerbuigende wat ze zich maar al te goed herinnerde.

'Ja,' antwoordde ze. Het leek haar tijdverspilling om vrijwillig met nog meer informatie over zichzelf op de proppen te komen.

'Je gelooft het nooit,' zei Neil, die het gesprek uiteraard graag weer op zichzelf wilde brengen, 'maar ik ben mijn MBA aan het halen!'

Charlie verslikte zich bijna in haar eigen tong. De kerel die haar die twee jaar dat ze samen waren geweest eindeloos aan haar kop had zitten zeiken over haar levensstijl, kopieerde die nu! Hoe ironisch wilde je het hebben! Charlie kon het niet geloven.

'Wat?!' Ze krijste het bijna. Ze wilde eraan toevoegen: jij neurotische poseur, jij kloterige opschepper! Dezelfde kerel die alles wat ook maar een beetje materialistisch leek uit de weg ging, dezelfde kerel die zijn ogen ten hemel sloeg als Charlie praatte over een fusie of liet blijken graag ergens te willen gaan eten waar bediening was… Die kerel wilde nu carrière maken in de financiële wereld? Zijn nieuwe imago was opeens volkomen logisch.

'Ja, ik weet het,' zei hij. 'Grote verandering.'

Charlie keek hem aan. Eindelijk, de openbaring waar ze al die tijd op gewacht had. De openbaring die haar hier, in deze delicatessenzaak, transformeerde. Neil was een onzekere man met geen enkele zelfkennis. Alles wat hij deed, was een reflectie op de laatste trend. Wonen in de Lower East Side rond zijn twintigste, toen het als cool beschouwd werd om in een restaurant te werken, wiet te roken, aan yoga te doen om meisjes te laten denken dat je een gevoelige kant had, en te praten over filosofie. Nu hij de dertig gepasseerd was, werd het tijd om naar Brooklyn te verhuizen, zich te verloven en een MBA te halen. In zijn hele lichaam bezat Neil geen greintje authenticiteit. Hij was een lachertje.

'Zeg dat wel,' zei ze. 'Nou, het was leuk om je weer te zien. Ik moet ervandoor. Ik zie je nog wel, denk ik. Succes met alles.'

'Eh, ja, jij ook,' zei Neil, ongetwijfeld perplex door haar oprechte gebrek aan belangstelling.

'Dag, Mario,' zei ze. 'Kom je nog even naar de studio om me te vertellen wanneer die gig precies is?'

'Doe ik, Charlie.'

Ze liet hen allebei achter – de oude en de nieuwe – en zoog de frisse buitenlucht naar binnen. Ze voelde dat de lente eraan kwam. De kou was nu al minder bitter en in het briesje zat een vleugje sussende warmte. Heel vaag, maar absoluut voelbaar. De winter zou snel afgelopen zijn en dan begon de lente – die een heel nieuw begin met zich meebracht.

Tijdens die korte ontmoeting met Neil waren zo veel wonden geheeld. Het verdriet over de scheiding, dat weliswaar eindelijk een uitweg gevonden had, was ondanks haar gevoelens voor Mario blijven dralen aan de randen van haar hart. Nu had de bezem van de werkelijkheid het naar buiten geveegd.

Ze kon niet geloven dat ze hem al die tijd als de drijvende kracht achter haar levenswending had beschouwd. Zij had meer spiritualiteit en authenticiteit in haar kleine teen dan hij in zijn hele stamboom. Het was onwezenlijk.

Heel lang had ze zichzelf niet de eer van die ingrijpende verandering in haar leven gegund. Die had ze aan hem toegeschreven! En waarom? Misschien was het makkelijker om daarop terug te vallen als het lastig bleek te zijn de studio te runnen. Als zij niet de eigenaar van haar eigen levenspad was, hoefde ze daar ook de verantwoordelijkheid niet voor te nemen als het onaangenaam of een rotzooitje werd. Maar tegelijkertijd, als het allemaal heel erg goed ging, als haar leven haar ongelooflijk veel vreugde schonk – of dat nu door het beoefenen van de yoga zelf kwam, of door het besef dat ze echt gek was op haar collega's, of door het verleggen van een grens met een van haar leerlingen – dan schreef zij in feite die eer aan iemand anders toe. Aan Neil nota bene.

Charlie bleef opeens staan. Ze deed haar ogen dicht en luisterde. Een vogel. De eerste die ze sinds eeuwen had gehoord. Er was verandering op til.

Nee, dacht Charlie, die was er al.

34

Bess

'Fijne avond, Rob,' riep Bess toen hij het kantoor verliet.

'Niet te lang blijven, hè!' waarschuwde hij over zijn schouder.

Bess zoog de stilte van het nu verlaten kantoor in zich op. Ze keek om zich heen om zich ervan te verzekeren dat ze alleen was. Ze zag licht branden in het hoekkantoor van haar baas. Ze zou toch zweren dat ze die had zien vertrekken… Maar misschien was ze teruggekomen, popelend om een bijschrift te maken bij het recentste sneue sterretje dat zonder slipje was gefotografeerd.

Bess stond op en kuierde achteloos voorbij, waarbij ze zo nonchalant mogelijk een blik opzij wierp. Als zij daarbinnen was, wilde Bess dus absoluut niet de aandacht op zichzelf vestigen. Onzinnige geintjes over de nieuwe voorjaarsmode waren wel het laatste waar ze vanavond op zat te wachten.

Toen ze naar binnen keek, zag ze Esme, de schoonmaakster, die de vensterbanken afstofte. 'Hai, Esme.'

'Hé, Bess,' antwoordde ze, terwijl ze een prullenbak omkeerde boven haar karretje. Bess wist niet hoe lang Esme het kantoor hier al schoonmaakte, maar ze vermoedde dat dat al sinds het begin van de jaartelling was. Ze kende iedereen. Bess had zich al een tijd geleden voorgenomen om een keer op kantoor te blijven hangen en dan met Esme dronken te worden om gevoelige informatie bij haar los te peuteren. Die vrouw moest een schatkist vol chantabele juweeltjes zijn.

Maar vanavond niet. Bess had belangrijke zaken te regelen. Ze keerde terug naar haar bureau. Ze zag hoe Esme het kantoor verliet, met het karretje achter zich aan slepend. Ze ratelde door de gang en sloeg links af. Een paar seconden later hoorde Bess het verklikkende *ting* van de lift die openging. De kust was veilig.

Bess pakte haar notitieblokje en haar pen en liep naar het kantoortje, dat nu dankzij Esme's vaardige expertise brandschoon was. Op haar tenen liep ze naar de stoel. Ze voelde zich als Velma in *Scooby-Doo*.

Ze liet zich zakken op het geplooide leer van een stoel die ongetwijfeld meer had gekost dan drie maanden huur van haar woning. Hij zat stukken lekkerder dan het trieste geval waar zij op moest zitten. Als extraatje draaide ze een rondje en zag New York in een waas van lichtjes aan zich voorbijtrekken.

Ze zat weer met haar gezicht naar voren en pakte haar notitieboekje om haar aantekeningen nog even door te nemen. Ze haalde het dopje van de pen. Ze schraapte haar keel. 'Vooruit met de geit,' fluisterde ze. Terwijl ze het nummer intoetste, begonnen haar handpalmen te zweten. Ze herinnerde zich een ex-vriendje dat had gewalgd van haar overactieve zweetklieren. Hij had haar washandje genoemd. Kort daarna had ze het met hem uitgemaakt.

Terwijl de telefoon overging, probeerde Bess wat yoga-ademhaling. Ze ademde zo diep mogelijk in en blies de lucht vervolgens in een heftige *woesj* weer uit. Halverwege de *woesj* nam Kathryn op.

'Met de stadsredactie,' zei ze.

Bess probeerde wanhopig haar *woesj* met een luid gekuch te verbergen. 'O, sorry!' zei ze. 'Ik ben een beetje verkouden. Met Bess, Kathryn.'

'Bess?' zei Kathryn. Haar toon hield het midden tussen net doen of ze wist wie Bess was en feitelijk geen idee hebben.

'Ja, we hebben elkaar ontmoet op een van die samenkomsten van Jason? Een half jaar geleden of zo?' Bess hoopte dat Kathryn een goed geheugen had. Eerlijk gezegd hadden ze elkaar maar zo'n vier minuten gesproken en dat was nog een ruime schatting. 'Ik werk bij *Pulse*? We hadden het over de weave van Britney Spears?'

Kathryn lachte. 'God, ik heb dat gesprek helaas veel te vaak. Ik kan me jou eerlijk gezegd niet meer herinneren, Bess, maar vooruit, kom maar op. Wat is er?'

'Nou, ik wil je een artikel aansmeren. Ik hoop dat het naadloos past in het stadsgedeelte. Bel ik ongelegen?'

'Nee, nee, het is oké. Ga verder,' zei Kathryn bemoedigend.

'Nou, het gaat dus over een yogastudio in Bushwick,' zei Bess.

'Leuk. Bushwick is het nieuwe Prospect Heights, Prospect Heights is het nieuwe Carroll Gardens…'

Bess lachte. 'Precies. Oké, het artikel gaat over vier vrijgezelle vrouwen van in de dertig die zes wekelijkse basislessen volgen. In een notendop komt het erop neer dat ze tien jaar na hun afstuderen allemaal op zoek zijn naar evenwicht in hun leven. Je weet wel: werk, passie, liefde, yoga, geluk...'

'Eh, ik wil niet lullig doen hoor, Bess, maar het stadsnieuws is niet de *Marie Claire*. Met alle respect voor mijn zusters, maar dit klinkt als het zoveelste pretentieloze kabbelverhaaltje uit een vrouwenblad dat ik het afgelopen half jaar heb gelezen.'

'O, nee, ik zweer je, de vrouwen zélf maken dit artikel bijzonder,' legde Bess uit. 'Hun zoektocht naar evenwicht en zelfverwezenlijking is nieuw en verfrissend. Mijn artikel blijft ver van het stereotype "alles willen hebben". Het gaat over het individualistische karakter van dat doel tegen de achtergrond van het huidige New York. Het gaat er juist om dat "alles willen hebben" voor moderne vrouwen, vooral voor vrouwen uit de stad, steeds meer een kwestie is van in staat zijn verschillende facetten van jezelf uit te drukken en in te zetten. Het betekent dat je over de gedrevenheid beschikt om jezelf creatief waar te maken, terwijl je jezelf onderhoudt en aan de vereisten van het drukke stadsleven voldoet. Deze vrouwen zijn inspirerend – dit is het soort evenwicht waar alle vrouwen in een bepaalde mate naar streven – of zouden dat in ieder geval moeten zijn.'

Bess merkte dat haar hart hevig klopte terwijl ze praatte. Dit ging haar blijkbaar meer aan het hart dan ze zelf gedacht had. Het ging niet meer om haar naam boven het artikel, het ging om een stuk dat volgens haar echt een positieve invloed zou hebben op de nietsvermoedende lezer – net zoals Charlie, Sabine en Naomi een positieve invloed op haar hadden gehad.

'Shit, dat klinkt goed. Girl power!' juichte Kathryn. 'Hmmm. Het zou best eens lastig kunnen zijn om dit langs mijn redacteur – een man – te krijgen, helaas pindakaas. Ik bedoel, ik zie het belang van je artikel, maar hij zou me wel eens terug kunnen fluiten... Kun je zorgen dat de nadruk op Bushwick ligt en met details over de opleving van die wijk komen?'

'Zeker weten,' antwoordde Bess. 'Ik zal het er als Britneys kapster doorheen vlechten.'

'Ha! Dat is een goeie. Weet je wat, we hebben inderdaad ruimte. Laten we het gewoon doen. Kun je het binnen een week af hebben? Als het eindproduct me bevalt, zet ik het in de krant van volgende week zaterdag.'

Bess moest zich inhouden om het niet uit te schreeuwen. 'Afgesproken.'

'Oké, cool, ik moet ervandoor,' zei Kathryn. 'Mail het me maar als Worddocument, uiterlijk woensdagmiddag.'

'Geen probleem,' zei Bess. 'Hartstikke bedankt voor de kans.'

'Geen dank,' antwoordde ze. 'Je idee klinkt erg relevant. Ik verheug me erop het te lezen.'

'Heel erg bedankt! Dag!' zei Bess, waarna ze de telefoon weer terug in de houder zette.

Ze veroorloofde zich nog een paar rondjes op de chique stoel. Ze kon het niet geloven! Haar artikel had echt een kans om geplaatst te worden in *The New York Times*! Ze had zo lang naar dit moment uitgekeken. Ze draaide zich naar het raam en nam de skyline van New York in zich op. Ze had de telefoon van haar baas alleen maar gebruikt om zich gesteund te voelen door dit beeld; in haar eigen hok zaten geen ramen. De stad bleef haar maar imponeren, ook al was ze hier al tien jaar. Puur de onmetelijkheid ervan deed haar mond altijd openzakken van verbazing – het gaf haar nog steeds hetzelfde gevoel als de eerste keer dat ze erboven zweefde. Ik zal het hier echt gaan missen als ik naar LA verhuis, dacht ze, terwijl ze naar de gigantische gebouwen met hun willekeurig verlichte ramen staarde. New York was enig in zijn soort. Ze draaide terug en stond op. Ze vroeg zich af of het altijd haar baas' droom was geweest om te eindigen als hoofdredacteur van een smakeloos sterrenblaadje. Ze vermoedde van niet.

Zeker, haar baas had een aantrekkelijk leven, waar bijna iedereen voor zou tekenen of jaloers op zou zijn – rijk, machtig, een moeder van twee met wat een liefhebbende echtgenoot leek te zijn – maar misschien droomde ze er, ergens diep vanbinnen, wel van om pianist te zijn… of schilder… of zelfs wel een kungfumeester. Wie weet? De mogelijkheden waren eindeloos. Overdag leidde ze een tijdschrift en zorgde ze voor haar gezin, maar misschien maakte ze 's avonds laat of vroeg in de morgen wel tijd voor wat haar echt voldoening schonk. Het gegoochel van vrouwen was niet iets om te bagatelliseren.

Bess liep terug naar haar eigen bureau, pakte haar jas en schakelde de computer uit. Het was haar gelukt een artikel aan *The New York Times* te slijten. Zeggen dat ze opgewonden was, zou een gigantisch understatement zijn. Ze zou onderweg naar huis een mooie fles wijn kopen om het te vieren en dan meteen Dan bellen. Ze was zo blij dat ze hem in haar leven had. Zonder hem zou dit artikel na wat gepruttel afgeslagen zijn, zonder dat ze gas had kunnen geven.

Op straat haastte ze zich naar het metrostation; ze wilde zo snel mogelijk thuis zijn om hem te bellen. Als ze tijdens het reizen met hem praatte, kreeg ze altijd zo'n opgejaagd gevoel. Ze zat liever stil als ze een gesprek voerden, zodat ze zich volledig op hem kon concentreren en niet op de klojo die op de stoep tegen haar aanliep.

Holy shit, dacht ze, ik loop te zweten! Ze ritste haar jas los en deed haar sjaal af, terwijl ze merkte dat haar stadsgenoten al even verbaasd keken.

De lente kwam eraan! Eindelijk!

35

Naomi

Naomi zat achter haar computer en staarde naar het scherm. Ze had de vormgeving van de Pranawebsite afgemaakt en was echt blij met het resultaat. De site was vriendelijk en uitnodigend, net als de studio zelf. De technologie was verfrissend zonder intimiderend over te komen. Ze was het meest ingenomen met de link naar Felicity's haarproducten. Ze had een zwart-witillustratie van een breed grijnzende Boeddha met een afrokapsel gemaakt. Een klik op diens kapsel en... voilà, je was in de haarhemel.

De tekst baarde haar echter zorgen. Naomi was van vele markten thuis, maar schrijven hoorde daar niet bij. Hoewel ze voor haar klanten meestal geen teksten schreef, wilde ze voor Prana een compleet product afleveren. Ze had op andere sites gekeken om inspiratie op te doen, maar dat had niets opgeleverd. Ze legde haar hoofd in haar handen en dacht aan de studio, de leerlingen...

Sabine! Ze had Sabines talent compleet over het hoofd gezien. Zij was hier perfect voor en ze wist zeker dat ze de gelegenheid zou aangrijpen om haar schrijfspieren te strekken. Ze klikte op haar mailprogramma en begon een verzoek te componeren toen de bel ging.

Hè? Ze was stomverbaasd door deze interruptie. Het was halverwege de middag. Wie kon er nou voor de deur staan? Misschien was het een Jehova's getuige. Ze ging verder met typen in de hoop dat dat het geval was. Er werd opnieuw gebeld.

'Shit,' mompelde ze, toen ze haar pyjamabroek zag en haar koffieadem rook. Ze stond op om te achterhalen wie haar lastigviel. Ze drukte op het knopje van haar intercom. 'Wie is daar?' zei ze.

'Eh, Naomi?' kraakte een schuchtere stem.

'Shit!' zei Naomi voor de tweede keer. Het was Gene.

'Gene?' vroeg ze, in de hoop dat de stem van de UPS-koerier een griezelige gelijkenis vertoonde met die van haar ex.

'Ja, hoi! Mag ik bovenkomen?' Naomi wilde helemaal niet dat hij op dit moment haar leven binnendrong, maar ze leek geen keuze te hebben. Hem de toegang weigeren zou onbeleefd zijn. Ze drukte op het knopje om de deur te openen.

Weer heb ik mijn pyjama aan. Het was maar goed dat ze zich niet meer tot hem aangetrokken voelde. Elke kans om hem met dit uiterlijk te verleiden, was uitgesloten. Ze kromp ineen toen ze hem de trap op hoorde stampen. Ze wist zeker dat hij naar Parijs zou ruiken – sigaretten, Côtes du Rhône, modellen en hasj. Zij rook daarentegen naar moederschap: melk, cornflakes en koffie. Bedwelmend.

Met de klop op de deur verdween het laatste restje hoop dat ze nog had om haar tanden te poetsen. Ze haalde diep adem en deed de deur open. Daar stond Gene, de verpersoonlijking van Europese verfijning: versleten spijkerbroek, een ultrazacht T-shirt, een afkledend boterkleurig leren jasje, een kasjmieren sjaal en een gebreide muts die zijn mooie kop bakerde. Ze vroeg zich af met hoeveel vrouwen hij de afgelopen week had geslapen en kreeg onmiddellijk medelijden met mini-Noah. Ze hoopte dat Gene een blinddoekje voor hem gemaakt had.

'Hai, Naomi.'

'Hé, Gene.' Ze trok de deur verder open om hem binnen te laten. 'Hoe was het in Parijs?' *Ik hoop dat het leuk was. Ik heb misschien multiple sclerose. Heb je zin in koffie?*

'O, je weet wel, de gebruikelijke onzin,' antwoordde Gene, terwijl hij de muts van zijn warrige donkere krullen trok – precies dezelfde krullen die Noahs prachtige gezichtje omlijstten. Tja, het kind had nu eenmaal goede genen... 'Veertienjarige modellen, bijna-overdoses, champagne 's ochtends, 's middags en 's avonds.'

'Klinkt afgrijselijk.'

Gene lachte. 'Ik weet het, wat ben ik toch zielig, hè? Maar ik zeg je, Naomi, ik begin er genoeg van te krijgen. Ik weet niet of het komt doordat ik oud word of zo, maar als het financieel gezien kan, wordt dit naar alle waarschijnlijkheid mijn laatste jaar.'

'Meen je dat?' vroeg Naomi.

'Ja, ik denk het wel. Bel de kranten maar: Gene Hoff is officieel een oude man.'

'Wauw, dat is zeker nieuws,' zei Naomi. 'Oud zijn is niet zo erg, dat beloof ik je. Je mag de hele dag in je pyjama lopen, zonder dat je je daar iets van aan hoeft te trekken.' *Moet ik het hem vertellen? Ik weet dat het moet… uiteindelijk, maar het voelt te vroeg. Waarom zou hij het moeten weten? Ik weet het, ik weet het. Ik heb zijn hulp nodig met Noah.*

'Ik hoop dat dat niet het enige voordeel is van ouderdom,' zei Gene plagend. 'Ik meen me namelijk toch echt te herinneren dat dat ook een voordeel van de puberteit was.'

'Daar zit wat in. Dat is het ook niet. Ik wil alleen maar zeggen dat het helpt als je je leeftijd accepteert, snap je?'

'Ja, dat weet ik. Ik zal je zeggen, Naomi, het leukste aan Parijs was dit rare kartonnen kereltje.' Hij stak zijn hand in zijn tas, haalde er een grote envelop uit, keerde die om en schudde hem heen en weer. Mini-Noah buitelde op de bank en zag er, alles in aanmerking genomen, nog net zo goed uit als bij het verlaten van het land. 'Kijk dan, ik heb een gipsarm gemaakt voor het jochie!' Hij pakte mini-Noah met zijn duim en wijsvinger op, om hem aan Naomi te laten zien. En inderdaad, zijn piepkleine kartonnen arm zat in het gips.

'Wat geestig!' riep Naomi uit. 'Dat gips is super.' Ze zweeg even. 'Trouwens, nog bedankt dat je in het ziekenhuis bij Noah was. Ik weet dat ik me niet netjes gedragen heb toen ik je daar zag, maar ik was echt dankbaar.'

'Hé, dat begrijp ik best. Ik zou het ook moeilijk hebben gevonden om mij dat hele vadergebeuren toe te vertrouwen. Maar ik ben veranderd, Naomi. Echt, ik… Ik hou echt van dat kind, weet je? Ik zou alles voor hem doen.'

'Ik denk dat ik dat nu ook weet,' antwoordde Naomi. 'Je moet alleen geduld met me hebben, als je het niet erg vindt. Wij zijn gewoon zo lang met zijn tweetjes geweest, weet je? Dat jij opeens weer ons leven binnen kwam zeilen… Dat was niet bepaald makkelijk.'

Gene knikte. 'Weet ik.'

Naomi raapte mini-Noah op en bestudeerde hem. 'Dus je hebt echt plezier gehad met dit kereltje? Ik wist niet of ik dit project nou aandoenlijk moest vinden of gewoon een rotklus. Het deed me denken aan de wetenschapsmarkt van 2006.'

'Moest Noah meedoen aan een wetenschapsmarkt toen hij zes was?! Wat heeft hij gemaakt, een urinemonster? Jezus, dat is wel een beetje jong, hè?'

'Absoluut,' antwoordde Naomi. 'Ik ben ervan overtuigd dat dit soort projecten alleen maar een manier van de regering zijn om ons te straffen voor het voortplanten. We hebben een model van het zonnestelsel gemaakt. Het was meer dan ingewikkeld en ik denk dat het twee jaar van mijn leven heeft gekost.'

Gene lachte. 'Echt hoor, mini-Noah en ik hebben het geweldig gehad. Ik voel me schuldig nu ik dat weet van die wetenschapsnarigheid. Bijna alsof ik je onze liefdesaffaire tussen karton en mens onder de neus wrijf.'

Naomi glimlachte. Ze was vergeten hoe charmant Gene kon zijn. 'Trek het je niet aan. Je hoeft je nieuwe romance echt niet geheim te houden. Dus je vond het leuk om hem overal mee naartoe te slepen?'

'Nou en of. De foto's die ik gemaakt heb zijn hilarisch. Wacht' – hij trok een andere envelop uit zijn tas – 'kijk maar!'

'Heb je ze al laten afdrukken!' vroeg Naomi, die opnieuw verbaasd was door Genes verantwoordelijkheidsbesef.

'O ja, dat stelde niets voor. Ik heb thuis een kleurenprinter, dus daar heb ik ze gewoon op afgedrukt.'

Naomi pakte de foto's aan en begon ze een voor een te bekijken. 'Ze zijn fantastisch!' Ze zag mini-Noah voor de Eiffeltoren, langs de catwalk van een modeshow, rode wijn drinkend met Johnny Depp. Ho even, met Johnny Depp?

'Eh, neem me niet kwalijk!' piepte ze bijna, terwijl ze met een bevende vinger naar de foto wees. 'Is dat wie ik denk dat het is?'

Gene knikte schaapachtig. 'Dat is Johnny.'

'Ja, hallo, ik weet dat het Johnny is! Jeetje mina, hoe ken je hem?' Naomi staarde verlangend naar zijn perfect gebeeldhouwde gezicht. Hij veinsde geheel verdiept te zijn in een schaakpartijtje met mini-Noah. Aan de plaatsing van de stukken was op te maken dat mini-Noah op het punt stond Depp te verpulveren.

'Hij heeft een tijd geleden een paar foto's van me gekocht,' legde Gene uit. 'We zijn een soort maatjes geworden. Ik probeer altijd met hem af te spreken als ik in Parijs ben. Hij ging echt uit zijn dak van mini-Noah.'

'Ongelooflijk!' Ze schudde haar hoofd van verbazing over het leven dat Gene leidde. Toen ze omlaag keek, zag ze een *rice crispy* aan haar borst kleven. Hoe ironisch. Gene was bevriend met Johnny Depp en zij was een menselijke ontbijtkom.

'Vind je de foto's leuk? Denk je dat Noah ze leuk zal vinden? Het was echt heel belangrijk voor me om iets goeds voor hem te doen.'

'Ik weet zeker dat hij ze prachtig vindt, Gene. Niemand in zijn klas komt hier ook maar bij in de buurt. Er valt niet aan te tippen.'

Gene grijnsde breed. 'Bedankt, Naomi. Ik wil ze zo graag aan hem laten zien. Maar ik wilde nog één foto maken; hier, als je het niet erg vindt.'

'Hier? Dit kun je nauwelijks Parijs noemen. Waarom?'

'Nou, mini-Noah woont hier, weet je?' antwoordde Gene, die opeens zo erg op Noah leek, dat Naomi's hart een beetje brak. 'Hij heeft een reisje naar Parijs gemaakt, maar als dat voorbij is komt hij thuis bij zijn moeder. Net als de echte Noah.'

'O, zit dat zo?' zei Naomi, geroerd door het gebaar, maar tevens hopend dat Gene haar niet echt op de foto wilde.

'Jep, dat is mijn creatieve visie,' zei Gene plagend. 'Ik wilde mini-Noah in Noahs bed leggen en een foto maken als jij hem welterusten kust.'

'O, nee, Gene, ik zie er niet uit! Straks worden de kinderen er nog bang van.'

'Laat me niet lachen! Jij bent Noahs prachtige mama. Ik weet dat hij jou erbij wil hebben. Kom op, alsjeblieieieieieft?' smeekte Gene.

'O, man. Wat kun jij dat toch goed. Nou, vooruit. Laat me in godsnaam alleen even proberen mijn haar te temmen.'

'Yes!' zei Gene, terwijl hij zijn vuist in de lucht pompte. 'Dit wordt fantastisch.' Hij sprong van de bank, nam mini-Noah op sleeptouw en liep in de richting van Noahs slaapkamer.

Naomi trok zich terug in de badkamer. Ze streek wat van Felicity's haarcrème over haar lokken in een halfslachtige poging er wat model in te brengen. Ze dacht aan de vorige dag – de opsluiting in de MRI-buis en de angstaanjagende, ruimteschipachtige geluiden die deze produceerde bij het scannen van de binnenkant van haar schedel. Toen ze voorafgaand aan het onderzoek in haar ziekenhuisduster en dunne sokken in de wachtkamer had zitten bibberen, had ze erover nagedacht hoe ze het mensen zou vertellen, vooral Gene. Het was moeilijk om een makkelijke manier te bedenken om zo'n bom te laten vallen. Ze had besloten het zo nonchalant mogelijk aan te pakken – geen heisa en gedoe – maar nu, op dit moment, was dat makkelijker gezegd dan gedaan. 'Vertel het hem nou maar gewoon,' zei ze tegen haar spiegelbeeld.

'Oké, ik ben klaar voor mijn close-up,' kondigde ze aan toen ze Noahs kamer binnenkwam. Mini-Noah lag op het kussen, maar Gene had hem zo neergelegd dat alleen zijn kleine hoofdje onder de deken uit piepte.

'Perfect!' riep Naomi uit. 'Wat is dit grappig.'

'Ja, hè? Ik heb zo veel pret gehad met deze belachelijke kartonnen pop, echt niet te geloven. Oké, buig gewoon over het ventje heen en geef hem een stevige kus.'

'En het licht dan?'

'Heb ik al geregeld.' Hij wees naar de dichtgeschoven gordijnen. 'Ik heb het grote licht uit gelaten en alleen zijn nachtlampje aangedaan – om jouw profiel wat meer uit te laten komen.'

'Klinkt goed.' Ze liet Gene zijn gang gaan en boog zich toen voorover voor de kus. Gene stond met zijn digitale camera in de hoek te klikken.

'Ziet er geweldig uit! Ik heb hem. Kom even kijken, Naomi.'

Naomi liep naar hem toe. 'Hé, dat ziet er goed uit.' Haar profiel oogde prachtig. 'Coole opname, Gene.'

'Bedankt. Ik druk deze later wel af,' zei Gene, terwijl hij de camera uitzette. 'Heb jij de laatste tijd nog foto's gemaakt?'

Naomi verstijfde meteen bij die vraag. Gene moest eens weten hoe verstrengeld haar fotografie was met haar herinneringen aan hun leven samen. Hij had geen flauw idee dat ze opgehouden was met fotograferen zodra ze uit elkaar waren gegaan.

'O, ik schiet hier en daar een plaatje,' zei ze zo nonchalant mogelijk. 'Meestal van Noah.'

'Jij hebt er altijd zo'n ongelooflijk goed oog voor gehad. Je hebt me zo veel geleerd. Dat heb ik je waarschijnlijk nooit verteld toen we nog samen waren – voornamelijk omdat ik een klootzak ben. Maar het is echt waar.'

'Echt?' vroeg Naomi, geroerd door zijn oprechtheid. 'Ja, we hebben samen mooie dingen gemaakt.' Naomi voelde zich opeens opgelaten; ze schudde Noahs kussen op en streek zijn dekbed glad.

'Ik ben onlangs weer begonnen met fotograferen,' kwam ze over de brug – en ze verbaasde zich over het gemak van haar onthulling.

'O ja? Geweldig. Waarvan?'

'Ik heb elke zaterdag yogales in Bushwick. Ze hebben me gevraagd een website voor hen te maken, dus ik dacht dat ik dan net zo goed een paar foto's van het personeel en de studio voor erbij kon maken.'

'Yoga! Leuk! Dat is echt cool. Heb je een paar spontane opnames en zo gemaakt?'

'Ja, ik heb geprobeerd de essentie van de studio zelf te vangen,' legde Naomi uit. 'De mensen daar zijn zo cool... En de ruimte is zo uitnodigend. Er is niets pretentieus aan.'

'Wauw, nou dan ben jij de juiste vrouw voor die klus. Jouw foto's waren altijd zo puur – zonder een greintje ego. Ze zijn heel bijzonder. Ik bedoel, ik wil niet slijmen of zo, maar... Ik heb gewoon veel respect voor jouw werk. Voor jou.'

Naomi was uit het veld geslagen door Genes warme douche. Ergens diep vanbinnen vroeg ze zich af of er een addertje onder het gras zat, maar ze besloot haar cynisme te negeren en voor deze ene keer het compliment te accepteren. 'Dank je, Gene. Weet je, eigenlijk... moet ik ergens met je over praten.'

'Natuurlijk,' zei Gene, terwijl zijn perfecte gezicht betrok van nervositeit. 'Wat is er?'

'Wat gedoe met mijn gezondheid toen jij weg was. Ik eh... Ik heb misschien MS.'

'O, nee, Naomi. Jee. Gaat het wel? Wanneer weten ze het? Shit, ik stel veel te veel vragen. Neem me niet kwalijk.'

Ze gaf hem de beknopte versie van het verhaal. De hoofdpijn, de gevoelloosheid, de dokter en de MRI's.

'Wat afschuwelijk, Naomi. Wat een rotbericht. Hoe heb je het volgehouden?'

'Eh, het is elke dag een beetje makkelijker. Of, nou ja, sommige dagen zijn makkelijker dan andere. Het helpt dat mijn symptomen weggaan.' Uit gewoonte raakte ze haar buik aan. De gevoelloosheid was bijna helemaal verdwenen, met uitzondering van een kwijnend getintel hier en daar.

'Jij bent een verbazingwekkende vrouw, Naomi. Dat ben je altijd geweest. Ik weet niet hoe ik me zou gedragen als ik door zoiets getroffen werd. Maar jij, jij gaat gewoon door. Daar kan iedereen een puntje aan zuigen.'

'Tja, ik heb niet bepaald een keuze, toch, Gene? Ik heb een zoon en een carrière en een leven dat me nodig heeft. Desondanks heb ik mijn trieste "waarom ik?"-momenten. Die zijn alleen niet openbaar.'

'Weet je, je kunt ze met mij delen. Ik wil helpen. Met Noah, met jou, met wat dan ook. Wat kan ik doen?'

'Op dit moment gaat het goed met me. Gaat het goed met ons. Maar zou jij volgende week maandag Noah van school willen halen? Dan heb ik een afspraak bij de dokter.'

'Natuurlijk. Afgesproken. Weet hij trouwens iets?'

'Nee, ik heb besloten het hem pas te vertellen als ik weet waar ik aan toe ben. Hij denkt gewoon dat ik een vervelend griepje heb. Of hij doet in ieder geval of hij dat aanneemt. Hij is een slim jochie, dus wie weet wat hij allemaal oppikt.' Naomi keek uit naar maandag, alleen omdat ze dan wat meer helderheid zou krijgen over de MRI's en met Noah kon praten over wat er echt aan de hand was. Ze vond het verschrikkelijk om zo geheimzinnig tegen hem te doen, maar ze had niet het gevoel dat ze op dit moment iets anders kon doen. *Nog maar een paar dagen.*

'Dat is waarschijnlijk wel verstandig,' zei Gene. 'Maar ongetwijfeld wel zwaar voor jou.'

'Ja. Maar wat moet ik anders?' Ze glimlachten naar elkaar. Naomi wierp een blik op de klok en schrok.

'Wat is er?' vroeg Gene.

'Ik moet Noah over twintig minuten ophalen van school!' zei ze. 'Waar is de middag gebleven?'

'O, oké, ik zal je niet langer meer lastigvallen,' zei Gene, terwijl hij de slaapkamer uit liep en zijn spullen bij elkaar raapte. Hij liet mini-Noah weer in de envelop glijden. 'Hier, die kun je aan Noah geven,' zei hij, terwijl hij haar zowel de mini-Noah als de foto's overhandigde. 'Ik geef hem die foto van jou en mini-Noah wel als ik hem zondag zie.'

'Wacht!' zei Naomi. 'Waar ben ik mee bezig? Waarom ren ik rond als een kip zonder kop? Jij moet Noah gewoon ophalen. Dat zou hij geweldig vinden.'

'Echt?'

'Natuurlijk, ga je gang,' zei Naomi. 'Ga wat met hem drinken of zo en vertel hem over de avonturen van mini-Noah. Hij zal razend enthousiast zijn over de foto's.'

Gene maakte wat onbeholpen aanstalten om haar te omhelzen, maar bedacht zich toen. 'Duizendmaal dank. Ik beloof je dat ik hem om vier uur thuisbreng.'

'Geen probleem, Gene. En bedankt voor je steun. Het betekent veel voor me dat ik op jou kan rekenen.'

'Ik ben ontzettend blij dat je het verteld hebt, Naomi. Laat me je alsjeblieft helpen waarmee ik maar kan.' Toen omhelsde hij haar; trok haar naar zich toe voordat zij zich opgelaten zou kunnen gaan voelen. Het was fijn om omhelsd te worden door iemand die niet van het vrouwelijk geslacht of anderhalve meter groot was.

'Oké. Zal ik doen.' Ze slikte de brok in haar keel door.

Gene deed de deur achter zich dicht en vertrok; hij sjokte net zo de trap af als dat hij die op was gekomen.

Naomi ademde uit en ging op de bank zitten. Wat een bizarre middag. Een erg leuke middag, maar wel een vreemde. Wat was Gene veranderd. En zij ook.

Ze dacht aan haar naderende doktersafspraak. Wat de MRI ook zou onthullen, ze wist dat ze in staat was ermee om te gaan. En hoewel haar misschien-MS in zo veel opzichten een nachtmerrie was, had die haar wel uit haar coma van onafhankelijkheid-tot-gek-wordens-aan-toe gehaald. Voor het eerst in schijnbaar een eeuwigheid stond Naomi open voor hulp, en feitelijk voelde ze zich daardoor sterker. Het was verbazingwekkend hoe het universum zijn lessen leverde. Of misschien was zij wel het verbazingwekkende onderdeel – *Mag ik mezelf verbazingwekkend noemen of is dat onhebbelijk? Ach, krijg de klere, waarom niet?* – omdat ze probeerde het positieve te zien van al die ellende. Hoe dan ook, de bewolking begon op te trekken, en daarvoor was ze oneindig dankbaar.

36

Charlie lag als een luie kat op haar matje te genieten van de zon, die de studio met een boterig ochtendlicht vulde. Ze hoopte dat het warmere weer van de laatste tijd geen plagerij was en dat de lente een stevige voet tussen de deur had.

'Goedemorgen, Charlie,' riep Felicity toen ze binnenkwam. 'Kijk jou nou, lekker sudderen in de zon!' zei ze met haar hoofd om de deur, terwijl ze haar jas uittrok. 'Er hangt iets in de lucht, hè?! Ik hoop dat het blijft.'

'Je haalt me de woorden uit de mond,' beaamde Charlie. 'Als dit een plagerijtje is, zal ik diep teleurgesteld zijn.' Charlie kwam overeind en rolde haar matje op.

'Hoe staan de zaken?' vroeg ze aan Felicity, terwijl ze naar de balie toeliep.

'Goed, goed. Ik mag niet klagen. Hé, luister, ik wilde me ergens voor excuseren.'

'O nee, wat heb je gedaan?!'

'Nee, serieus. Ik heb heel vervelend gedaan over je zaterdagochtend-klasje toen je daarmee begon. Ik zat een beetje vast in de bedrijfsmodus – zag door de bomen het bos niet meer.'

'O, dat geeft niets, Felicity,' onderbrak Charlie. 'Het was ook niet bepaald een gezond zakenvoorstel.'

'Nee, dat weet ik, maar die vrouwen zijn zo geweldig. En ik kan zien dat ze zich echt hebben opengesteld voor yoga. Ik denk niet dat dat in een grotere groep gebeurd zou zijn. Het was heel goed van je om zo'n veilige plek voor hen te creëren.'

'Hé, bedankt, Felicity. Dat waardeer ik.' Dat deed ze echt. Felicity was niet iemand die zomaar wat zei, dat was een ding dat zeker was. Dat zij zo

268

haar best deed om toe te geven dat ze het bij het verkeerde eind had gehad, was niet zomaar iets.

'En nu Naomi de website aan het maken is, is het helemaal goed. Alles. En jij... Jij bent een ander mens sinds je hun les bent gaan geven.'

'Hoe bedoel je?'

'Je ziet er goed uit,' zei Felicity. 'Ontspannen, open. Toegankelijker dan twee maanden geleden. Als ik niet beter wist, zou ik zweren dat je verliefd was.' Ze glimlachte schalks naar Charlie.

'Ik ben niet verliefd! Maar ik ben wel gelukkig. Ik voel me vrijer dan ik me lange tijd gevoeld heb.'

'Je bent dus eindelijk over die engerd heen, hè?' Felicity legde haar warme hand op die van Charlie. 'Soms duurt het even, hè?' zei ze veelbetekenend.

'Zeg dat wel,' beaamde Charlie. Die vrouw had een zesde zintuig. Waar je ook mee in je maag zat, zij wist het. Charlie was ervan overtuigd dat ze een geweldige moeder was.

'Ik ben trots op je, Charlie,' fluisterde ze. 'Je hebt de tijd genomen en op je eigen voorwaarden tegen die boze geest gestreden. Ik heb hetzelfde gedaan met mijn ex-man. Het kostte me even, maar toen ik hem losliet, voelde ik me de koning te rijk omdat ik het op mijn eigen manier gedaan had. Mezelf toestemming geven om over de dood van die relatie te rouwen, is misschien wel het verstandigste wat ik ooit gedaan heb.'

Charlie pakte Felicity stevig vast. 'Dank je, Felicity. Dat betekent veel voor me. Wat ben jij lief vandaag,' voegde ze eraan toe, terwijl ze Felicity weer losliet.

'Ik kan er niets aan doen. Het voorjaar haalt het beste in me boven.' Ze knipoogde naar Charlie.

'Goedemoooooorgen!' Sabine rukte de vrouwen uit hun genoeglijke onderonsje.

'Hé!' antwoordde Charlie, die het echt geweldig vond om Sabines rode wangen te zien. 'Hoe is het?'

'Prima! Hoe kan het ook anders? De lente staat zo'n beetje op de stoep!' Ze had besloten zich te concentreren op het weer in plaats van op haar liefdesleven. Het weer werd elke dag beter en beloofde veel moois. Haar liefdesleven niet echt. Ze zou vanavond uitgaan met Zach en in de tijd dat ze elkaar niet gezien hadden, was ze alleen nog maar verwarder geworden. Het feit dat ze slechts één keer met hem gepraat had, hielp niet echt mee.

'Vrolijk voorjaar!' zong Naomi, die als volgende de studio binnen kwam sloffen. Het was een stuk makkelijker om je op positieve dingen te focussen als de zon scheen en de vogeltjes floten.

'Ja, wat is het heerlijk buiten, hè?' zei Sabine. 'Je voelt dat het eraan komt, toch?'

Charlie glimlachte om hun enthousiasme. Ze leken wel twee eekhoorntjes die tomeloos opgewekt langs de takken van een boom heen en weer schoten.

'Mogge,' zei Bess, die als laatste arriveerde.

'Bess!' gilde Sabine. 'Welkom terug!'

'Ja,' zei Naomi. 'We hebben je gemist!' Ze liep naar Bess toe om haar te omhelzen.

Bess pakte haar stevig vast. 'Ik was in LA, op bezoek bij Dan. Sorry dat ik dat niet tegen jullie allemaal verteld heb. Het was een soort van last-minutebesluit.' Ze lachte. 'Ik ben namelijk nogal spontaan, weet je.' Ze besefte dat Charlie, Naomi en Sabine haar niet goed genoeg kenden om te weten dat dat dus helemaal niet zo was.

'Alles in orde?' vroeg Charlie.

'Alles is pico bello. Ik heb daar zo'n geweldige tijd gehad…'

'Holy shit, ga je er wonen?!' gilde Sabine.

'Rustig aan!' zei Bess. 'Ik weet nog niet wat ik ga doen. Maar ik weet wel dat ik het veel leuker heb gehad in LA dan ik vooraf gedacht had. Ik heb daar zelfs met een paar vrienden uit de branche gepraat, gewoon om te kijken wat de mogelijkheden waren. Ik denk dat ik daar wel aan de slag zou kunnen als ik mijn best doe.' *En het artikel wordt goed ontvangen.* Ze had er de hele week aan gewerkt en was echt blij met de draai die ze eraan gegeven had.

'Ik vind het super dat je ernaartoe bent gegaan,' zei Sabine. 'Je hebt jezelf opengesteld voor het idee ernaartoe te verhuizen en was verrast over wat je er aantrof.'

'Ja, het is verbluffend wat er kan gebeuren als je een andere houding aanneemt,' voegde Naomi eraan toe. *Ik doe mijn best, echt waar.*

'Ik heb hem aan mijn ouders voorgesteld!' flapte Bess er uit.

'Ga weg!' riep Sabine uit. 'Dat is niet niks!'

'Nou, zeg dat wel,' beaamde Bess. 'Maar het klikte.'

'Wanneer ga je trouwen?' zei Naomi plagend. 'Als je een bruidsjongen nodig hebt, wil ik met alle liefde Noahs diensten aanbieden.'

'Zullen we de studio ingaan?' onderbrak Charlie. Ze voelde zich een beetje ongemakkelijk. Ze wilde hun vertellen over Neil, maar werd ge-kweld door haar opvattingen over grenzen en de gevaren van het over-schrijden daarvan. Aan de andere kant: wat zij zeiden over gedragsveran-dering was absoluut juist. Als ze haar eigen grenzen niet overschreed, zou ze er voor altijd door tegengehouden worden.

Ze bekeek de vriendelijke gezichten voor zich en besloot ervoor te gaan.

'Hallo, allemaal,' zei Charlie.

'Haiiii,' zeiden ze terug.

'Ik wilde de les van vandaag iets anders beginnen,' zei ze. 'Ik heb de af-gelopen week iets meegemaakt wat jullie volgens mij allemaal aanspreekt. Ik... ik ben de voormalige liefde van mijn leven tegen het lijf gelopen en het universum heeft me beloond met... met...' Ze zocht naar de juiste woorden om het gevoel uit te drukken. 'Een levensbekrachtigende, afslui-ting veroorzakende openbaring van epische proporties.'

'Wauw,' fluisterde Sabine.

'Ja, wauw,' zei Charlie. 'Ik weet dat het een soort van slaapverwekkend dramatisch klinkt, maar het heeft voor mij heel veel op een positieve ma-nier veranderd, en dan vooral het hele concept van timing.

Ik wil niet een groot deel van de les opslokken met mijn verhaal, dus misschien kunnen we alvast beginnen met wat rekoefeningen terwijl ik verder vertel,' zei Charlie. 'Ga allemaal op handen en knieën zitten. We gaan een paar keer de rug hol en bol maken als een kat.' Feitelijk was dit een slimme zet. Nu kon ze haar verhaal vertellen zonder in hun verwach-tingsvolle gezichten te hoeven kijken. Op deze manier was ze nog steeds de lerares.

'Oké,' zei Naomi, terwijl ze op haar knieën ging zitten. 'Maar ik wil dat verhaal wel horen. Niet stoppen!' Ze vond het zo fijn dat Charlie haar hart luchtte. Het was een soort cadeautje.

'Jaaaa,' echode Bess. 'Vooruit met de geit!'

'Oké, rustig maar, ik ga zo verder,' antwoordde Charlie. 'Adem diep in. Trek tijdens het uitademen je navel naar binnen. Mooi, Sabine. Oké, over die liefde van mijn leven,' ging Charlie verder, terwijl ze door de studio cirkelde. 'Onze relatie was eigenlijk nogal een schoolvoorbeeld. Ik was jong en naïef en hij was een klootzak.' Bess lachte, terwijl ze haar rug bol-de.

'Hij hield zich met boeddhisme en spiritualiteit bezig op een manier die niet de mijne was,' vervolgde Charlie. 'Ik werkte me op Wall Street uit de naad om wat ik als mijn droom beschouwde te verwezenlijken. We waren totale tegenpolen, maar ergens trok me dat aan. Mijn werk maakte me erg ongelukkig en hij stond voor een totaal andere wereld. Mooi, dames, nog twee keer. Zorg dat je je buik loslaat, Naomi,' zei Charlie, die haar verhaal even liet voor wat het was.

'Hoe dan ook, om een erg lang, pijnlijk en voorspelbaar verhaal kort te maken, we gingen uit elkaar onder het mom dat ik niet spiritueel genoeg was voor hem en een of ander lekker jong ding van eenentwintig wel.'

'Laat me niet lachen!' zei Sabine. 'Alleen omdat jij een baan had en geen kristallen om je hals had hangen, was je niet spiritueel?!'

Charlie lachte. Het was fijn om dit soort steun te krijgen. 'Precies,' antwoordde ze. 'Maar indertijd zag ik de lol daar niet van in. Ik werd gekweld door zijn uitspraken. Zo erg zelfs, dat ik daardoor met yoga ben begonnen. Heel goed, dames, nog een keer uitademen. In eerste instantie ging het allemaal niet zo soepeltjes als ik gewild had, maar ik vond het wel heerlijk. En hoe meer ik ervan genoot, hoe meer ik begon in te zien dat mijn werk me alle fut ontnam. Ik heb er een tijdje mee geworsteld, maar toen heb ik besloten het roer om te gooien. Ik wilde yogales gaan geven. Ik heb alles achter me gelaten. Mijn baan opgezegd, naar een kleinere woning verhuisd, mijn meubels en een groot deel van mijn kleren verkocht. Je kunt het zo gek niet bedenken, ik heb het gedaan.'

'Sjonge jonge,' zei Sabine.

'Eh, zo erg was het nou ook weer niet, hoor. Oké, ga in de kindhouding zitten. Mooi. Kijk, ik was dan wel verliefd geworden op yoga, maar ik was ook nog verliefd op Neil. Ik vond dat hij als enige verantwoordelijk was voor die dramatisch wending in mijn leven.'

'Waarom?' vroeg Bess met een gesmoorde stem.

'Ik dacht dat ik yoga nooit ontdekt zou hebben als hij mijn spiritualiteit niet ter discussie had gesteld. Ergens had ik het gevoel dat ik met mijn nieuwe leven wilde bewijzen dat hij ongelijk had. Ik gaf alle eer aan hem.'

'Mogen we eventjes rechtop gaan zitten?' vroeg Naomi. 'Ik wil je echt graag horen.'

'O, natuurlijk,' antwoordde Charlie. 'Als de anderen dat ook goedvinden.'

'Absoluut,' zei Sabine. 'Jij kunt gedachten lezen, Naomi.' De vrouwen gingen allemaal op hun matjes zitten en wachtten ongeduldig op de rest van Charlies verhaal.

'Jarenlang heb ik in die veronderstelling geleefd. Ik was dolblij met mijn besluit het roer om te gooien, maar ik kon me niet aan het gevoel onttrekken dat hij daar verantwoordelijk voor was. Maar de laatste tijd ben ik daar anders over gaan denken. Ik begon hem eindelijk los te laten. En toen liep ik hem natuurlijk tegen het lijf.'

'Zo gaat dat altijd,' zei Bess. 'Net als je over iemand heen bent, loop je tegen die persoon aan. Alsof het universum je wil testen.'

'Precies!' beaamde Charlie. 'Maar het was zo goed om hem te zien. Ik zag eindelijk zijn ware ik en ik was in staat mezelf de eer toe te dichten die ik mezelf zo masochistisch lang heb onthouden. Hij was niet meer dan een tree op de ladder naar mijn zelfbesef, zie je,' zei Charlie. 'Ik ben mijn eigen inspiratiebron.' Ze schoot vol toen ze dat hardop zei. Ze zweeg even en vermande zich. 'Ik wilde dit gewoon met jullie delen. Jullie zijn allemaal zulke geweldige vrouwen. Ik denk echt dat onze lessen mij opengesteld hebben. Onze vriendschap heeft me opengesteld. Dus ik wilde dit met jullie delen en jullie bedanken.'

'O, wat wil ik je graag knuffelen!' riep Sabine uit. 'Wat een prachtig verhaal.'

'En een verhaal waarin we allemaal wat terugvinden,' voegde Naomi toe.

'Het kan me niks schelen, ik ga haar knuffelen!' zei Bess, die de ruimte overstak om haar te omhelzen. Charlies relaas was zo'n perfecte aanvulling op haar artikel.

Charlie pakte haar stevig vast. 'Dank je,' zei ze. 'Jullie allemaal.' Ze glimlachte breeduit. 'Oké, nu is het genoeg!' zei ze toen. 'We gaan nu met de les beginnen. Officieel. Druk je allemaal op in de omlaagkijkende hond,' zei ze.

Terwijl Naomi van de ene houding in de ander overvloeide, dacht ze na over Charlies verhaal. Het was zo fijn om iets over de 'ware' Charlie te horen. Haar bekentenis had de weg prachtig vrijgemaakt voor Naomi's eigen onthulling. *Maar kan ik dat wel?! Moeten ze het echt weten?* Ze bewoog haar vingertoppen. Nog steeds gevoelloos. Dat was het enige resterende bewijs van de gebeurtenissen. Naomi had gelezen dat symptomen van een opleving soms nooit meer verdwenen. Het idee nooit meer Noahs zachte huid tegen haar vingertoppen te voelen, ontnam haar de adem.

Bess keek naar haar mat, toen ze overging in de omlaagkijkende hond. Ze bedacht hoe ingrijpend haar artikel was veranderd – hoe ingrijpend zij was veranderd – sinds ze met deze lessen was begonnen. Ze was er met zulke gemene intenties aan begonnen. Ze vermoedde dat ze in een bepaald opzicht deze vrouwen verantwoordelijk had gehouden voor haar onverwezenlijkte dromen als journalist – hen gebruikte als onschuldige marionetten in een poging haar eigen naam bekendheid te geven. Pas toen ze een stapje terug had gedaan en naar het grotere plaatje had gekeken – het meer waarheidsgetrouwe plaatje dat hen stuk voor stuk afschilderde als vrouwen die probeerden het evenwicht te bewaren tussen wat ze moesten doen en wat ze wilden doen – was ze in staat geweest het artikel vanuit een ander oogpunt te beschouwen.

Aan het eind van de les lagen ze allemaal met gesloten ogen op hun matjes, emotioneel en lichamelijk uitgeput. Charlies verhaal had de toon gezet voor een anderhalf uur durend pak rammel van lichaam en geest.

'Laat je voeten uit elkaar vallen,' dicteerde Charlie. 'Spreid je tenen ver uit elkaar. Laat de spanning in je matje zinken,' zei ze bemoedigend. Ze dimde het licht en cirkelde door de ruimte om elk been en elke arm zachtjes te strekken en over hun hoofden te wrijven. Toen ze daarmee klaar was, vroeg ze hen langzaam overeind te komen in de zithouding.

'Heel erg bedankt voor jullie medeleven en empathie vandaag,' zei Charlie. 'Het betekent heel veel voor me om op zo ongelooflijk veel steun te kunnen rekenen. Ik hoop dat mijn verhaal doorsijpelt in jullie open houding ten opzichte van yoga en, sterker nog, in jullie leven als geheel. Ik leer de laatste tijd zo veel, dat ik het wel moet delen.'

'We zijn ontzettend blij dat je dat gedaan hebt,' zei Naomi.

'Namaste,' zei Charlie glimlachend.

'Namaste,' herhaalden ze.

Charlie kwam ietwat opgelaten, maar vooral ontzettend dankbaar overeind. Deze vrouwen waren niet voor niets in haar leven gekomen op het moment dat zij overstapte naar deze volgende, post-Neilfase. Ze waren uitstekende gidsen.

Bess stond op en begon haar matje op te rollen. 'Dat leek wel therapie!' zei ze.

Naomi lachte. 'Totaal. Therapie voor lichaam en geest.'

'Moet ik een nieuw soort les op het rooster zetten?' vroeg Charlie. 'Thoga?'

Sabine sloeg opgewonden haar handen tegen elkaar. 'Thoga! Dat is fantastisch. Wat dacht je van yogapic?'

'Ook mooi,' zei Bess.

Naomi onderbrak hun gesprek. Het was nu of nooit. 'Zeg, dames, ik moet jullie iets vertellen.'

Sabine, Bess en Charlie hoorden de serieuze toon in haar stem en draaiden zich naar haar toe. 'Tuurlijk, Naomi. Ga je gang,' zei Bess.

Naomi haalde diep adem en deed haar misschien-wel-MS-verhaal weer uit de doeken. Daar was ze een stuk beter in geworden. Oefening was een natuurlijke redacteur. En ze hoefde ook niet meer te vechten tegen haar eigen gesnik als ze het vertelde. Hoe vaker ze het verhaal vertelde, hoe rationeler het werd.

'Wat ontzettend klote,' zei Bess, toen ze uitverteld was. 'Jee, Naomi, wat ontzettend vervelend voor je.'

'Zeg dat wel,' beaamde Sabine. Ze vocht tegen haar eigen tranen. Waarom moesten dit soort dingen nou gebeuren?

'Wanneer krijg je de uitslag van de MRI-scans?' vroeg Charlie. Ze had sinds hun gezamenlijke metroritje gepiekerd over Naomi's gezondheid, maar had haar privacy niet willen schenden. Ze had vurig gehoopt dat Naomi's getintel niets was; gewoon stressgerelateerde bizarre momentopnamen. Maar ergens vanbinnen wist ze wel beter.

'Maandag. Ik ben natuurlijk zenuwachtig, maar ik kijk ook uit naar nieuwe berichten. Dit lamme gedoe is zwaar voor zo'n controlfreak als ik!' Naomi lachte. 'Niet te geloven dat ik er nu grapjes over kan maken. Een paar weken geleden kon ik zelfs niemand gedag zeggen zonder in tranen uit te barsten.'

'Wil je dat ik maandag met je meega, Naomi?' vroeg Sabine. 'Ik neem gewoon vrij.'

'Lief van je. Nee, dat hoeft niet. Ik kan het wel aan.'

'Wat je ook nodig hebt, Naomi, vraag het gewoon,' zei Bess. 'Dat meen ik.' De verslaggever in haar had meteen bedacht hoe interessant dat MS-aspect voor haar artikel zou zijn. De vriendin in haar had dat idee meteen de kop ingedrukt, voordat het groter kon worden.

'Bedankt, meisjes, dat zal ik doen. Op dit moment is het gewoon fijn om erover te kunnen praten.' Ze glimlachte naar hen. 'Weten jullie dat we volgende week al onze laatste les hebben? Bizar, hè?!'

'Niet te geloven,' zei Charlie. 'De tijd is voorbijgevlogen. Ik word er een beetje verdrietig van.'

'Ik ook,' zei Sabine. 'Weet je wat? We moeten na de les van volgende week een brunchfeestje organiseren!'

'Dat is een geweldig idee!' zei Charlie. 'Heel leuk. Dan kan iedereen iets meebrengen. Bagels, zalm…'

'Pasteitjes!' voegde Bess eraan toe. 'Daar ben ik dol op.'

'En dan zal ik de website onthullen!' zei Naomi. Ze keek naar Sabine. 'Denk jij dat je me dinsdag de tekst kunt mailen, Sabine?'

'Geen probleem,' zei Sabine. 'Ik ga er vanmiddag meteen aan beginnen.'

'Echt?!' riep Charlie uit. 'Is de website volgende week al klaar? Weet je dat zeker, Naomi? Met alles wat je aan je hoofd hebt?'

'Ja hoor. Eigenlijk is het een geweldige afleiding.'

'Oké, maar alleen als je het zeker weet. Ik zal vragen of Felicity en Julian ook komen.'

'En George en Michael,' zei Sabine.

'De hele familie,' zei Bess. Haar artikel zou in de krant van zaterdag geplaatst worden. Het was perfect – of niet? Opeens was ze bang. Zij dacht dat ze het allemaal geweldig zouden vinden, maar was ze niet een beetje naïef? Moest ze het hun van tevoren vertellen of zorgen dat het een verrassing bleef? Ze nam zich voor om Dan te raadplegen. Hij zou wel weten wat ze moest doen.

'Geweldig plan,' zei Charlie. 'Ik heb er echt zin in.' Ze zweeg en gaf hun toen, tot ieders verbazing, een voor een een stevige omhelzing.

Ietwat uit het veld geslagen beantwoordden ze de omhelzing. In vijf weken was hun ijskoude lerares gesmolten tot een sneeuwkonijntje. Je mocht het noemen wat je wilde – thoga, yogapie – maar het werkte.

37

Met een hangend hoofd stapte Sabine in gedachten verzonken de metro uit. Hoe kon Naomi nou ms hebben? Hoe kon een gezonde vrouw nu gewoon haar ding doen en dan opeens totaal verlamd wakker worden? De gedachte dat wat het ook was wat Naomi pijn deed op de loer had gelegen in haar lichaam, stilletjes zijn kans had afgewacht, was angstaanjagend. En zo oneerlijk. *Ik moet me laten onderzoeken, meteen.* Sabine kromp ineen toen ze besefte dat ze niet eens een huisarts had, alleen een gynaecoloog. *Stom.*

Ineens stond ze op straat; ze keek op om zich te oriënteren. Was dat...? Sabines hart zonk door een mengeling van opwinding en misselijkheid in haar schoenen. Het was Zach. Nou ja, de achterkant van zijn hoofd dan. En hij was met een vrouw. Sabine versnelde haar pas.

Ze wilde de achterkant van hun twee hoofden beter bekijken. Zou zij bij zo'n politieconfrontatie echt de achterkant van zijn hoofd eruit kunnen halen? Natuurlijk wist ze het antwoord op die vraag al voor ze hem gesteld had. Dankzij maanden metrostalken zou ze bij zo'n confrontatie zijn rugzak eruit kunnen halen als dat moest. Ze zou hem uit duizenden herkennen – van voren, van achteren, van beide zijkanten. Ze tuurde naar de schouders, de smalle heupen, de ribbroek, de jopper... de bruine gympies, het haar. Het was Zach.

Sabine zag hem communiceren, of althans zijn rug communiceren, met de vrouw naast hem. Ze was blond en klein. Haar haar was best lang – kwam net voorbij haar schouders – en golvend. Ze droeg zo'n pafferige jas in een zachtgrijze kleur. Die bedekte het grootste gedeelte van haar, maar Sabine kon haar benen, gehuld in donkere skinny jeans en een paar enkellaarsjes, nog net onderscheiden. Sabine dacht na over die outfit. Het was zaterdagmorgen. Ze haalde haar telefoon uit haar tas om te kijken hoe laat het was. Rond elf uur. Wie droeg er nou enkellaarsjes en skinny jeans om op zaterdagmorgen een ommetje te maken? Niemand dus. *Dit is een morningaftersituatie.* Sabines hart verschrompelde als een boterhammenzakje. Ze bleef opeens staan en keek hen na, terwijl ze de straat uit liepen. Ze gingen rechtsaf op Fourth Street. Brunch, zeker weten.

Sabine wilde opeens niets liever dan in haar bed liggen. Dit was emotioneel veel te uitputtend voor een zaterdagmorgen. Ze legde de rest van de weg looprennend af en liep bijna een kinderwagen van het formaat kleine suv en een oud dametje omver. De deur door, de trap op, jas uit, bed in.

'Ahhhh,' mompelde ze, terwijl ze het dekbed over haar hoofd trok. Ze voelde Lassies kleine pootjes rond haar lichaam drentelen. Hij was maar al te vertrouwd met Sabines dekbeddompelingen na een rotdag, maar het feit dat de zon scheen, bracht de kleine kattenhersentjes van hun stuk.

In haar cocon deed Sabine haar ogen dicht. Ze probeerde wijs te worden uit wat ze voelde over wat ze had gezien. Ze was niet bepaald verdrietig… Het was meer een mengeling van teleurstelling en woede. En niet eens zozeer woede jegens Zach – tuurlijk mocht hij daten en naar bed gaan met andere vrouwen, vooral als je bedacht hoe zij hem behandelde – het was meer een woede op de voorspelbaarheid van het hele systeem. Het datingsysteem en, bovendien, die hele mannen/vrouwen/New York City-dynamiek.

Als je hier vrijgezel was, moest je gewoon bepaalde codes accepteren. Er was altijd iemand die er beter uitzag, iemand die slimmer, grappiger, cooler en beter gekleed was dan jij. Dat was een voldongen feit. Dit was tenslotte New York City. Vanwege genoemde code had een vrijgezel in feite geen vaste grond onder de voeten. Met iemand daten garandeerde niets in termen van exclusiviteit en kon zelfs extra olie op het rokkenjagende vuur zijn. Als een kerel jou kon 'krijgen', waarom zou hij dan dat lekkere stuk aan de bar niet kunnen 'krijgen'? Of het meisje bij Starbucks?

Sabines hoofd dook op uit haar fort der eenzaamheid. Ze wist dat alleenstaande vrouwen zich net zo konden gedragen, en dat ook vaak deden, maar op de een of andere manier was dat minder afstotelijk. Nou ja, eigenlijk niet, ook dat kon zeer afstotelijk zijn, maar het was nooit zo gekmakend. Sabine vroeg zich af waarom. Op de een of andere manier was het gewoon niet zo dierlijk, als vrouwen van seks een sport maakten. Dan leek het meer te draaien om het mondiger maken van vrouwen, dan om seks om de seks. Sabine ging zitten. Niets klopte, zeker als hij niet met haar naar bed ging, maar wel met dat blonde persoontje. Ze voelde zich

Carrie Bradshaw die crack had gerookt. Het enige wat ze nodig had was een laptop en een belachelijke outfit. Misschien een mannenboxer, bretels en naaldhakken. Met een sportbeha. Lassie kwam hoofdschuddend van de zorgen naar haar toe.

'Geen zorgen, ik draai niet door, Lassie,' zei Sabine, terwijl ze hem in haar armen nam en haar gezicht in zijn bonte vacht begroef. Zouden ze elkaar in de metro ontmoet hebben? Sabine vond het afschuwelijk om toe te geven, maar ergens was ze stiekem opgelucht dat Metrovlam oftewel Rozijnjuwelen oftewel Zach een schoft was. Denken dat hij echt iemand met potentie was, was op de een of andere manier enger dan denken dat hij een klootzak was die zijn lul achternaliep. *Niet te geloven dat ik me hier druk over zit te maken, terwijl een goede vriendin me net verteld heeft dat ze misschien MS heeft. Jezus, wat is er mis met me?! Ben ik de meest egocentrische persoon op deze planeet? Wat kan mij het nou schelen?* Ze gooide abrupt het dekbed van zich af. Lassie schrok en reageerde geïrriteerd. 'Zo is het wel genoeg, Sabine!' zei ze hardop.

Ze wierp een blik op haar mobiel, raapte die op en toetste haar moeders nummer. Sabine wist niet zeker of ze haar zou vertellen wat er met Zach of met Naomi aan de hand was, maar ze wist wel dat ze zich alleen al door het horen van haar stem beter zou gaan voelen.

'Saby!' juichte haar moeder door de telefoon, die ze bij de vierde keer overgaan had opgenomen.

'Hoi, mama.'

'Wat is er aan de hand?'

'Hoe bedoel je, wat is er aan de hand?' vroeg Sabine afwerend. Ook al had haar moeder gelijk, iets aan die zelfverzekerdheid irriteerde haar.

'Je klinkt alsof er iemand over die verdomde kat heen is gereden. Wacht, is er iemand over die verdomde kat gereden?!' Sabines irritatiemeter sloeg nu officieel op tilt. Haar moeders vrolijkheid over Lassies mogelijke dood was wel het laatste wat ze nu wilde horen.

'Nou, ik ga maar ophangen, mam.'

'Wacht, wacht, wacht! Het spijt me liefje. Neem me niet kwalijk. Blijf even hangen.' Sabine hoorde haar praten tegen iets wat ongetwijfeld een tafel vol vriendinnen voor de zaterdagse brunch was. 'Bestel voor mij maar de vruchtensalade en wat Canadees spek,' dicteerde ze. 'Ik ga naar buiten om even met mijn *khatikha* te praten.' Sabine glimlachte toen ze dacht aan haar moeders vriendinnen, die vast ernstig zaten te knikken als reactie op haar aankondiging.

'Neutraliseert dat spek het fruit niet?' vroeg Sabine, toen haar moeder veilig buiten het restaurant was en ze haar volle aandacht had.

'Niet zo bijdehand, hè? Ik ben dol op die combinatie. Ik neem gewoon een paar hapjes van het spek. Trouwens, je zou mijn bovenbenen eens moeten zien, Sabine. Dat pilatesgedoe werkt echt.'

'En, hoe gaat het ermee?' vroeg Sabine.

'Alles goed. Net zo'n zaterdag als altijd. Gaat het wel met je, Saby? Je klinkt somber. En je belt me zelden op zaterdagmorgen. Heeft een of andere eikel iets stoms gedaan?'

'Niet echt. Nou ja, in ieder geval niet expres.'

'Gaat dit over Metrovlam?'

'Misschien.'

'Je wilt het me niet vertellen, maar je belt me op om erover te praten? Dat klinkt een beetje raar, Sabine.'

'Sorry, ik wilde eigenlijk alleen een soort van je stem horen, mam.'

'Ik begrijp het, liefie. Als je mijn stem wilt, dan krijg je mijn stem. Als je niet wilt praten over wat die idioot dan ook gedaan heeft, dan hoeft dat niet.' Ze zweeg. 'Hoewel, als hij jou niet behandelt als een prinsesje moet je hem gewoon een schop onder zijn hol geven. Net als in dat praatprogramma van de televisie dat hier nu steeds wordt herhaald, hoe heet het ook alweer? *Ricki Lake*? Uit de jaren negentig? Hoe dan ook, ik kijk daar altijd naar en echt elke aflevering gaat over van die vrouwen die mannen een schop onder hun hol geven. Ik vind het wel een mooie uitdrukking. En even onder ons, maar die Ricki moet haar stylist een schop onder zijn hol geven. Haar kleren doen helemaal niets voor haar figuur!'

Sabine lachte. 'Mam, dat waren de jaren negentig. Niemand droeg toen iets flatterends.'

'O, ja! Dat was in de tijd dat jij thuiskwam van college met die matbruine lippenstift, waardoor je er als een lijk uitzag! Dat was afgrijselijk, Sabine.'

'Hij behandelt me niet slecht,' zei Sabine om van onderwerp te veranderen, voordat het gesprek zou uitmonden in een discussie over het waarom en hoe van Sabines modegeschiedenis. 'Hij is lief voor me... Maar ik zal wel niet weten wat ik ermee moet. Nou ja, in ieder geval wás hij lief voor me.'

'Jij hangt toch niet weer het stoere meisje uit, hè?' vroeg haar moeder. 'God verhoede dat een man jou met enig respect behandelt, Sabine.'

'Nou ja, misschien een beetje stoer, maar niet echt. We zouden van-avond uitgaan...'

'Ik weet er natuurlijk niet alles van, Sabine, maar ik vraag me af of jij je nog steeds zo laat leiden door die "foute kerel"-onzin. Als hij te aardig is of wel een heel erge gentleman, dan heb jij het meteen gehad. Misschien ben jij bij hem wel op zoek naar gebreken die er niet zijn, alleen omdat je jezelf dan niet bloot hoeft te geven.'

Sabine dacht aan het blondje. Dat had ze niet verzonnen. Tuurlijk, ze kon een nichtje of zoiets zijn, en dit was een vrij land – hij kon daten met wie hij wilde – maar het was logisch dat dat haar aan het twijfelen bracht.

'En als je het nu mis hebt, mevrouwtje allesweter?' vroeg Sabine. 'Als hij nou een klootzak is en ik daarom zo van streek ben?'

'Hoe kan een aardige joodse jurist nou een klootzak zijn? O, wacht, ik heb dus net mijn eigen vraag beantwoord. Misschien heb je gelijk, Sabine. Maar het punt is: hoe weet je dat? Je kent hem amper. Gun het een beetje tijd. Je reageert altijd zo overhaast! Maar goed, luister, ik moet ophangen. Ik sterf van de honger en ik weet dat die meiden zich als aasgieren op mijn spek storten als ik er niet bij ben. Denk na over wat ik gezegd heb en ik bel je later. Ik hou van je, Sabine.'

'Ik ook van jou.'

Sabine legde haar telefoon neer en trok het laatje van haar nachtkastje open om haar dagboek te pakken. Dat had ze heel lang ontzettend gewetensvol bijgehouden, maar het afgelopen jaar had ze de zelfreflectie min of meer overboord gegooid. Niet dat ze er geen tijd voor had, maar het dealen met haar emoties was vaak gewoon een stuk lastiger dan die totaal negeren. Tegen je dagboek kon je niet liegen.

Sabine rolde haar bed uit en liep naar haar bureau. Ze pakte een pen, bladerde naar een maagdelijke pagina en schreef zorgvuldig de datum op. Met een diepe zucht begon ze. Ze schreef over yoga en Zach en haar werk en het schrijven en over Naomi en wat haar verder nog meer te binnen schoot. Op een bepaald moment hield ze op. Haar hand deed pijn. En haar zweterige yogakleren – muf en kriebelig – voelden als een dwangbuis. Ze schudde haar hand los en rukte haar sportbeha uit. *Jezus, wat voelt dat lekker.*

Zonder beha ging ze verder met schrijven. Het voelde goed om het er allemaal uit te gooien. Er zat zo veel in haar hoofd! Het fiasco met Zach had haar hiertoe aangezet, maar dat bleek nog maar het topje van de ijsberg. Eindelijk was ze klaar. Haar hand was verkrampt. Ze keek op de klok. Het was bijna zes uur! Niet te geloven.

Ze stond op en rekte zich uit. Terwijl ze dat deed, ving ze een vleugje okselgeur op. 'Tijd om te douchen!' riep ze met een mengeling van walging en door testosteron aangedreven trots.

Niet douchen had iets waardoor ze trots werd op zichzelf. Het gebeurde niet vaak, maar als het wel zo was, beschouwde Sabine dat als een opzettelijk opgestoken middelvinger naar de maatschappelijke voorschriften betreffende vrouwelijkheid. Negenennegentig procent van de tijd volgde ze die regels bereidwillig op, maar als ze dat niet deed, voelde ze zich een soort van superstoer. Smerig en stinkend superstoer, maar toch.

Onder de douche dacht Sabine aan Zach en de afspraak die ze die avond hadden. Was hij echt zo'n type dat twee vrouwen in een weekend had? En hoe zat het dan met dat gelul over dat hij niet met haar naar bed kon, omdat hij zo veel om haar gaf? Was dat echt een hoop geouwehoer, zoals Sabine verondersteld had?

Ze zette de douche uit en wikkelde zich in een handdoek. Wat heb ik een honger, dacht ze, terwijl ze haar haar uitwrong. Ze had feitelijk niets meer gegeten sinds… Shit, ze wist niet eens zeker of ze vandaag überhaupt wel wat gegeten had! *Waar ben ik mee bezig?* Ze had vrouwen die beweerden dat ze 'vergaten' te eten altijd verfoeid. Wie vergat er nou te eten? Mensen die vergaten te eten, waren dezelfde mensen die een salade bestelden in een restaurant. Zonder de kip alstublieft! En de dressing apart graag. Het enige wat ze waren vergeten, was hoe ze als een menselijk wezen moesten eten.

Toen Sabine de badkamer uit kwam, zat Lassie haar verwachtingsvol aan te kijken. 'Jij hebt ook honger, hè?' zei ze. Ze zag zijn oortjes omhoogschieten bij die vraag. Ze smeerde zich snel helemaal in met bodylotion en trok haar favoriete joggingbroek en T-shirt aan.

In de keuken maakte ze Lassies eten klaar en pakte haar mapje met beproefde afhaalrestaurants van de bovenkant van de koelkast. Terwijl ze stond te twijfelen tussen Chinees en Japans ging de telefoon. Haar hart schoot in haar keel. Ze raapte hem op om te zien wie er belde, half hopend dat het Zach was en half hopend dat hij het niet was. Hij was het.

Ze liet hem in de voicemail schieten. Ze had er nu gewoon geen zin in. Toch was ze benieuwd wat hij te zeggen had. *Eh, hoi, Sabine, met Zach. Ik word net wakker. Het chickie dat ik vannacht een beurt heb gegeven, is net weg na een late brunch en ik was zoooo moe. Hoe dan ook, ik ben nu op – en wilde gewoon een beetje knuffelen. Bel me zodat ik net kan doen of ik je echt leuk vind, gewoon om je nog wat meer op te fokken.* Sabine bedacht hoe veel simpeler het leven zou zijn als iedereen gewoon altijd zei wat hij dacht. Het rode lampje op haar mobiel knipperde boos. Tijd voor de voicemail!

'Eh, hoi, Sabine. Met Zach. Hoe is het met je? Ik eh… Volgens mij hadden wij vanavond afgesproken. Vroeg me af of je daar nog steeds zin in had? Bel me. Als je kunt. Eh, oké, dag – hoop dat het goed met je gaat.'

Sabine drukte op het knopje om de boodschap te wissen – iets waar ze ongeveer twintig tellen later spijt van kreeg. Dit was de tweede keer dat ze hem diste. Als ze dit bericht negeerde, belde hij haar misschien wel nooit meer. En wie kon hem dat kwalijk nemen? Ze legde de telefoon neer en overwoog hem terug te bellen. Hij had niet als een klojo geklonken… Hij klonk eigenlijk een soort van lief en geïntimideerd, maar het feit bleef dat zij hem met iemand anders gezien had. Zoals haar moeder zou zeggen: als het loopt als een eend en kwaakt als een eend…

Ze pakte de telefoon op. Ze had opeens gekozen voor sushi. Chinees bestellen zou een beetje cliché geweest zijn. Alleenstaand stadsmeisje met gebroken hart verdrinkt zich in bami. Dat had ze al eerder gehoord. Sterker nog, ze had het al eerder gedaan.

Terwijl ze wachtte op het eten, lag ze op de bank naar het plafond te staren. Dit gedoe met Zach was een domper, zeker weten, maar op een bepaalde manier was ze vreemd opgelucht door het feit dat het voorbij was voordat het goed en wel begonnen was. Als hij werkelijk al die prachtige eigenschappen had die ze hem toebedeelde, hád ze wel verliefd op hem moeten worden. En dan zou haar hele leven om hem gaan draaien. Alles zou veranderen. Zij zou zelf niet langer boven aan haar prioriteitenlijstje staan. Ze zou dingen moeten delen, bijvoorbeeld haar gegrilde kip.

'Ik denk niet dat ik daar al klaar voor ben,' mompelde ze in Lassies vacht. Of misschien was ze dat wel en hield ze dit zichzelf voor om te vermijden dat ze gekwetst werd, om risico's uit de weg te gaan. Risico's waren niet haar sterkste punt. Ze staarde naar het plafond, nu al verveeld door het onderwerp.

Opeens ging haar bel – hij kliefde als een misthoorn door haar melodrama. Ze sprong van de bank in een vraatzuchtige uitbarsting van energie.

Later zou ze terugkeren naar haar favoriete onderwerp – zichzelf – maar nu ging ze eten.

38

Bess

Het was half negen 's ochtends en Bess zat aan haar vierde kop koffie. Ze was al sinds vijf uur op. Ze had het hele weekend aan haar artikel zitten werken en nu was het maandagmorgen. Ze had aan één stuk door zitten schrijven en ze had er elke seconde van genoten. De beknoptheid ervan beviel haar en de manier waarop – net als bij yoga – de ene alinea naadloos overvloeide in de volgende. Ze had het nu vier keer doorgelezen en wist zeker dat dit het beste was wat ze ooit geschreven had.

Nu was het probleem of ze het al dan niet moest vertellen aan Sabine, Naomi en Charlie voordat het in de krant kwam. Ze had zich afgevraagd of ze wellicht een of andere enorm ethische journalistieke regel overtrad, maar een telefoontje naar een van haar feiten checkende vriendinnen had bevestigd dat dat niet het geval was. Op dat gebied kon haar niets gebeuren, maar het dilemma had zo veel voors en tegens. Ze wist dat haar artikel hen liefdevol afschilderde – dus de verrassing was naar alle waarschijnlijkheid aangenaam – maar aan de andere kant: ze was al die tijd van plan geweest dit te schrijven zonder dat zij ervan wisten. Misschien voelden ze zich uiteindelijk wel bedrogen en beledigd. Ze waren nu immers haar vriendinnen. Ze wilde hen niet beledigen – of laten schrikken. Jezus, wat was dit irritant.

Bess zette haar kop koffie neer. Door de cafeïne maakte haar hart overuren. Ze stak haar hand omhoog en zag die trillen, zonder dat ze daar toestemming voor had gegeven. Tijd voor een hapje van het een of ander. Ze liep naar de keuken en opende de koelkast, maar trof daarin slechts een blikje frisdrank en een kropje verlepte sla aan. Lekker dan, dacht ze, terwijl ze de sla in de vuilnisemmer gooide.

'Oké, dan ga ik wel ergens een bagel kopen,' kondigde ze aan. Ze hoopte maar dat ze niemand van kantoor tegen zou komen. Ze had zich ziek gemeld om haar artikel af te maken. Bess keek in de spiegel. Ze zag eruit als een lijk. 'Nou, dan hoef ik in ieder geval niet bang te zijn dat ik erbij gelapt word,' mompelde ze. Iedereen die ze tegenkwam, zou zonder meer geloven dat ze ziek was.

Ze liet zich op de bank zakken; ze werd opeens doodmoe van de gedachte zich aan te kleden en de deur uit te gaan. Dit was zo'n moment waarop ze wilde dat ze een persoonlijke assistent had, net als die randdebielen over wie ze schreef. Ze zou met haar communiceren via handgebaren. Nee, liever een hij. Ze wilde een jonge vent die ze rond kon cheffen. Meisjes spraken je te veel tegen. Twee vingers betekenden dan een pompernikkelbagel met magere vegetarische roomkaas. En drie: doe er een tomaat bij, maar zorg wel dat die niet melig is!

Ze keek naar haar mobiel en miste Dan opeens hevig. Hij was precies de juiste persoon om haar 'al-dan-niet-vertellen'-raadsel op te lossen. Ze besloot hem te bellen, ondanks het vroege tijdstip in Californië.

'Hallo?' gromde Dans slaperige stem door de telefoon.

'Haiiiiiii,' fluisterde Bess. 'Tijd om op te staaaaaan!'

'Jezus, Bess, het is hier zes uur 's ochtends. Alles in orde?' Dans stem droop van zowel ergernis als bezorgdheid.

'Ik weet dat het vroeg is. Het spijt me, maar ik móést gewoon even je stem horen.'

'Geeft niet,' antwoordde Dan op iets mildere toon. 'Hier ben ik dan.'

'En ook om je een piepklein vraagje te stellen,' voegde Bess eraan toe.

'Laat me raden: het gaat over je artikel.'

'Nou ja zeg, hoe wíst je dat?' Bess had Dan de oren van het hoofd gepraat over het artikel sinds ze vertrokken was uit LA.

'Zeg het maar.'

'Moet ik het hun vertellen?' vroeg Bess. 'Moet ik Charlie, Sabine en Naomi op de hoogte brengen van het artikel? Of moet het gewoon een verrassing blijven?'

'Ho even, ik dacht dat we afgesproken hadden dat je het hun niet van tevoren hoefde te vertellen. Ik bedoel, het is een prachtig artikel – feitelijk een soort van eerbetoon aan hen. Ik zie niet waarom ze van streek zouden zijn.'

'Tja, inderdaad, de laatste keer dat we het erover gehad hebben, waren we het erover eens dat het een verrassing moest zijn,' antwoordde Bess. 'Maar nu ga ik twijfelen. Stel dat ze zich overvallen voelen en me gaan haten?'

'Waarom zouden ze zich aangevallen voelen?' vroeg Dan met oprechte verbijstering. 'Ik heb dat artikel iets van zeventienduizend keer gelezen, Bess. Het is echt een positief stuk. Iedereen zou zich vereerd voelen om op die manier beschreven te worden.'

'Ho even, wou je nou zeggen dat het een kritiekloos stuk is?'

'Jezus, Bess, nee!'

'Wat is er, Dan?'

'Eerlijk gezegd heb ik het een beetje gehad met dat verdomde artikel. We praten nergens anders over. Ik weet niet hoe vaak ik je nog kan verzekeren dat het een uitstekend stuk is. Ik bedoel, zo is het wel genoeg.'

Bess was even stil en dacht na over wat hij had gezegd. Hij had gelijk, dit was het enige waar ze over praatten. 'Je hebt gelijk, Dan. Sorry dat ik er zo'n toestand van maak. Maar ik hecht gewoon veel waarde aan jouw mening…'

'Weet ik, Bess. Ik wil er ook bij betrokken worden, maar ik heb het nu wel zo'n beetje gehad. En ik wil ook niet dat jij je er zo door laat opfokken.'

'Volgens mij is het daar een ietsepietsie te laat voor,' zei Bess.

Dan lachte. 'Breek me de bek niet open. Maar dat is denk ik een van de redenen waarom ik van je hou. Je bent zo hartstochtelijk over dingen die echt iets voor je betekenen.'

'Is "hartstochtelijk" een ander woord voor "gestoord"?'

'Misschien, maar het klinkt veel beter, vind je niet?'

'Absoluut. Door dat "hartstochtelijk" lijk ik een bipolaire mediterrane schoonheid die ingewikkelde sculpturen van staal maakt.'

'Vet!' zei Dan, die nu echt lachte. 'Mooi beeld.'

'Maarre, Dan? Denk je echt dat het een verrassing moet blijven? Denk je niet dat Charlie, Naomi en Sabine zich misbruikt zullen voelen?'

'Echt niet. Zelfs als ze in eerste instantie een beetje uit het veld geslagen zijn, zal die opgelatenheid volgens mij binnen de kortste keren plaatsmaken voor warme gevoelens.'

Bess slaakte een diepe zucht. 'Jij geeft mij warme gevoelens.'

'Ik weet nog iets anders warms wat ik jou kan g…'

'Jèsses, Dan!' plaagde Bess, die blij was dat ze samen lachten. 'Serieus, Dan, het spijt me dat ik me zo maniakaal heb gedragen. Ik ga het artikel vandaag inleveren en ik beloof dat ik het er niet meer over zal hebben tot het zaterdag in de krant staat en mijn vriendschap met die drie verbazingwekkende vrouwen verknalt.'

'Bess! Ik zeg het je nog één keer: er wordt niets verknald. Het is een prachtig stuk dat getuigt van hun kracht en complexiteit. Bovendien staat het in *The New York* freakin' *Times*, man!'

'Ja, potdomme! Je kunt niets inbrengen tegen de *Times*.'

'Nee, dat kun je niet,' beaamde Dan. Hij gaapte.

'Oké, ga jij maar weer lekker slapen. Ik hou van je, Dan. Bedankt dat je het met me uithoudt.'

'Ik hou ook van jou, Bess. Ga nu dat verdomde artikel maar inleveren en zorg dat je ook wat slaap krijgt.'

'Doe ik. Dag, Dan.'

'Dag, Bess.'

Ze verbrak de verbinding en maakte een briefje voor Kathryn. Voordat ze haar artikel er als attachment bij deed, probeerde ze zich even een beeld te vormen van ieders reactie zaterdag. Ze verplaatste zich in Sabines, Charlies en Naomi's schoenen en stelde zich voor dat iemand op dezelfde manier over haar had geschreven zonder dat ze daar toestemming voor had gegeven. Zou zij vrede hebben met het resultaat?

Ja, dacht ze. Echt.

Ze klikte het attachment aan de mail en drukte op SEND. Het was gebeurd. Nu was het tijd voor die bagel.

39

Sabine sjokte op maandagavond na het werk de trap van de metro op. In haar dikke jas brak het zweet haar enigszins uit. Ze verheugde zich erop de tekst voor de website af te maken. Het was dan wel geen roman, maar het was in ieder geval een soort schrijven.

Toen ze de hoek omsloeg en haar straat in liep, dacht ze na over de toon die ze besloten had aan te slaan. Vanzelfsprekend kon ze niet op haar humor vertrouwen – yoga was van alles, maar grappig hoorde daar niet bij. Ook had ze niet te ver in een spirituele richting willen doorslaan. Een beetje was prima, maar niet overdrijven. Ze was ergens in het midden geëindigd en hoopte dat ze de sfeer van Prana goed getroffen had. Toen ze er zondag voor was gaan zitten, had ze geprobeerd zich te herinneren hoe zij zich gevoeld had toen ze nog maar vijf weken geleden praktisch als yogamaagd de studio binnen was gelopen. Hoewel ze geïntimideerd was door het idee van yoga zelf, had de studio – samen met Charlie, Felicity en Julian – haar echt gerustgesteld. Het was voor Sabine belangrijk geweest om de onbevooroordeelde houdingen van hen allen in haar tekst te verweven. Ze was er behoorlijk van overtuigd dat ze dat gedaan had. Dat hoopte ze tenminste. Ze zou het vanavond nog een keer doornemen en het dan met een frisse blik redigeren.

Diep in gedachten verzonken, besefte ze opeens dat ze bij haar voordeur was gekomen. Ze ging in haar schijnbaar bodemloze tas op zoek naar haar sleutels, terwijl ze vloekte over het gebrek aan vakjes.

'Hai,' hoorde ze. Ze keek verward op. Praatte er iemand tegen haar? Daar, op de bovenste tree, in al zijn beeldschone glorie, zat Zach.

'Jeeee!' riep ze uit. 'Hai!' Ze zweeg en stond van schrik even aan de grond genageld. 'Wat... Wat doe je hier?' vroeg ze.

'Ik stalk je,' antwoordde Zach met een grijns vol tanden.

'O, lekker geruststellend,' antwoordde Sabine.

'Nee, hoor, dat doe ik niet, echt niet,' zei hij. 'Ik kwam kijken of je zin had om iets te drinken of zo. Ik heb aangebeld en er werd niet opengedaan. Toen belde ik je mobiel en die schoot meteen in de voicemail. Ik had zo'n vermoeden dat je in de metro zat, dus ik dacht dat ik net zo goed even kon wachten.'

'En als ik nou boven was met een kerel?' vroeg Sabine, die de trap beklom om naast hem te gaan zitten. 'En niet naar beneden kwam? Of met hem naar beneden kwam?'

'Dat risico wilde ik best nemen. Ik weet liever waar ik aan toe ben dan dat ik helemaal niets weet.'

'Hoe bedoel je?'

'Je hebt me nooit teruggebeld. En ik heb jou twee keer gebeld. Wat is er gebeurd met onze date?' Hij keek haar vol ernst recht in de ogen.

Wauw, dacht Sabine, terwijl haar vastberadenheid veranderde in sentimentaliteit. *Nee, Sabine! Verdrink niet in die rozijnjuwelen. Vergeet Blondie niet!*

'O, eh... sorry. Ik heb het nogal druk gehad en...' Sabine stokte. Ze kon stoer doen en liegen over de reden waarom ze hem ontliep, of ze kon de gok wagen en hem de waarheid vertellen. Als ze hem de waarheid vertelde, zou ze zichzelf blootgeven. Ze dacht aan waar Charlie het zaterdag tijdens de les over had gehad en ging ervoor.

'Nou, eigenlijk... Nee, dat is niet waar. Ik heb het niet druk gehad. Ik ben in de war.'

'Hè? Hoe bedoel je?'

Sabine haalde diep adem voordat ze verderging. 'Dat hele "geen seks"-gebeuren van de vorige keer. Ik ben er echt van in de war geraakt.'

'Ik dacht dat ik dat duidelijk had gemaakt. Je zei dat je het begreep, maar dat zal dan wel niet zo zijn.'

'Ik weet dat je zei dat je het niet wilde, omdat je me leuk vond, maar uiteindelijk kreeg ik het gevoel dat je míj niet wilde.'

Ze zaten een poosje te zwijgen en luisterden naar de vogels, die opgewonden tjilpten over de ophanden zijnde komst van de lente.

'En toen gebeurde er nog iets anders,' ging Sabine verder.

'Wat?' vroeg Zach. Een bezorgde blik vertroebelde zijn rozijnjuwelen. 'Gaat het goed met je?'

'O ja, niets aan de hand,' antwoordde Sabine, die de drang om op zijn hand te kloppen onderdrukte. Op dit moment was elk fysiek contact een slecht idee. 'Ik heb je met een ander meisje gezien,' flapte ze er uit.

'Echt?! Wanneer? Waar?'

'Ik zag jullie afgelopen zaterdagochtend samen op straat lopen, toen ik terugkwam van yoga,' zei Sabine. 'Ik heb jullie alleen van achteren gezien, maar ik weet niet… het zag er verdacht uit.'

Zach sloeg zijn handen om zijn hoofd en zuchtte. 'Ja, dat was ik.'

'Was zij bij je blijven slapen?' vroeg ze. Haar stem was bibberig van treurigheid. Ze had zo graag gewild dat Zach het ofwel zou ontkennen ofwel zou zeggen dat het zijn nichtje was. Zijn reactie op haar vraag wees erop dat dat, helaas, niet het geval was. 'Ik bedoel, we kennen elkaar amper, dus ik besef dat het stom van me is om te denken dat ik hoe dan ook aanspraak kan maken op jouw liefdesleven. Maar ik werd er verdrietig van toen ik jou zo zag. En toen boos. Dus toen je belde, dacht ik dat ik er beter mee kon kappen, voordat ik gekwetst kon worden. Het leek gemakkelijker om je te negeren.'

'Ik zal het je uitleggen,' zei Zach. 'Dat was geen morningaftersituatie, dat zweer ik je. Oké?'

'Oké,' antwoordde Sabine.

'Maar ik was inderdaad met mijn ex-vriendin en we gingen brunchen,' vervolgde hij.

'Ga me alsjeblieft niet vertellen dat jullie een pauze hebben ingelast,' jammerde ze. Daar had ze net zo veel behoefte aan als aan een gat in haar hoofd.

'Nee. We zijn uit elkaar. Het is voorbij en dat is al een paar maanden zo.'

'Waarom gaan jullie dan samen brunchen?' Sabine was er heilig van overtuigd dat voormalige geliefden per definitie geen vrienden konden blijven. Dat was onmogelijk. Er was altijd iemand met een geheime agenda.

'Ze heeft het er nogal moeilijk mee,' legde hij uit. 'En ik wil niet klinken als een of andere narcistische lul. Ik denk eigenlijk dat het niets met mij te maken heeft. Volgens mij vindt ze het moeilijk om single te zijn.'

'O, is ze er zo een?'

'Wat voor een?' vroeg Zach, die geïrriteerd was door Sabines toon.

'Sorry, daar bedoel ik niets mee. Ik wil alleen maar zeggen dat ik dat soort vrouwen ken. Vrouwen die het moeilijk vinden om alleen te zijn. Ik ben niet… Ik ben zo niet.'

'Weet ik,' zei Zach. 'Dat is een van de redenen waarom ik op je val.'

Sabine draaide zich naar hem toe en glimlachte. 'Val je op me?'

'Ja.'

'Blijft zij altijd deel uitmaken van jouw leven?' vroeg Sabine.

'Nee,' antwoordde Zach beslist. 'Jij bent het eerste meisje dat ik leuk vind sinds we uit elkaar zijn, vandaar dat ik niet meteen met je naar bed wilde. Hoewel ik dat wél wil... heel erg. Het is zo'n beetje het enige waar ik de laatste tijd aan kan denken.' Sabine bloosde. *Kijk, zó mag ik het horen.* 'Ik heb haar mee uit brunchen gevraagd om haar over jou te vertellen.'

'Echt?'

'Jep. Ze nam het niet al te goed op.'

'Het spijt me dat dit voor jou zo ingewikkeld is,' zei Sabine, die nu wel toegaf aan haar neiging en zijn hand pakte.

'Hé, het leven is ingewikkeld,' zei Zach, die op zijn beurt in haar hand kneep. 'Ik zweer je dat dat de waarheid en niets dan de waarheid is.'

'Dit verhaal had ik niet verwacht, maar ik voel me er wel stukken beter door. Bedankt dat je zo eerlijk tegen me bent.'

'Graag gedaan. Sorry dat ik je heb gestalkt.'

Sabine lachte. 'Geeft niet. Sorry dat ik je genegeerd heb.'

'Ja, hoe zit dat eigenlijk?' vroeg Zach, die dichter naar haar toe schoof. 'Wat ben jij een koele kikker, zeg!'

'Nee hoor.' Sabine schoof naar hem toe en opeens waren ze aan het zoenen. Een lange, heerlijke, zachte, precies goede kus.

'Je ziet er prachtig uit,' zei Zach. 'Ik heb je gezicht gemist.'

'Ja, vast. Zijn die wallen onder mijn ogen niet schitterend?'

'Geen wallen,' zei Zach, terwijl hij haar wang aanraakte. 'Hoe was de les zaterdag trouwens?'

'Geweldig. De vrouwen in mijn groepje zijn echt prima types. Door hen ben ik trots op mijn sekse.'

'Wauw, dat is nog eens een coole uitspraak,' zei Zach. 'Ik kan me niet herinneren wanneer ik voor het laatst trots was op mijn sekse.' Hij zweeg even om na te denken. 'O, misschien Obama. Door hem ben ik er trots op een zwarte man te zijn.'

'Maar je bent geen zwarte man!' piepte Sabine.

'O nee?!' vroeg Zach, gemaakt verrast. Hij lachte.

'Hoor eens, ik ben bezig met de tekst voor de website van de studio, dus ik kan maar beter gaan.' Ze wilde het allerliefst gewoon hier blijven, op haar trap foezelen met Zach, maar ze moest echt aan de slag.

'Website van de studio?' vroeg Zach.

'Ja, een van de vrouwen in mijn groepje ontwerpt websites, dus zij maakt een site voor ze. Ze heeft mij gevraagd de tekst te schrijven.'

'Super. Oké.' Hij stond op, pakte Sabines handen en trok haar naar zich toe. 'Zie ik je snel?'

'Ja,' antwoordde Sabine.

'Wanneer?'

'Nou, ik wil morgen die tekst inleveren. Wat dacht je van morgenavond?'

'Heb ik niks tegen,' zei Zach, terwijl hij haar vastpakte. 'Misschien ga ik wel voor je koken.'

'Dat klinkt goed,' mompelde Sabine in zijn hals. God, wat rook hij lekker.

Ze liet hem los en tilde haar hoofd op om hem te kussen. 'Tot snel.'

'Ja,' zei Zach. 'Snel. Ik bel je morgen. Ik wil niet dat je weer verdwijnt.'

Sabine glimlachte en zwaaide. Daar hoef je echt niet bang voor te zijn, dacht ze, terwijl ze de voordeur achter zich dichttrok. Toen ze eenmaal veilig binnen was, haalde ze haar telefoon uit haar tas en drukte op de M.

'Hallo?' zei haar moeder.

'Ha, mama,' antwoordde Sabine.

'Sabine!' gilde ze. 'Waar was je? Ik dacht dat je dood was!'

'Mam, we hebben elkaar twee dagen geleden nog gesproken,' zei Sabine, die nu al geïrriteerd was.

'Twee dagen is heel lang,' antwoordde haar moeder. 'Ik dacht bij mezelf: nou, ze ligt of ergens dood in een greppel, of ze is verliefd. Blijkbaar leef je nog, dus ik neem aan dat je eruit gekomen bent met Romeo van de metro?'

Sabine lachte. 'Als je dacht dat ik dood was, mam, waarom heb je de politie dan niet gebeld?'

'Hoe weet je nou dat ik dat niet gedaan heb? Oké, oké, ik dacht niet echt dat je dood was. Maar ik was bezorgd. Doe dat je moeder niet aan, oké? Ik ben oud en fragiel. Ik moet me laten onderzoeken.'

'Mam, jij bent levendiger dan een vierjarige. Fragiel, mijn reet.'

'Tja, daar zit wel wat in,' bekende haar moeder. 'Had ik je al verteld dat ik ben gaan rolschaatsen?'

'Ga weg! Mam! Jezus! Ik mag hopen dat je in godsnaam wel een helm draagt.'

'Ja hoor, stel je nou maar niet zo aan,' antwoordde ze. Ze dempte haar stem. 'Liefje, mijn nieuwe vriend is vierenveertig!'

Sabine lachte. 'Wauw, mam! Ik ben onder de indruk. Heeft hij je aan het rolschaatsen gekregen?'

'Precies. Ik zal je vertellen, de seks…'

'Mam! Laat maar, ik snap het,' antwoordde Sabine. Het was al erg genoeg om toe te moeten geven dat je moeders seksleven meer voorstelde dan dat van jezelf. Details waren overbodig.

'Prima, doe jij maar lekker preuts, Sabine. Hoor eens, je hebt mijn vraag nog steeds niet beantwoord.'

'Welke vraag?'

'Niet zo bijdehand, juffie. Hoe is het met Metrovlam? Is hij de knapste, grappigste, slimste, geraffineerdste vrouw ter wereld waard?'

'En wie mag dat wel zijn?' vroeg Sabine grinnikend.

'Jij, mijn popje,' antwoordde ze. 'Je weet dat ik jou aanbid.'

'Bedankt, mam. En ja, dat lijkt er wel op. Ik heb even de tijd genomen om na te denken en hem een beetje genegeerd. Toen ik net thuiskwam van mijn werk, zat hij op mijn trap. We hebben een goed gesprek gehad en… Ik denk dat het wel goed zit tussen ons.'

'O, fijn! Je klinkt ook veel beter dan zaterdag. Wat een zuurpruim was je toen. Heeft hij nog steeds een baan? Is hij goed in bed?'

'Jezus, mam, relax. Hou op met die vragen! Hij is echt een geweldige kerel.'

'O, liefje, sorry dat ik me er zo mee bemoei. Je weet dat ik daar niets aan kan doen, zo ben ik nu eenmaal.'

'Het gaat goed met me, mam.' Heel even overwoog ze haar moeder meer te vertellen, maar deed het toch niet. Ze wilde de details graag voor zichzelf houden. Voorlopig althans.

'Fijn, liefje. Je klinkt blij. Ik vind het fijn als je blij klinkt. Hoe gaat het verder? Hoe gaat het met het schrijven?'

'Nou, ik ben nu dus met een project bezig.' Het was zo heerlijk om in staat te zijn dat te zeggen en niet haar gebruikelijke afhoudende vage antwoord te geven. Ze werd daar net zo gelukkig van als praten over Zach.

'Dat is fantastisch!' riep haar moeder. 'Vertel er eens iets over.'

'Je weet toch dat ik naar die yogalessen ga?'

'Zeker.'

'Nou, iemand uit mijn groepje is grafisch ontwerper. Zij maakt een website voor de studio en ze heeft mij gevraagd de tekst ervoor te schrijven.'

'Wat een geweldig nieuws, popje! Vind je het leuk?'

'Nou en of. Ik ben nu ongeveer op drie kwart,' legde ze uit. 'Ik moet alleen nog wat slimme oplossingen bedenken voor beschrijvingen van haarproducten.'

'Haarproducten? Ik dacht dat het een yogawebsite was?'

'Dat is het ook, maar een van de eigenaars heeft haar eigen haarproductenlijn. Daar moet een link voor komen.'

'Ik begrijp dat webjargon niet helemaal, maar het klinkt als een geweldige kans. Ik ben zo trots op je, Sabine. Je hebt echt de touwtjes in handen. Werk, schrijven, een man, een fijne dosis zelfrespect… je hebt het prima voor elkaar.'

'Bedankt,' zei Sabine, die tot haar verbazing volschoot door die complimenten.

'Ik moet nu gaan. Ik heb een eetafspraak met Ron.'

'Ron? Dat klinkt als een pornoster.'

'Misschien is hij dat wel! Zou je dat niet heerlijk vinden?!'

'Maaaaaaam! Getver.'

'Ik hou zo veel van je, popje. Jij bent mijn held.'

'Bedankt, mam. Ik hou ook van jou. Veel plezier!' Sabine verbrak de verbinding en staarde uit het raam. Ze zag de zon boven de stad zakken en de lucht veranderen in de kleur van een suikerspin.

40

Naomi

Naomi stond onder aan de trap van haar huis. Het daadwerkelijk betreden van haar woning leek een niet te nemen horde. Ze ging zitten en wreef in haar gezwollen ogen. Ze had lopen huilen sinds 13.42 uur, toen de dokter haar verteld had dat het 'waarschijnlijk MS' was. 'Waarschijnlijk, vanwege de drie afwijkende plekken in je hersens en een grote aan de onder kant van je nekwervel. Waarschijnlijk, omdat die locaties overeenkomen met beginnende MS. Waarschijnlijk, omdat we je pas kunnen vertellen of het echt zo is als je een tweede episode krijgt.'

'En wanneer gebeurt dat?' had ze gevraagd. 'Die ongrijpbare tweede episode?'

'We hebben geen idee.'

'GEEN IDEE?'

'Het kan drie weken duren, het kan vijf weken duren. Het zou ook heel goed nooit kunnen gebeuren. We weten het gewoon niet.'

Ook na alle dingen die ze zelf over MS had opgezocht, was Naomi nog steeds stomverbaasd over de oneerlijke onvoorspelbaarheid van deze rotziekte. Ben jij iemand die graag plant? Jammer dan. Je wilt een echt antwoord? Jammer dan. Je echte antwoord krijg je pas te horen via een episode waarin je – hopelijk, als je geluk hebt – een paar dagen of weken immobiel bent of, zoals bij haar moeders vriendin Elizabeth, een maand lang aan één oog blind. Je kunt je mobiliteit of je gezichtsvermogen weer terugkrijgen, maar dat is niet te garanderen. Dat weet niemand.

'Het goede nieuws is dat als je het inderdaad hebt, het in een vroeg stadium verkeert. En met de huidige medicijnen kunnen we het verloop ervan echt beïnvloeden,' had haar dokter uitgelegd. Door haar tranen heen had Naomi amper zijn gezicht kunnen zien.

'Wat voor soort medicijnen?'

'Er zijn een paar verschillende. Bla bla bla bla. Naalden. Elke dag, bla bla bla, of één keer per week, bla bla bla. Er zijn bijwerkingen, maar die zijn beheersbaar.' *Hoe kan die ziekte nou beheersbaar zijn als je elke dag een naald in jezelf moet steken? Is dat beheersbaar? Wat is dan onbeheersbaar? Een ophanden zijnde dood? Is dat de kwantiteitsmeter?*

Nog voor het bezoek afgelopen was, had Naomi een afspraak gemaakt voor een ruggenmergpunctie de volgende week. Dat was een andere manier om *eventueel* MS vast te stellen, voordat een tweede episode haar zou neersabelen (of niet). Weer die laaiend makende vaagheid. Ongeveer tachtig procent van de mensen met MS had een positieve punctie. *Maar ho even, word nou niet al te blij als die van jou negatief is!* Twintig procent van de MS-patiënten heeft een negatieve punctie. Wat had het dan eigenlijk voor zin?

Op de een of andere gestoorde manier hoop ik eigenlijk dat mijn punctie positief is. Dan weet ik het tenminste, of in ieder geval een soort van, en lijkt het idee van medicijnen niet zo bespottelijk. Oké, dokter, u zegt het maar. O, dat wordt dan zesduizend dollar per jaar aan medicijnen? Zonder officiële diagnose? Natuurlijk, hier hebt u een cheque. Naomi vroeg zich af of ze zo tegen medicijnen was omdat het ontkennen van MS een heel stuk aangenamer was dan het elke dag onder ogen te moeten zien met een prik in je kont.

Naomi hoorde het raam boven openschuiven. Ze was gesnapt.

'Wat ben je aan het doen, mam?' riep Noah van boven. Hij schoof de hor omhoog en stak zijn hoofdje naar buiten. Naomi hoorde dat Gene hem een standje gaf. Ze deed haar best om te kalmeren. Ze moest het vandaag aan haar kleine mannetje vertellen. 'Liefje, ga weg uit dat raam!' schreeuwde ze. 'Nu!' Ze hoorde de hor dichtslaan.

'Sorry, Naomi!' schreeuwde Gene.

Toen ze zich omdraaide om naar binnen te gaan, hoorde ze snelle voetstappen op de trap naar beneden en glimlachte. Niets was beter dan Noahs opwinding om haar te zien.

'Maaaaaaaaaaaaaaaaaaaaam!' juichte hij, terwijl hij de trap afholde om haar te omhelzen. Hij rook naar pindakaas en sinaasappelsap.

'Hai, liefje,' zei Naomi, terwijl ze kusjes gaf in zijn nek. 'Doe voorzichtig met dat gips!'

'Hoe was het bij de dokter?'

'Hai, Naomi,' begroette Gene, die in zijn jas achter Noah aan de trap af kwam. 'Gaat het?'

Nee. 'O, ja hoor, prima. Hé, bedankt dat je Noah vandaag op hebt gehaald.'

'Geen probleem. Je roept maar.' Hij hield Naomi's blik vast; hij trapte niet in haar verhaaltje. Iedereen kon zien dat ze gehuild had. 'Bel me maar als je wilt.' Ze veronderstelde dat ze het hem moest vertellen, maar voorlopig nog niet.

'Doe ik, Gene. Bedankt.'

'Dag, Noah. Tot zondag.'

'Dag, pap!' Ze omhelsden elkaar en Gene zwaaide nog een keer voordat hij wegliep. 'Wat is er gebeurd bij de dokter, mam?' vroeg Noah weer.

'Nou... er is iets met me aan de hand.' Hoewel ze elke vezel in haar lichaam inspande om niet te gaan huilen, gleed er toch een traan langs haar wang.

'Wat is er, mam?' Hij legde zijn warme handje op de hare.

Ze haalde diep adem. 'Ik ben misschien ziek. Een ziekte die niet weggaat, zoals een verkoudheid. Je hebt het altijd, maar de ene keer is het veel erger dan de andere.'

'O.' Noahs bruine ogen waren vochtig van bezorgdheid. 'Net als Morgans moeder? Die heeft kanker.'

'Zoiets. Maar deze ziekte is niet levensbedreigend. Het is meer ontzettend lastig. En misschien kan ik soms niet zo goed lopen of zien of praten. Het is een ziekte die het zenuwstelsel aantast.'

'O, je ruggenmerg dus?' *Is mijn kind nu opeens dokter?*

'Ja, precies. Het heet multiple sclerose. En, sorry hoor, maar sinds wanneer ben jij zo slim?'

'Mam, ik ben geen babyyyyyyyy.'

Ze trok hem dicht tegen zich aan, voor zover dat mogelijk was met dat gips. 'Hoe dan ook, we weten nog niet zeker of ik het heb. Ik moet volgende week een ruggenmergpunctie laten doen.'

'Dat klinkt niet leuk.'

'Dat is het ook niet.'

'Doet het pijn?'

'Niet zo veel, denk ik.'

Ze zwegen een tijdje. Noahs hand lag nog steeds op die van haar. De zon sijpelde tussen de bladknoppen aan de bomen door en boven hen waren twee vogels naar elkaar aan het roepen. Meneer Smithers liep langs met zijn veertienjarige labrador Mikey.

'Hai, Noah,' gromde hij. 'Binnenkort weer baseballen, hè?'

'Ja,' antwoordde Noah nietszeggend. Meneer Smithers liep onaange-
daan door Noahs gebrek aan enthousiasme verder.

'Nou,' zei Naomi.

'Nou,' herhaalde Noah. 'Volgens mij ben je niet ziek, mam. Je ziet er
niet ziek uit.'

'Dat weet ik en we weten ook nog niet zeker of het zo is. Maar het feit
blijft dat ik misschien wél ziek ben. Ik wilde je het pas vertellen als ik het
zeker wist, maar ik dacht dat ik het je nu alvast wel kon zeggen. Je bent een
grote jongen.'

'Ja, dat is zo,' antwoordde Noah plechtig. 'Ik hou van jou.'

'Ik ook van jou, Noah.'

Met zijn vrije arm pakte hij haar stevig beet. Zijn kracht verbaasde
haar.

41

Laatste les

'Mogge, zonnetje in huis!' kirde Julian toen hij de studio binnen kwam kuieren. Charlie keek op van haar mat. Ze was vroeg gekomen om voor de les wat strekoefeningen te doen. Ze kon niet geloven dat het nu al afgelopen was. Hoe konden die zes weken nou zo snel verstreken zijn, terwijl er zo veel was veranderd? Het ging haar verstand te boven.

'Hé, lekker ding,' antwoordde ze. 'Hoe is het met jou op deze prachtige zaterdag?'

'De jongens en ik maken het uitstekend.' Alsof ze het gehoord hadden, kwamen George en Michael naar binnen rennen. George holde meteen naar Charlie en begon gretig aan haar been te likken.

'Nou, die is in een goede bui!' merkte Charlie op, terwijl ze hem liefdevol achter zijn oren krabde. Vanaf de andere kant naderde Michael, die ook graag mee wilde doen.

'Weet ik! George en Michael zijn in een zeldzame bui vandaag. Het zal de lente wel zijn. Ze mogen dan formeel gezien geen ballen meer hebben, maar met hun instinct is niets mis.'

Charlie lachte. 'Ongelooflijk dat het vandaag mijn laatste les is met Bess, Naomi en Sabine, hè, Julian?'

'Goh, zeg dat wel. Het is alsof ik gisteren nog tegen je heb staan katten over het feit dat het zo'n klein groepje was.'

'Ja, hè? Het is echt bizar.'

'Ik kan niet wachten tot ik de website zie,' zei Julian.

'Hallooooo,' riep Felicity, die de studio binnenkwam. 'Ik heb bagels meegebracht! De koolhydraten van de duivel.' Ze zette haar tassen neer. 'Vandaag is de grote dag! Ik popel om die website te zien.'

'Weet ik, wij zijn ook opgewonden,' antwoordde Charlie. 'Zodra de les afgelopen is, gaan we ernaar kijken.'

'Waarnaar kijken?' vroeg Sabine, die als volgende binnenkwam. Ze zette haar tas met champagne en sinaasappelsap neer en keek hen stralend aan. Haar date met Zach was ongelooflijk leuk geweest. Ze verkeerde nog steeds in een roes.

'De website,' antwoordde Charlie. 'Ben jij tevreden over je uiteindelijke tekst?'

'Ja, zeker. Lekker strak.'

'Mooi,' zei Julian. 'Oké, ik laat de dames hun gang gaan. Tot na de les.' Hij gaf Sabine een speels tikje op haar achterste, toen hij en zijn hondengezelschap de studio verlieten.

Vervolgens arriveerden Naomi en Bess – Naomi met haar laptop en pasteitjes, en Bess met een tas kranten en fruit.

'Waarom heb je die kranten bij je?' vroeg Sabine.

'Dat zal allemaal na de les onthuld worden,' antwoordde Bess met een naar zij hoopte ondeugende grijns en niet eentje die wees op acute angst. Ze was óp van de zenuwen. Stel dat ze gezamenlijk in de aanval zouden gaan en haar doodknuppelden met yogablokken?

'Oooo, wat geheimzinnig,' grapte Naomi.

Nadat ze zich verkleed hadden, namen ze plaats op hun respectievelijke matjes. Het feit dat dit de laatste les was, drukte zwaar op hen.

'Ik kan maar niet geloven dat het bijna afgelopen is,' zei Charlie. Ze keek hen stuk voor stuk vol trots aan. 'We zijn allemaal zo ver gekomen. Qua yoga en qua levenswijsheid.'

'Yogapie,' zei Sabine.

'Precies,' beaamde Charlie. 'Het is best interessant, weet je. Ik heb yoga altijd beschouwd als de ultieme evenwichtsoefening, maar ik heb het nog nooit in deze mate grenzen zien overschrijden. Jullie allemaal,' ze zweeg, 'nee, wíj allemaal, hebben de praktijk echt meegenomen buiten de grenzen van deze lesruimte. Ons werk hier heeft me geïnspireerd tot evenwicht en ontwikkelingen in andere, zeer belangrijke aspecten van mijn leven en ik wil jullie bedanken voor die inspiratie.'

'Ik ook,' zei Bess. 'Ik heb zo veel geleerd van jullie.'

Sabine en Naomi knikten. 'Ik ook,' zeiden ze in koor.

'Oké, dat gezegd hebbende, kunnen we nu beginnen met onze laatste les samen,' zei Charlie. 'Ik weet dat ik nog nooit een les met "ohm" ben begonnen, maar ik denk echt dat het nu, op dit moment toepasselijk is. In wezen is ohm een geluid dat staat voor de eenheid van geest, lichaam en ziel. Het is echt waar het in yoga allemaal om draait en ook waar het in onze reis hier en hierbuiten deze afgelopen zes weken om heeft gedraaid. Als je wilt kun je met me meedoen.'

'Aaaaaaauuuuuuuummmmm,' zong Charlie. De dames volgden haar voorbeeld.

Bess bedacht hoezeer haar houding ten opzichte van yoga sinds de eerste les was veranderd. Zes weken geleden zou ze haar ogen ten hemel hebben geslagen en geweigerd hebben om mee te doen. Nu zag ze in hoe vooringenomen ze was geweest.

Terwijl ze van de ene houding in de andere houding vloeide, moest Sabine zich inhouden om niet in tranen van geluk uit te barsten. Yoga intimideerde haar niet meer. Veel dingen intimideerden haar niet meer. Ze was weer aan het schrijven en ze stelde zich open op een manier waar ze nooit eerder toe in staat was geweest. Ze had ontzettend veel om dankbaar voor te zijn. Het was echt verbijsterend hoe haar totale perceptie was veranderd.

In de cobra voelde Naomi haar borstspieren uitrekken. Ze dacht aan haar hersens en die kleine, schijnbaar onschuldige witte vlekjes die haar dokter haar op de MRI-scan had aangewezen. Wat gebeurde daarbinnen? Waren die afwijkende plekjes zich nu aan het vermenigvuldigen, terwijl ze overging in een omlaagkijkende hond? Hoe kon ze zich zo goed voelen als dat het geval was? Als haar zenuwsignalen niet correct werkten, hoe kon ze dan van yoga genieten? Het was één ding om je bewust te zijn van je lichaam door er mee te trainen, maar het was heel wat anders om hypergevoelig te zijn om de verkeerde redenen. *Het wordt nu zo moeilijk om de balans te vinden tussen me bewust zijn van mijn lichaam en mijn welzijn.* Ze vloeide over in krijger 1 en keek vastberaden en zelfverzekerd naar de voorzijde van de ruimte. *Maar ik zal het proberen. Ik zal elke dag mijn uiterste best doen. En meer kan ik niet doen.*

Aan het eind van de les deed Charlie een voorstel. 'Ik hoopte dat jullie vandaag een handstand zouden willen proberen,' zei ze. De vrouwen krompen ineen. Was ze gek geworden?

'Ik ga er niet van uit dat het jullie meteen lukt, maar ik denk dat als jullie het proberen, jullie jezelf wel eens zouden kunnen verbazen.'

Bess, Naomi en Sabine keken elkaar ter bevestiging aan. 'We proberen het,' antwoordde Naomi, die voor hen allemaal sprak.

'Mooi,' zei Charlie. 'Neem je matje mee naar de muur. Ik zal het voordoen. Doe net alsof je een handstand gaat maken, met je ene been voor het andere, kijk, zo.' Ze nam die houding aan. 'Breng dan je gewicht langzaam over naar je handen en gooi je benen een voor een omhoog.' Ze liet hun zien hoe het moest; schommelde een paar keer heen en weer, totdat haar lange benen perfect verticaal omhoog wezen en tegen de muur aan leunden. Ze kwam weer naar beneden. 'Probeer het maar,' zei ze.

Sabine voelde zich een beetje belachelijk, maar probeerde het toch. Elke keer dat ze op haar handen ging staan, kon ze zich niet meer goed herinneren wat ze met haar benen moest doen. Die kwamen elke keer meteen weer naar beneden en landden met een luide plof op de mat.

Bess had hetzelfde probleem, maar vond het allemaal nogal komisch. Zes weken geleden zou ik Charlie vervloekt hebben omdat ze me dit liet doen, dacht ze bij zichzelf. Nu vond ze haar gebrek aan evenwicht juist aandoenlijk. Uiteindelijk zou het haar wel lukken. Ze had geen haast.

Naomi schommelde een paar keer heen en weer, en voelde haar benen bij elke poging hoger komen. Bij de vierde poging gingen ze helemaal omhoog en voelde ze het bloed naar haar hoofd stromen. Dat voelde goed. Ze sloot haar ogen en stelde zich voor dat die kleine witte rotdingen oplosten in een stroom gezond rood bloed. Biologisch gezien sloeg het nergens op, maar het beeld stelde haar gerust. Terwijl ze met haar voeten tegen de muur aan leunde, hoorde ze een applaus. Ze deed haar ogen open en zag omgekeerde versies van een lachende Charlie, Bess en Naomi.

'Super, Naomi!' zei Charlie.

'Je bent een godin!' zei Sabine.

'Ik haat je!' gilde Bess.

Lachend bracht Naomi haar benen weer naar beneden. Ze draaide zich om. 'Ik kan het zelf haast niet geloven!' riep ze uit. 'Ik voel me een popster!' Ze wilde het zo snel mogelijk aan Noah vertellen.

'Je bent een popster,' zei Charlie.

Charlie keerde terug naar de voorzijde van de ruimte en loodste de vrouwen door de coolingdownoefeningen. Ze hadden echter allemaal moeite zich te ontspannen, omdat ze wisten dat het feestje zo zou beginnen.

Toen ze overeind kwamen en Charlie aankeken, glimlachte die naar hen. 'Tja, het is nergens voor nodig om af te sluiten met een of ander sentimenteel verhaal,' zei ze. 'We kunnen beter een potje janken met bagels erbij.'

'En sjampie met sju,' zei Sabine.

'En sjampie met sju,' echode Charlie. 'Namaste, prachtige vrouwen.' Ze boog haar hoofd.

'Namaste,' antwoordden ze, terwijl ze genoegen schepten in het belang van wat formeel gezien hun laatste yoga-afscheid was.

'Feestje!' gilde Sabine.

De vrouwen lachten en sprongen overeind. Ze raapten hun spullen bij elkaar. Toen ze de studio uit kwamen, troffen ze Felicity en Julian redderend rond een opstelling van bagels, pasteitjes, fruit en een lading champagne en sinaasappelsap.

'We dachten dat we beter even konden helpen,' zei Julian. 'En ik verging van de trek! Ik kan echt niet zo veel koolhydraten om me heen hebben en me dan inhouden, hoor!'

'Wauw, wat ziet dat er heerlijk uit,' zei Charlie.

'Wacht even!' riep Bess, een beetje te hard. Ze moest hun nu het artikel laten zien, anders zou haar hoofd ontploffen.

'Jee, wat is er liefje?' vroeg Felicity. 'Gaat het wel?'

Bess haalde diep adem. 'Jawel. Maar ik wil jullie iets vertellen.' Ze pakte haar tas met kranten. 'Laat het me eerst eventjes uitleggen.' Ze bestudeerde hun gezichten voordat ze verderging. 'Ik heb een artikel voor *The New York Times* geschreven,' vertelde ze.

'Bess!' onderbrak Sabine haar. 'Wauw, ik...'

'Nee, wacht even alsjeblieft,' zei Bess. 'Het artikel gaat over ons yogagroepje.' Ze zag hun gezichten verstrakken. 'Maar het is echt een prachtig artikel, al zeg ik het zelf. Het gaat over, nou ja, het gaat over vrouwen en hun strijd om alles in hun leven in evenwicht te houden.' Ze keek naar Julian. 'Sorry, Julian.'

'Geen punt,' antwoordde hij.

'Ik heb ons groepje als voorbeeld gebruikt. Eigenlijk heb ik jullie stuk voor stuk als voorbeeld gebruikt,' zei Bess.

'Heb je onze echte namen gebruikt?' vroeg Naomi, die duidelijk bezorgd was.

'Ja. Maar niet jullie achternaam. En, Charlie, ik heb wél de studio genoemd, maar ik dacht dat je wel blij zou zijn met die publiciteit.'

'Ik weet het niet hoor, Bess,' zei Sabine. 'Het is wel een beetje verknipt dat je dat zonder onze toestemming hebt gedaan.'

'Weet ik, weet ik,' zei Bess. 'Maar jullie moeten ook weten dat mijn oorspronkelijke bedoeling voor dit artikel niet zo oprecht was. Toen ik met deze lessen begon, was ik een verbitterde, verbolgen journalist die iedereen de schuld wilde geven van mijn gebrek aan succes. Ik wilde iets schrijven over de armzaligheid van moderne vrouwen uit de stad. Het gebrek aan doorzettingsvermogen om hun dromen te verwezenlijken… de weerzin om risico's te nemen… de focus op anderen in plaats van op zichzelf als boosdoener.'

'Wauw, dat klinkt als een leuk artikel,' zei Felicity. Haar stem droop van het sarcasme.

'Maar dat is het nou juist!' zei Bess. 'Uiteindelijk heb ik dus een heel ander artikel geschreven. Naarmate ik ieder van jullie beter leerde kennen en me meer op mijn gemak ging voelen tijdens de lessen, veranderde mijn hele zienswijze. Mijn oorspronkelijke idee was geworteld in zo veel negativiteit en ik projecteerde mijn zorgen over mijn eigen leven onterecht op jullie allemaal. Door de lessen ben ik me dat gaan realiseren. Jullie hebben me dat doen beseffen. Dus het artikel is veranderd. Ik denk echt dat jullie het goed vinden.'

'In welk deel staat het?' vroeg Naomi.

'Stadsnieuws,' antwoordde Bess. 'Het is eigenlijk heel kort. Ik betwijfel of veel mensen het zullen lezen.'

'Dat is waar,' zei Julian. 'Ikzelf ben meer van de beroemdheden.'

'Joh, echt?' zei Charlie. Ze keek Bess aan. 'Tja, ik moet zeggen dat ik niet helemaal weg ben van het idee, en het feit dat je dit allemaal achter onze rug hebt gedaan, zit me ergens niet lekker. Dit is wel mijn zaak, weet je? Julian, Felicity en ik hebben onze ziel en zaligheid hierin gestopt en dat die nu zonder onze toestemming onderwerp is van een artikel, lijkt me erg onethisch van jouw kant.'

'Om maar niet te spreken over jouw aanvankelijke intenties, Bess,' zei Julian. 'Wie dacht je dat je was om jezelf meer betrokkenheid toe te dichten dan ieder van deze vrouwen? Je zo neerbuigend en laakbaar opstellen is nogal onvergeeflijk.'

'Maar dat is het nou juist,' legde Bess uit. 'Toen ik hieraan begon, was ik inderdaad een trut, zeker weten. Maar door de vrienden die ik hier gemaakt heb en het gevoel dat yoga me heeft gegeven – open, minder agressief, meer bewust – ben ik veranderd. En dat komt allemaal terug in het artikel, dat beloof ik jullie.'

'Je wilt echt niet weten wat ik ga doen als dat artikel me pissig maakt,' zei Felicity. 'Serieus.'

'Als je over mijn ms schrijft, Bess, dan vergeef ik je dat nooit,' zei Naomi. 'Als je dat zonder mijn toestemming gewoon gedaan hebt…'

'Nee, nee, natuurlijk heb ik dat niet gedaan. Er staat helemaal niets in wat te persoonlijk is. Ik heb geprobeerd jullie allemaal zo anoniem mogelijk te houden.'

'Behalve dan dat je ons bij onze echte naam hebt genoemd, natuurlijk,' snauwde Sabine. 'Ik mag dan niet dol zijn op mijn werk, maar ik heb het wel degelijk nodig. Je gaat er toch niet voor zorgen dat ik ontslagen word, hè?' Haar baas stond erom bekend de krant elke dag te spellen. Hoeveel Sabines waren er nou in de uitgeverijwereld?

'Ik zweer je, dat zal niet gebeuren. Lees nou alsjeblieft gewoon allemaal het artikel, dan worden jullie vragen vanzelf beantwoord!'

'Ik ben ondertussen wel razend nieuwsgierig,' bekende Charlie.

'Ik ook,' zei Sabine.

'Oké, lees het maar,' zei Bess. Ze gaf hun allemaal een krant en liep naar de studio om daar te gaan ijsberen. O, alsjeblieft, laat ze het mooi vinden, zei ze tegen zichzelf.

De minuten leken uren te duren. Eindelijk stak Charlie haar hoofd om de deur. 'Hai, Bess,' zei ze.

Bess keek zenuwachtig op. 'En?'

'Het is fantastisch!' zei Charlie met tranen in haar ogen. 'Ik ben verschrikkelijk ontroerd!'

'Ik ook!' gilde Sabine, die naar binnen kwam rennen om haar te omhelzen. Naomi en Charlie liepen achter haar aan en al snel waren ze verstrengeld in een gigantische vierpersoonsomhelzing.

De tranen stroomden over Bess' wangen. Ze werd overspoeld door opluchting en blijdschap. Nog nooit was iets zo belangrijk geweest voor haar. Het respect van deze vrouwen betekende alles voor haar.

'Het is zo goed gedaan, Bess,' zei Naomi. 'Dank je wel.'

'Vind je ons echt zo bijzonder?' vroeg Sabine schalks.

'Ja,' antwoordde Bess. 'Dat vind ik echt. Ik bedoel, we slaan ons er allemaal doorheen, weet je? We doen ons best, elke dag.'

'Het is de beste publiciteit die we maar kunnen krijgen, Bess!' kirde Julian. 'Nu gaat het allemaal als een trein lopen. Jee, ben jij even door het oog van de naald gekropen.'

'Nou, dit had allemaal verschrikkelijk fout kunnen gaan, maar je hebt Prana recht gedaan,' zei Felicity, die haar als volgende omhelsde. 'Volgens mij gaan we er zakelijk gezien echt wat van merken.'

'We worden rijk!' riep Julian uit, terwijl hij rondhuppelde en George en Michael achter hem aan stoven.

'Zo ver zou ik niet willen gaan,' zei Charlie. 'Oké, laten we gaan eten!'

'Wacht! Nog één ding!' zei Naomi. 'De website!'

Ze schakelde haar laptop aan. 'Oké, hier komt-ie,' zei ze, terwijl de site op het scherm verscheen. 'Vergeet niet dat dit nog maar een eerste versie is. Sabine en ik willen met alle liefde opnieuw aan de slag als jullie het afschuwelijk vinden.'

Ze liep de site met hen door, klikte alles een voor een aan. Elke klik werd gevolgd door kreten van verrukking. Toen ze klaar was, keek ze hen aan.

'De website is volmaakt, Naomi,' kirde Felicity. 'Volmaakt Prana.'

'Zeg dat wel,' zei Charlie. 'Van de foto's tot de tekst tot de heldere, open vormgeving…'

'Is het geniaal,' zei Bess. 'Echt prachtig.'

'Dus jullie vinden het mooi?' vroeg Naomi stralend. 'Echt?'

'Echt,' zei Julian. 'Volgens mij moet ik je knuffelen.'

'En Sabine, de tekst is ongelooflijk. Vriendelijk, grappig, open…' zei Charlie. 'Net als jij.'

Sabine straalde. 'Ik ben zo blij dat jullie het mooi vinden.'

'En hoe je over mijn producten hebt geschreven!' voegde Felicity eraan toe. 'Misschien moet ik je wel fulltime in dienst nemen.'

'Ik kan de site nu meteen lanceren, als jullie dat zouden willen,' zei Naomi.

'Echt?' vroeg Charlie. Ze keek naar Felicity en Julian, die instemmend knikten.

'Wacht, wacht, pak de champagne!' zei Bess. Sabine greep een fles en begon het folie van de kurk af te halen.

'Oké, Naomi – een, twee, drie!' Terwijl Naomi de site officieel lanceerde, plopte de kurk uit de champagnefles en kwamen de bubbels in een schuimende stroom naar buiten.

'Lechajim!' gilde Sabine.

Proost.

Drie maanden later

'Waar ga je hee-heeeeen?' jammerde Zach, toen Sabine zo onopvallend mogelijk het bed probeerde uit te kruipen. Hij stak zijn hand uit om haar weer terug te trekken. Ze zwichtte en genoot van de warmte van zijn blote borst tegen haar wang.

'Dat heb ik je toch verteld. Ik heb vandaag in Prospect Park afgesproken met Charlie, Bess en Naomi. Luister je wel naar me?'

'Wat?' zei Zach plagend.

'Heel geestig.' Ze kneep hem. 'Ik ben aan het eind van de middag terug.'

'Heb je gisteren geen les met hen gehad dan?'

'Jawel, maar dit is anders. Dit is een picknick in het park. Bess heeft het georganiseerd. Volgens mij heeft ze iets belangrijks te vertellen of zoiets.'

'Misschien staan jullie wel op de cover van *People* of zo. "Verrassing! Ik heb over jullie allemaal een boekje opengedaan! Maar het is superaardig, dus wees niet boos."' Zach had zich nooit helemaal neergelegd bij Bess' eerste artikel. Hij vond dat ze te ver was gegaan.

'Doe niet zo flauw, Zach.' Sabine stapte het bed uit en bekeek zichzelf in de spiegel. Douchen of niet douchen, dat was de vraag. Ze keek wat beter en gaf zichzelf een steuntje in de rug. Haar buikspieren waren absoluut strakker. *Bedankt, yoga.* Na afloop van de basiscursus hadden de vrouwen besloten naar Charlies open les op zaterdagmiddag te gaan. Het aantal leerlingen was door zowel Bess' artikel als de Pranawebsite aanzienlijk toegenomen. Soms was het zo druk, dat ze blij moesten zijn met twee centimeter ruimte tussen de matjes.

Niet douchen, dacht Sabine. Het was halverwege juni en ze zou in het park toch zweten als een otter. Met een beetje deodorant en een hoed om de zon uit haar gezicht te houden, moest het lukken. Sabine was altijd een zonaanbidster geweest, maar de laatste tijd was dat af te lezen aan haar gezicht. Ze had een vreemde vlek op haar bovenlip die wel heel erg leek op een snor. Haar roekeloze bakdagen waren voorbij.

'Later, liefje,' fluisterde ze in zijn oor. Hij glimlachte en mompelde haar gedag. Sabine stopte haar hoed in haar tas en liep de woning uit, biddend dat de metrogoden haar gunstig gezind zouden zijn.

'Rustig aan, Noah!' gilde Naomi. Hij fietste voor haar uit; zijn lange benen trapten met de snelheid van het licht. In mei had ze voor hen allebei een fiets gekocht en in de weekenden hadden ze met ongelooflijk veel plezier stormenderhand de straten van Brooklyn veroverd. De eerste paar ritjes waren voor Naomi zenuwslopend geweest: door haar bezorgdheid over haar eigen evenwicht en Noahs neiging om zich uit te sloven, had ze continu gevreesd dat een van hen zijn nek zou breken, ondanks hun eersteklas helmen. Maar na verloop van tijd was ze rustiger geworden. Noah was een natuurtalent en zij, tja... voor haar had lichaamsbeweging nu een andere betekenis. Zo'n positieve controle over haar lichaam hebben – echt waardering kunnen opbrengen voor het feit dat haar hersens haar benen opdroegen te trappen en dat dat precies was wat ze deden – was geruststellend. Noah vertraagde zijn tempo en ze ging naast hem rijden. Hij keek opzij en stak zijn hand uit om haar arm aan te raken.

'Voorzichtig!' zei ze plagerig. Zijn gips was er al maanden geleden afgegaan, maar ze nam geen enkel risico. Hij stak zijn tong naar haar uit. 'Wedstrijdje!' gilde ze, terwijl ze voor hem uit naar de ingang van het park reed.

'Daar is papa!' schreeuwde Noah, terwijl hij haar inhaalde. Ze glimlachte. Gene stond op hen te wachten, zijn eigen fiets stond op de standaard naast hem.

'Rustig aan, Lance Armstrong,' zei hij, toen Noah als een haai rondjes om hem heen reed. Noah remde, sprong van zijn fiets en sloeg zijn armen om Gene heen. Naomi verwonderde zich over haar gebrek aan jaloezie bij het zien van Noahs extase. Het was haar de afgelopen maanden wonderwel gelukt hem wat meer los te laten. En ook Gene had laten zien wat hij waard was – elke keer dat ze hem om hulp had gevraagd, had hij zonder klagen voor haar klaargestaan. 'Hai, Naomi,' zei hij.

'Hai, Gene. Fijn dat je gekomen bent. Over een paar uurtjes ben ik wel weer klaar.'

'Doe rustig aan. Wie komen er op de picknick?'

'Mijn yogadames. We gaan voor de verandering eens de studio uit. We hebben elkaar al een tijdje niet echt gesproken, dus het wordt vast leuk.'

'Cool. We zijn rond een uur of vier weer bij je thuis, als dat goed is. Ik wilde Noah misschien meenemen naar het Brooklyn Museum.'

'Fijn!' zei Noah, die weer op zijn fiets was gesprongen, enthousiast. 'Ik vind het daar leuk.'

'Perfect,' zei Naomi. 'Veel plezier, jongens. Ik hou van je, Noah. Gedraag je, hè!'

'Ik hou ook van jou, mam.' Hij sprong van zijn fiets om haar een knuffel te geven. De fiets viel op de grond, ondanks het feit dat Naomi hem voortdurend zei er voorzichtig mee te doen. Ze schudde de ergernis van zich af. *Het is nu eenmaal een jongen.* Ze gaf hem ook een knuffel, zwaaide en ging ervandoor, benieuwd naar wat Bess te vertellen had.

'Geen idee, wat wil jij vanavond doen?' vroeg Charlie door de telefoon. De zon voelde heerlijk op haar blote schouders. In juni was je de eindeloze New Yorkse winter binnen de kortste keren vergeten.

'Misschien moet ik voor jou koken,' antwoordde Mario. 'Iets verrukkelijks. We kunnen buiten op mijn terras eten.' Mario was een mazzelaar. Een appartement met een terras in Brooklyn stond wat Charlie betreft gelijk aan het winnen van de loterij.

'Klinkt goed. Ik moet aan het eind van de middag nog twee lessen geven, maar ik kan gedoucht en wel rond half acht bij jou zijn.' Mario woonde heel dicht bij Prana en dus ook dicht bij haar. Geografische verenigbaarheid was slechts een van de vele redenen waarom ze van elkaar genoten. Zoals beloofd, was Charlie al snel na de beruchte ontmoeting met Neil in de delicatessenzaak naar een optreden van zijn band komen kijken, en de rest was vanzelf gegaan. Het was haar zelfs gelukt hem yoga te laten proberen.

'Bueno,' antwoordde hij. 'Veel plezier met de meisjes. Ik popel om je straks te eten te geven.'

Charlie lachte. 'Oké, Mario, tot gauw.' Ze versnelde haar tempo en merkte dat het zweet op haar voorhoofd begon te parelen.

Bess legde het kleed voor haar gevoel voor de negenenzeventigste keer anders neer. Ze had fruit, kaas, tonijnsalade en crackers meegenomen. Haar maag knorde toen ze ernaar keek. Ze wilde eten, maar haar zenuwen speelden haar parten. Ze vroeg zich af hoe Charlie, Naomi en Sabine op haar nieuws zouden reageren.

'Besss!' gilde Sabine, die over het gras naar haar toe kwam lopen. 'Hallo, geheimzinnig kreng!' zei ze, terwijl ze Bess ter begroeting omhelsde. 'Vertel mij het als eerste, voordat de anderen er zijn. Ik zal het niet verklappen.'

'Ik dacht het niet, dame,' antwoordde Bess. 'Trouwens, zo belangrijk is het nu ook weer niet. Volgens mij heb ik het een beetje overdreven.' Eigenlijk was het dus wel heel belangrijk, misschien wel het belangrijkste in Bess' leven tot nu toe, maar ze schaamde zich een beetje voor het feit dat ze het zo had opgeblazen. 'Hoe is het met je?'

'Nou, ik heb Zach net thuis achtergelaten… en ik ben dol op dit weer! Is het niet heeeeeerlijk?'

'Zeg dat wel. Zonnestralen voelen staat in mijn top vijf.'

'Shit, bijna vergeten,' zei Sabine. Ze haalde haar hoed uit haar tas. 'Bescherming,' zei ze, terwijl ze hem op haar hoofd zette.

'Wauw, moet je jou nou zien!' zei Naomi, die met haar fiets aan de hand aan kwam lopen en die naast hen op het grasveld neerlegde. 'Je ziet eruit als een diva uit Palm Beach!'

'Op en top!' antwoordde Sabine. Ze stond op om Naomi te omhelzen.

'Hai, Bess!' Naomi ging zitten en omhelsde haar ook. 'Heerlijk om je te zien.'

'Niet verstopt in enorme jassen,' zei Bess. 'In hemdjes nog wel.'

'En mag ik even opmerken dat we er allemaal *très jolie* uitzien,' zei Naomi. 'Yoga doet ons goed.'

'Holla!' antwoordde Sabine.

'Hebben jullie trek?' vroeg Bess. 'Ik heb wat hapjes meegenomen.'

'Oooo, ik neem wel wat fruit,' zei Naomi. Ze pakte een stuk ananas uit een schaaltje. 'Jammie.'

'Hallo, dames!' zei Charlie, die op een drafje naar het kleed toe kwam. 'Sorry dat ik een beetje te laat ben.'

'Kon Mario het niet over zijn hart verkrijgen je te laten gaan?' plaagde Naomi. 'Ik wed om honderd dollar dat hij eieren met spek als ontbijt voor je wilde maken.'

'Heel geestig,' antwoordde Charlie, tussen het kussen op de verschillende wangen door. 'Ik zal je vertellen dat ik vannacht thuis heb geslapen.'

'Echt? Waarom?' vroeg Sabine.

'Ik ben een retraite aan het organiseren! Ik ben er zo enthousiast over. Een vriendin van Julian is manager van een of ander schitterend hotel in Puerto Vallarta en zij wil ontzettend graag een yogaretraite voor het hotel op het programma zetten. Ze heeft Julian en mij gevraagd daar les te gaan geven.'

'Ga weg!' riep Naomi. 'Dat is geweldig! Puerto Vallarta moet ongelooflijk zijn.'

'Wanneer is het?' vroeg Bess.

'Vlak voor Thanksgiving. Van woensdag tot woensdag.'

'Dat is te mooi om waar te zijn,' zei Sabine. 'Je reinigt je lichaam en je geest voordat je je lens eet aan kalkoen. Lijkt me wel wat.'

'Weet je, ik zou wel voor korting kunnen zorgen als jullie geïnteresseerd zijn,' zei Charlie met een sluwe glimlach. 'Ik heb haar al gevraagd of ik een paar goede leerlingen kon vastleggen en ze was bereid vijfentwintig procent van de prijs af te halen.'

'Dat meen je niet!' zei Naomi. 'O, wauw, dat zou echt heerlijk zijn! Yoga in Mexico! In november!'

'Voor mij zou het nog goedkoper zijn,' zei Bess. Ze was ontzettend nerveus voor het onthullen van haar 'grote geheim', maar deze insteek was ingenieus.

'Hoe bedoel je?' vroeg Charlie, terwijl ze een stukje kaas afsneed.

'Ik ga in LA wonen!' antwoordde Bess.

'Wacht, wacht!?' zei Sabine. 'Ga je daarheen om bij Dan te zijn?! Wat spannend, Bess!' Ze sprong op om haar te omhelzen.

'Dat is zeker spannend!' beaamde Naomi. 'Maar je baan dan? Wat ga je doen?' Naomi zweeg. 'Moet je mij nou horen, juffrouw Domper. Sorry, Bess.'

'O, nee, natuurlijk moet je die vraag stellen. Daar ben ik net zo enthousiast over als over het weerzien met Dan.'

'Holy shit, wat ga je dan doen?' vroeg Sabine.

'Schrijven voor de stijlbijlage van de LA *Times*,' antwoordde Bess. 'Ik weet het, dat is nou niet bepaald het door oorlog verscheurde Bosnië, maar er is mij verteld dat die functie doorgroeimogelijkheden heeft. Na een jaartje of twee in die functie, plus een aantal losse freelanceklussen, zit ik redelijk gebeiteld. Het is een geweldige kans om een voet tussen de deur te krijgen.'

'Ik zou zeggen dat je helemaal gebeiteld zit,' zei Sabine. 'Wat heerlijk voor je, Bess! Wat een fantastisch nieuws!'

'Zeg dat wel,' beaamde Charlie. 'Wat heeft je doen besluiten de knoop door te hakken?'

'Ik denk dat het gewoon een geleidelijk proces is geweest,' antwoordde

Bess. 'Ik begon me open te stellen voor het idee ernaartoe te verhuizen en toen werd het langzaam maar zeker steeds minder een offer en meer een kans. Bovendien lijkt het me geweldig om dichter bij mijn ouders te zijn. Ik had nooit gedacht dat ik dat nog eens zou zeggen, maar het is zo.'

'Volgens mij wordt het fantastisch,' zei Naomi. 'Voor jullie allebei. En trouwens, ik ben erg voor dat Puerto Vallarta-gebeuren. Volgens mij moeten we het doen.'

'Moet je jou horen, juffrouw Geldzat!' plaagde Sabine. 'Hoe voel je je trouwens?'

'Goed, goed. Ik denk nog steeds na over de medicijnen en probeer ondertussen overal mijn licht op te steken. Ik ben ook bezig met acupunctuur en heb alle leuke dingen uit mijn eetpatroon geschrapt. Volgens mij voel ik me wel goed.'

'En je dokter vindt het prima dat je geen medicijnen neemt?' vroeg Bess.

'Nou, hij staat niet te springen van vreugde, maar hij kan me niet dwingen, toch? Over een maand heb ik weer een MRI, om te zien wat mijn hersens bekokstoofd hebben, en dan zien we wel verder. Na de negatieve uitkomst van mijn punctie was ik gewoon niet in staat om meteen medicijnen te gaan slikken. Dat voelde zo gehaast en paniekerig. Althans, dat denk ik het grootste deel van de tijd. Op andere dagen vrees ik dat mijn voorliefde voor ontkenning me een schop onder mijn kont zal geven.' Ze zuchtte diep. 'O, het is zo saai! Echt hoor, ik ben het zat om erover te praten. Maar bedankt voor het vragen, meiden.'

'Hoe is het met je werk?' vroeg Charlie.

'Je wilt niet geloven hoeveel klussen ik heb. Sinds de website voor Prana is het een gekkenhuis.'

'Fantastisch, Naomi!' zei Bess. 'Waar ben je nu mee bezig?'

'Nou, een vriendin van Felicity was nogal onder de indruk van mijn werk voor haar haarproducten. Zij is zo'n bloggende supermoeder uit Park Slope.' De groep kreunde in koor. Dit stereotype kenden ze maar al te goed. Op de trottoirs van Brooklyn wemelde het ervan: klompen dragende moeders, die hun gigantische wandelwagens voortduwden en knabbelden aan hun futloze energierepen zonder gluten en zonder zuivel. Naomi lachte. 'Zo erg is ze nu ook weer niet. Ik bedoel, ze voegt tenminste de daad bij het woord. Ze ontwerpt milieuvriendelijke kinderkleding. Best coole dingen eigenlijk. Ik bedoel, Noah zou er nog niet dood in gevonden willen worden, maar dat komt alleen omdat hij de laatste tijd alleen maar modetips aanneemt van zijn popstervader.' Ze grinnikte en sloeg haar ogen ten hemel. 'Hoe dan ook, zij wil graag een website, dus heeft ze me gebeld. Hij gaat deze week de lucht in met foto's die ik heb gemaakt van haar kinderen in die kleren.'

'Jee, wat spannend voor je, Naomi,' zei Bess. 'Ik ben ervan overtuigd dat haar site je nog veel meer klussen op gaat leveren.'

'En wie weet waar dat allemaal toe leidt!' zei Sabine. 'Je staat op het punt heel groot te worden.'

Naomi glimlachte. 'Bedankt, meiden. Ik vond het allemaal behoorlijk spannend.' Ze nam een slokje water. 'Hoe gaat het met jouw schrijfcursus, Sabine?'

'Nou, best goed. Alleen al het elke week samenkomen met andere schrijvers, kritiek leveren en bekritiseerd worden... dat voelt goed. En als iemand anders met de deadlinezweep knalt, luister ik dus eindelijk een keer.'

'Geen pincetpauzes meer?' vroeg Bess.

'Nee! Ik ben een goedgeoliede machine. Zien ze er trouwens niet voller uit?' Ze fronste haar voorhoofd in een poging te pronken met haar wenkbrauwen.

'Nou en of!' antwoordde Charlie, die ze van dichtbij bekeek. 'Mooi. Erg geraffineerd.'

'"Franse vrouwen die een cappuccino drinken en een sigaret roken in een combinatie van donkerblauw en zwart"-geraffineerd?'

'Precies,' antwoordde Charlie.

'Moet je ons nou zien!' riep Naomi. 'Niet te geloven, toch? Het is zomer, liefjes!'

'Halleluja!' zei Sabine. 'Jee, Bess, jij hebt het hele jaar zomer in LA, hè?'

'Zo'n beetje wel,' antwoordde ze. 'Ik kan niet zeggen dat ik me daar niet op verheug.'

'Wanneer ga je eigenlijk verhuizen?' vroeg Charlie, terwijl ze een aardbei onder een stukje meloen uit viste. Bess lag op haar rug en deed haar verhuisplannen uit de doeken, en Sabine – die een eersteklas kussen in de vorm van Bess' buik zag – legde haar hoofd erop en verschoof haar hoed. Naomi, die zag hoe de zon door de gaatjes van Sabines rieten hoed spikkeltjes op haar borst toverde, pakte behoedzaam haar camera uit haar rugzak.

De ochtend ging over in de middag en ze bleven met zijn vieren op hun kleine picknickkleedeiland vertoeven. Ze genoten net zo van de heerlijk warme, frisse lucht als van elkaar. Niemand wist wat de toekomst voor hen in petto had, maar op dat moment, op die stralende zomerse dag in Brooklyn, was het leven verdomd goed.

Dankwoord

Allereerst wil ik mijn ouders Sue en Ethan Fishman bedanken. Mam, van jou heb ik de liefde voor het geschreven woord meegekregen. En pap, bedankt voor de 'zomerschool' en dat je me geleerd hebt het nooit op te geven. Dank ook aan mijn broer, Brenner Fishman, omdat hij in mij gelooft, mijn oma, Edna Horan, omdat ze me het populairste meisje van de bibliotheek heeft gemaakt, en mijn opa, Steve Fishman, wiens wonderbaarlijke geest me op ideeën brengt. Ook dank ik de rest van mijn familie: jullie liefde en steun betekenen meer voor me dan ik ooit in woorden uit kan drukken.

Dank aan mijn geweldige, wijze redacteur, Jeanette Perez. Zonder jou zou dit nooit gebeurd zijn en ik ben je meer dan dankbaar. Ik dank ook Carrie Kania en Michael Morrison voor de kans die ze me hebben gegeven.

Tot slot dank ik alle fantastische vrouwen in mijn leven. Jullie kracht, elegantie en evenwicht vormen een voortdurende inspiratiebron. Als jullie ook maar een glimp van jezelf op deze pagina's aantreffen, dan heb ik het goed gedaan. Jullie waren immers de bron.